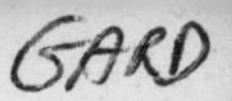

Tegen de stroom in

Van dezelfde auteur:

Zoeken naar Gemma

Katy Gardner

Tegen de stroom in

2004 – De Boekerij – Amsterdam

Oorspronkelijke titel: The Mermaid's Purse (Michael Joseph, Penguin Books)
Vertaling: Rosemarie de Bliek
Omslagontwerp: MarliesVisser.nl
Omslagfoto: Zefa

ISBN 90-225-3690-4

Voor mijn moeder

Dankwoord

Mijn dank gaat uit naar Helen Osborne, Richard Gardner, Saul Dubow, Wilf Hashemi en Nina Beachcroft voor hun goede raad en steun. Clare Conville is de beste agent die ik me maar wensen kan, en het enthousiasme, vertrouwen en de scherpzinnige redactionele aanwijzingen van Louise Moore hebben dit boek mogelijk gemaakt. Tenslotte wil ik Graham bedanken, voor zijn begrip, en omdat hij er altijd voor me is.

Voorwoord

Het was het laatste wat hij verwachtte toen hij die heiige ochtend in augustus langs het strand wandelde. Hij was een man van vaste gewoonten, zo voorspelbaar als de getijden. Bij het krieken van de dag werd hij wakker, zwaaide zijn oude benen uit bed en dan, wat voor weer het ook was, liep hij naar de zee. Hij genoot van zijn contact met de golven in de vroege ochtend terwijl de hond blafte van plezier en met haar tong uit haar bek naast hem rende; het gaf hem het gevoel dat hij leefde.

Snel een kop thee, dan naar buiten de zon in, alleen hij en de hond, met grote passen heuvelafwaarts, alle gordijnen in de andere huizen nog dicht. Soms passeerde hij een eenzame straatveger of een dolende dronkaard, maar meestal had hij de stad voor zich alleen. Hij hield van de frisse zeelucht die hem aan de voet van de heuvel tegemoetkwam, de open, vrije ruimte. Later, als de janplezieren en dagjesmensen kwamen, werd het anders: de wegen tjokvol, het kiezelstrand bedekt met onbeweeglijke roze en bleke lichamen; het gegil en gedender van de achtbaanritten op de boulevard dreven op de bries mee terug naar boven. Nu was deze plek echter van hem.

Eenmaal beneden kon hij het lome water zien, kalm en glad tegen de horizon. De lucht erboven was pastelbleek. Ze staken de verlaten vierbaansweg over, toen de trap af en de hond, bijna uitzinnig van verlangen, trok hijgend aan haar riem, haar poten klikkend op het beton. Ten slotte bukte hij zich en liet haar los en weg was ze, kwispelend als een waanzinnige, haar ogen rollend van verwachting, terwijl ze over het kiezelstrand naar de zee sprong.

Het begon warm te worden. De zon was bijna boven de Regency-facade van de boulevard geklommen; hij voelde hem op zijn kale kruin branden. Hij zette koers naar de pier en terwijl hij zich uitrekte en met zijn vingers knipte, stapte hij over de overblijfselen van de avond tevoren: lege flessen, de verkoolde sintels van een vuurtje, een slappe plastic zak. Overal langs de vloedlijn lag gebleekte zeedrift, gedroogde inktvisschelpen, gevlochten touw, stukjes hout. Hij schopte met zijn schoenen tegen de rommel, en hoorde maar half dat zijn hond plotseling en uit haar doen jankte. Het was hier vroeger nooit zo'n rommel, dacht hij net. Toen keek hij op en zag dat de hond niet bij het water was, dat ze iets had gevonden.

Ze ging uitzinnig tekeer, blafte en krabde tegen de zijden van een vissersboot die op de stenen lag. Misschien lag er eten in, of een emmer rottende vis. Toen hij dichterbij kwam, zag hij wat kleren die bij de houten romp waren achtergelaten. Het zag eruit als ondergoed en nog iets, een trui misschien. Vast de stille getuigen van de verleiding van een of ander dwaas meisje, onderbroekje en beha achtergelaten als vlaggen op het zondagochtendstrand om de verovering te markeren. Hij begon plichtsgetrouw over de kiezels te sjokken om de hond weg te duwen, maar ze had het klaargespeeld om in de boot te klimmen en haar opgewonden gekef vertelde hem dat wat ze gevonden had interessanter was dan vis. Toen hij bij het schip was, legde hij zijn handen op de ruwe houten zijkant en tuurde naar beneden.

Het duurde ongeveer een seconde voor hij besefte wat hij zag. De hond zat gehurkt op de bodem van de boot en gromde bijna beschermend bij wat een bundel bebloede kleding leek. Een moment bleef hij staan kijken naar haar overeind staande nekharen en dacht dat het een grap moest zijn, een of andere stunt van studenten van de kunstacademie. Maar toen hij de hond ferm opzij duwde, kon hij het niet langer ontkennen: het ding in de boot was menselijk. Bijna slaakte hij een kreet toen dat tot hem doordrong. Hij voelde verdriet in zijn ooghoeken prikken, een brok van paniek in zijn keel. Nee, dit was geen grap, meer een vreselijke droom.

Hij staarde en staarde, zijn hart sprong over. Het natte hoofd was bedekt met een korst opgedroogd bruin bloed, de ogen waren stijf gesloten. Dan was er het bedekte lichaampje, en uit de onderkant van het wollen lijkkleed staken een paar voetjes vol rode vlekjes. Door die voetjes kwam hij in actie. In paniek joeg hij de hond luidkeels weg en stak zijn handen uit naar het gezichtje. En toen hij dat aanraakte, god, wat was het koud.

Vele jaren geleden zou hij beter geweten hebben wat te doen. Nu kon hij echter alleen maar bedenken dat hij hulp moest halen. Hij was geen gelovig man, maar toen hij zich over het strand terug haastte naar de weg en de glinsterende gebouwen, bad hij.

Ik was zeven toen we het hoornkapsel vonden, die zomer waarin ik nooit leerde zwemmen. Mam zag het het eerst, met haar speurende, scherpe blik. Klauterend over de stenen op het strand van Cornwall viste ze het uit het schuim en droeg het voorzichtig, als een schat, in de palm van haar hand naar me toe. Het was zo'n kostbaar kleinood, niet meer dan enkele centimeters lang, met slierten zeewier die aan het verschrompelde leerachtige zakje zaten. Ze gaf het me en ik streek met mijn vinger over het koele, door de zee bespoelde oppervlak. Neptunus had het daar vast achtergelaten, dat dacht ik. Er zaten zeker parels in.

Maar er was meer dan dat, veel meer. Daarom, toen ze haar geduld verloor en het terug in zee wierp, rende ik om het van de aanzwellende golven te redden. Daarna hield ik het stijf in mijn zak geklemd, de hele terugweg naar huis. Het was mijn geheim dat ik het nog had. Het was iets wat ze nooit zou weten.

1

Beschouw niets als vanzelfsprekend: dat is een van de eerste regels van wetenschappelijk denken. Wantrouw je veronderstellingen, graaf er diep doorheen om te ontdekken wat eronder ligt. En onthou, dat wat je informanten zeggen en wat ze in feite doen, vaak niet hetzelfde is.

Neem Matt, een uitstekende illustratie van het laatste. Een echte linkse rakker, vurig voorstander van gelijkheid, docent politicologie, professor en auteur van drie goed ontvangen boeken over sociale voorzieningen en de staat, al tien jaar mijn minnaar en metgezel. Matt leest de vrouwenpagina van de *Guardian* zonder sarcastisch commentaar; hij verzekert me regelmatig dat mijn carrière net zo belangrijk is als de zijne. En toch, als je Matts gedrag onder de loep neemt, is de kloof tussen ideologie en praktijk maar al te duidelijk.

Zijn lichaamstaal op dit moment is daar een voorbeeld van. Ik sta midden in de kamer en filosofeer daarover, terwijl ik objectief probeer te blijven door te doen alsof hij slechts een onderzoeksobject is. Hij heeft zich op het balkon teruggetrokken. Zijn rug is met opgetrokken schouders naar me toe gekeerd en hij heeft een sigaret opgestoken, met zijn handen als een kom voor zijn gezicht en van me afgekeerd terwijl hij diep en furieus inhaleert. Mijn gezicht wordt warm bij het besef dat hij kwaad is, mijn borstspieren verstrakken. Ik had het niet verwacht, want wat hij zei was anders, maar blijkbaar is Matt hoogst ontstemd over de recente ontwikkelingen. Men moet onophoudelijk verder kijken dan de oppervlakte: sociaal gedrag is niet altijd wat het lijkt. Het is een uitgangspunt dat ik jarenlang gedoceerd heb, misschien een les die ik nog persoonlijk moet leren.

Het volgende is gebeurd. Ik heb een functie als docent geschiedenis aangenomen in Brighton, iets waarover we het eens waren dat ik zou doen. Matt heeft me de afgelopen drie dagen naar mijn nieuwe flat helpen verhuizen en nu heeft hij er genoeg van. Ik had die reactie moeten zien aankomen, had hem beter moeten kennen. Wat Matt namelijk echt, werkelijk wil, is dat ik in Londen blijf en dat zijn carrière, en niet de mijne, op de eerste plaats komt.

Dus moet ik hem nu terugwinnen. Ik stap over een van de vele stapels boeken die het onooglijke, bruine hoogpolig tapijt bedekken en schuifel nonchalant opzettelijk naar het balkon. Ik hoop dat hij me aankijkt, dat er een onuitgesproken communicatie volgt, die onmiddellijk alle boze woorden die we elkaar naar het hoofd hebben geslingerd ongedaan maakt. Hij weigert echter mee te spelen en staat stug doorpaffend nors naar de weg te staren. Ik zie dat het er de hele dag al zat aan te komen, deze scène, en zonder te begrijpen wat ik deed heb ik hem de perfecte opening gegeven. En nu, zoals altijd, zal ik degene zijn die vrede sluit.

'Doe niet zo pissig,' zeg ik. 'Ik bedoel, die spiegel is niet echt belangrijk.' Hij haalt zijn schouders op. Ik haal diep adem. 'Sorry dat ik je een hufter noemde.' Ik verwachtte gewoon niet dat je hem zomaar zou laten vallen, wil ik eigenlijk zeggen, maar na tien jaar ervaring met Matts stemmingen weet ik wel beter. In plaats daarvan doe ik nog een stap naar hem toe, en sta zo dichtbij dat ik bijna zijn bezwete T-shirt kan aanraken. 'Ik weet dat dit moeilijk voor je is,' zeg ik zacht.

'We hadden een verhuisbedrijf moeten inschakelen,' mompelt hij. 'Ik hoor aan het werk te zijn. Dit heeft al de hele week geduurd. En voor we het weten is het weer vakantie en zit ik in de shit.'

Ik zwijg. In de shit zitten kan 'rampzalig' zijn of 'licht ongemak' inhouden en Matt heeft het over het laatste, want het enige wat er zal gebeuren is dat hij zijn laatste krantenartikel een paar weken later zal opsturen. 'Je kunt morgen terug. We zijn bijna klaar.'

Ik sta inmiddels op het smalle balkon, met de afgebladderde smeedijzeren balustrade en uitgedroogde potplanten. Achter hem sla ik mijn armen om zijn buik en probeer hem te omhelzen. Hij ruikt naar tabak en lichaamszweet en ons waspoeder, zo door en door vertrouwd dat het lijkt alsof ik de voordeur open en ons huis ruik. Achter de glanzende daken van de auto's zie ik de gemeenschappelijke tuinen die zich uitstrekken tot de zee, en dan de brede strook blauw water, met boten als kleine stipjes in de verte. De zon staat op het punt onder te gaan in een Turnerachtige oranje veeg boven de pier. In de bomen aan de overkant strijkt een enorme zwerm kwetterende spreeuwen neer. Matt blijft stil en ontoeganke-lijk staan zonder me aan te kijken.

'Ik begrijp gewoon niet waarom je je hele hebben en houden moet verhuizen. Alsof er geen treinen zijn.'

'Kijk dan eens naar het uitzicht. Is dat geen reden genoeg?'

We weten allebei dat ik niet volkomen eerlijk ben, maar nu lijkt het hem te vermurwen. Hij mikt de peuk over het balkon, draait zich om en legt zijn grote handen om mijn gezicht. Doctor Hughes, met zijn zware last van ambitie en ongeduld en al zijn verborgen on-zekerheden. Hij is aangekomen door de jaren heen, zijn haar is grijs geworden bij de slapen en om zijn mondhoeken zijn kleine rimpel-tjes verschenen, maar hij is nog steeds knap, nog steeds mijn gelief-de. Tien jaar geleden, toen ik nog studeerde, dacht ik dat ik nooit ie-mand anders nodig zou hebben. Terwijl ik doelloos in het magazijn van de bibliotheek slenterde of later naar de stapel wetenschappelij-ke teksten keek die ik had uitgekozen, fluisterde ik zijn naam, als een bezwering die me kon beschermen tegen de kwaadaardige bui-tenwereld. Matt, mijn beschermer: hij begeleidde me van de ver-warring na het afstuderen naar een goed ontvangen doctorsbul, hielp me op weg naar mijn eerste betrekking, hielp me zelfs met mijn boek. Nog belangrijker, hij werd mijn familie. En nu, terwijl ik hem aankijk, zijn zijn ogen verdacht vochtig.

'Ik ga niet bij jóú weg,' fluister ik. 'Ik moet gewoon deze baan aannemen.'

Droevig schudt hij zijn hoofd en dan zijn zijn handen in mijn topje, op zoek naar mijn beha-bandje, alsof het van hem is. En vreemd genoeg, hoewel ik weet dat ik me om hem te troosten en het weer goed te maken alleen maar met hem op de grond hoef te laten zakken, duw ik hem zacht van me af en stap opzij. 'Laten we de laat-ste dozen naar boven brengen,' zeg ik.

Nadat hij morrend vertrokken is om de trein te halen, zwerf ik door de flat. Ondanks Matts beschuldigingen heb ik weinig uit Londen meegenomen, alleen een paar koffers met kleren, mijn boeken, wat basiskookspullen en de futon die we op zolder hadden liggen. Zoals ik steeds tegen hem zeg, ik ga niet bij hem weg, ik huur gewoon iets waar ik kan wonen in de perioden dat ik college geef. Oorspronkelijk had ik een klein Virginia Woolfachtig zoldertje op het oog, een kamer voor mezelf, waar ik kon werken, denken en alleen zijn. Maar op de een of andere manier ben ik hier terechtgekomen, in een flat op de eerste verdieping van een vervallen huizenblok met een enorme zitkamer, openslaande deuren naar het roestige balkon, chique, in de zin van bladderende pleisterplafonds en originele Regencyhaarden waar het Stoke Newington-circuit een moord voor zou doen. Er is een L-vormige slaapkamer met gebrandschilderde ramen waar ik de futon heb uitgerold, een piepkleine tweede slaapkamer waarin ik mijn laptop heb weggezet, een donkere badkamer aan de achterkant en een smalle keuken, beide nogal twijfelachtig qua smaak met bloemtegels en versleten kurklinoleum, maar verder geen doorn in het oog.

Nu Matt weg is en ik alleen ben, voel ik hoe de geluiden van de flat zich weer doen gelden, zoals water glad wordt na door een plonzende steen te zijn verstoord. Vanaf de trap aan de achterkant klinkt gedruppel; als ik de kranen opendraai, rammelen de pijpen. Buiten zijn auto's en het gemeenschappelijk gekwetter van de steeds talrijker wordende spreeuwen. Boven me klinkt het of iemand aan het ijsberen is. Ik hoor een vlaag gedempte muziek – 'A Whiter Shade Of Pale' – dan stilte.

Het ruikt muf in de flat, alsof hij te lang afgesloten is geweest. Ik heb de ramen opengegooid, maar de tapijten zijn vreselijk oud en elk oppervlak is bedekt met een dikke laag stof van god weet hoe lang, waardoor ik dagen zou moeten poetsen om een andere geursamenstelling te creëren. Niet dat ik veel zal poetsen. In Londen is het Matt die met de stofdoek door het huis gaat en de keukenvloer schrobt. Nee, nu ik alleen ben, ben ik van plan vrijwel niets te doen, want waar ik behoefte aan heb, met een passie waarvan de hevigheid me verbijstert, is het tegenovergestelde van onze Londense huiselijkheid: afhaalmaaltijden, een minimum aan huishoudelijk werk en een ruimte met zo min mogelijk spullen. Ik zal de boeken uitpakken en ze tegen de muur opstapelen. Misschien zal ik ergens in de toekomst een goedkope bank kopen; ik heb een houten tafel voor de computer, die ik bij de openslaande deuren zal neerzetten, en een paar klapstoelen. Ik verwacht echter weinig gasten, want ik zal mijn meeste vrije tijd in Londen doorbrengen. Dat was de afspraak. Deze flat is voor het gemak, anders niets.

Het is bijna donker. De vogels zijn rustig geworden en in de straat beneden zijn de lichten van de auto's aan. Als ik aan het eind van het balkon ga staan en mijn hals uitstrek, kan ik de neonglinstering van de pier zien, de discobeat bast nog in de verte. Ik vind mijn sigaretten en zet een van de stoelen neer zodat ik buiten in de verkoelende avondlucht kan zitten. De zomer is bijna voorbij, de duisternis valt sneller, de lucht heeft iets kils, een vleugje van natte bladeren en stormen die gaan komen.

Mijn blote armen prikken ineens van de kou. Ik heb een vest nodig, maar nu mijn voeten zo comfortabel tegen de spijlen liggen ben ik niet in staat te bewegen, verlamd door de onverwachte rust van de schemering. Achter de bomen, aan het eind van de tuinen, is de strook zee nu zo bleek dat hij bijna doorzichtig is. De donkere vorm van een veerboot glijdt langzaam langs de horizon; als ik aandachtig luister kan ik de golven op het kiezelstrand horen rollen.

Matt zal nu bijna thuis zijn. Als hij binnen is, zal hij iets troostrijks bereiden: zijn fameuze shepherds pie, of pasta misschien. Hij zal het direct uit de schaal naar binnen werken, en het restant van de wijn van gisteravond weg klokken. Dan klikt hij zijn laptop open en zet zich weer aan zijn artikel. Hij haat het om alleen te zijn, dus kruipt hij in zijn werk alsof het een donsdekentje is. Hij denkt dat ik hem in de steek laat, maar hij heeft het mis. Ik hou nog steeds van hem, wil nog steeds mijn leven met hem delen, maar de afgelopen tijd is er iets in me begonnen te veranderen. Ik kan het nauwelijks uitleggen, niet aan hem of aan mezelf.

Het is gewoon dat ik op dit moment behoefte heb aan alleen zijn.

2

Ik ben van nature niet assertief. Ook ben ik niet bijzonder extrovert. Bij academische conferenties ga ik nooit staan om wijdlopige vragen te stellen die de aandacht op mijn eigen werk richten. Ik moet er niet aan denken op Radio Four geïnterviewd te worden. Dan zeg ik vast iets onbenulligs, denk ik, of ik raak de draad kwijt. Matt zegt dat ik te weinig zelfvertrouwen heb: dat is het eeuwig vrouwelijke probleem.

Ik vind het echter heerlijk om les te geven. Geef me een collegezaal en een stel twintigjarigen met neusringetjes en dreadlocks en mijn remmingen vallen in kreukels om mijn voeten, alsof ik op een smoorhete dag uit te strakke kleren stap. Op het ogenblik zit ik in een overvolle collegezaal op de vierde verdieping van Blok D in mijn nieuwe werkomgeving, rondkijkend naar de afwisselend beleefde, oplettende en – in enkele gevallen – nauwelijks ontwaakte gezichten van mijn nieuwe pupillen. Het is de eerste dag van het nieuwe studiekwartaal, en tien over negen.

Er zijn er vijftien in deze groep; volgende week zullen er nog eens honderd in de collegezaal tegenover me zitten. De vroege herfstzon valt door het raam op onze tafels in warme porties stoffig licht. Het ruikt hier naar versleten bedrijfslinoleum en plastic stoelen, krijt, en de vreselijke, donkerbruine thee die ik net in mijn plastic bekertje heb ontdekt. De ruimte is gevuld met verwachtingsvolle stilte. De studenten zijn opgehouden met kletsen en papieren ordenen, de deur is dicht en nu staren ze naar mij, in afwachting van mijn eerste woorden.

Ik haal diep adem. Ik voel de bekende adrenalinestoot van een nieuw trimester, de woordenvloed die zich in mijn hoofd vormt, het lichte beven van mijn hand als ik mijn bekertje neerzet.

'Hallo,' zeg ik en mijn stem klinkt opgewekter en zelfverzekerder dan gewoonlijk. 'Welkom bij deze cursus historische methode. Ik ben Cass Bainbridge en ik ga jullie dit trimester college geven. Jullie hebben de literatuurlijsten al, geloof ik.'

Ze knikken langzaam, wachten af of ik de moeite waard zal blijken. Mijn pols is iets sneller dan normaal. Maar ik ben er goed in de zenuwen achter mijn glimlach te verbergen. Deze derdejaarscursus is wat in het curriculum wordt aangegeven als 'interdisciplinair' en aangezien de studenten die eraan deelnemen verschillende studies volgen, hebben velen elkaar niet eerder ontmoet.

'Laten we ons eerst voorstellen, en dan zullen we het gaan hebben over sleutelvragen en thema's.'

Terwijl ze hun namen noemen, kijk ik de zaal rond. Ze lijken me een representatieve doorsnee van de studentenpopulatie, althans voor de artistiekerige humaniora. Momenteel zitten er tien jonge mensen met piercings ergens in hun gezicht, een jongen met zulke zware studs in zijn oren dat zijn lelletjes uitgerekt zijn, als van een Masaistrijder, die ons net verteld heeft dat hij Andy heet, twee vrouwen van middelbare leeftijd, allebei gewezen verpleegsters, en een handvol knappe meisjes met namen als Emma, Nicole en Natalie, allen met de vereiste wijde spijkerbroeken en neusringetjes. De meesten van hen doen mediastudies. Er zit ook een jongen achterin wiens naam ik al vergeten ben en die tot nu toe niet één keer heeft geglimlacht. Zijn boeken liggen in een keurige stapel voor hem en als ik praat bladert hij fronsend door de literatuurlijst, alsof hij een berg elementaire fouten heeft ontdekt.

Ten slotte hebben we de laatste in de zaal gehad. Ik stop met namen noteren en leg mijn pen neer. Als ik beter georganiseerd was, zou ik de uitdraai van al deze gegevens, die de universiteitsadministratie me heeft toegestuurd, bij me hebben, maar natuurlijk ben ik die kwijt. Inmiddels bladeren de meeste studenten door hun literatuurlijst; een paar zijn begonnen te geeuwen. Te veel avondjes stappen en te veel drugs. Wat ze de vorige nacht ook hebben gedaan, negen uur 's morgens is altijd een rottijd voor een college. Vroeger leefde ik met ze mee, maar de laatste tijd heb ik steeds minder medelijden. Ze zijn hier om te leren, om geïnspireerd en uitgedaagd te worden, niet om drie jaar lang te neuken en alleen maar goedkope alcohol en drugs tot zich te nemen.

Misschien is het gewoon omdat ik oud word. Links in de zaal klinkt laag geroezemoes. Ik kijk afkeurend naar twee van de Emma's die blozen en onmiddellijk stil zijn.

'Goed,' zeg ik, mijn armen uitrekkend en met mijn vingers knippend alsof ik de kalmste en meest relaxte docent ben die ooit de gangen van het hoger onderwijs heeft bewandeld. 'Objectief historisch feit, bestaat zoiets?'

Er komt beweging in de zaal, er is een voelbare collectieve zucht en dan stilte. Het is een zware vraag en niemand wil als eerste het woord nemen. Ik kijk de groep rond, bijt op mijn lip en wacht. Alsjeblieft, denk ik, wees geen HG's, niet mijn allereerste klas hier, dat zou te ontmoedigend zijn. HG: de malle, geheime code die ik voor Matt neerkrabbelde in de kantlijnen van essays toen ik nog met mijn promotieonderzoek bezig was. Matt had zijn betrekking in Londen al, en ik hielp hem met nakijken. 'Hopeloze gevallen.' De studenten die een ontmoediging zijn voor academici, degenen die niets lezen en nog minder te zeggen hebben, die saaie slechte essays schrijven, die elk geïnspireerd college of monografie reduceren tot een reeks onbezielde beweringen, waaruit de originele zin en doelstelling is weggevloeid als bloed uit een lijk. Ze lopen college in een mist van onbegrip en luiheid, vertrekken met onverdiende voldoendes en drijven me tot wanhoop. Toch lijken ze op de een of andere manier altijd in een en dezelfde werkgroep te zitten, zoals slaperige houtluizen onder één steen samenkruipen.

Ik kan er niet langer tegen. Deze ontmoedigende en steeds beladener wordende stilte is geen manier om een trimester te beginnen. Ik wil net iets bemoedigends zeggen, om ze met zachte hand naar mijn bedoeling te leiden, zoals bangige Shetlandpony's naar de kleine springbalken worden geleid tijdens een gymkana, als er wordt gekucht en de jongen met de bril achter in de zaal zacht zegt: 'De meeste mensen denken van wel, maar het is duidelijk dat ieder over het verleden in zekere mate subjectief zal zijn. Ik bedoel, als je eenmaal door de verifieerbare harde feiten heen bent, zullen de verhalen waardoor ze worden verbonden, afhangen van wie ze vertelt.'

Het is een knap antwoord, gegeven op de minachtende toon van iemand die de vraag stompzinnig simpel vindt. Ik kijk op mijn lijst en zie dat de jongeman Alec heet. Hij is knap, lang en slank met kort, donker haar en bruine ogen achter zijn montuurloze bril, maar iets aan hem maakt hem anders dan de rest van de studenten. Misschien is het zijn opvallende kalmte en lichte arrogantie: hij heeft de ongeduldige, licht geïrriteerde blik van een oudere man die zit opgescheept met een kamer vol giebelende tieners. Nu staart hij naar de tafel, nog altijd fronsend, met stijve schouders. Ik heb nog geen oogcontact met hem gehad.

'Bedankt, Alec. Dat is een goed begin. Kun je meer zeggen over die "harde feiten"?' Ik schraap mijn keel en hij kijkt me onbewogen aan, als iemand die duidelijk geen zin heeft om op zo'n onbenullige vraag in te gaan.

'Heeft iemand anders een antwoord?'

'Nou, er bestaat koolstofdatering, dat is een wetenschappelijk feit,' waagt iemand achterin. 'En er zijn archieven, gegevens op schrift, zodat je dingen daarmee kunt vergelijken. Zoals het Domesday Book, of registers van geboorte en overlijden...'

Ik knik enthousiast. 'Dat klopt, en een deel van deze cursus zal zich op die bronnen concentreren. Maken die echter "geschiedenis"' – ik maak denkbeeldige aanhalingstekens in de lucht om aan te geven dat wat ik bedoel een concept is – 'objectiever? Gaat het erom om erachter te komen wat er werkelijk is gebeurd?'

'Mensen zullen het altijd oneens zijn over wat er werkelijk is gebeurd, afhankelijk van hun motieven.'

Ik knik en gebaar naar het meisje met dreadlocks, die dit commentaar gaf, om door te gaan. Nu de discussie op gang is, voel ik dat de zaal zich ontspant. Misschien worden het uiteindelijk toch geen HG's.

'Het is allemaal, zeg maar, relatief. Daar gaat het om. Er zijn geen feiten, alleen concepten.'

Dat komt van Andy, die met zijn armen over elkaar glimlachend achteroverleunt in zijn stoel, alsof hij een genie is. Zoals veel studenten die niet te diep willen doordenken, lijkt hij zich op het postmodernisme te hebben gestort als het slimme antwoord op alles.

'Dus de holocaust,' zeg ik, lief naar hem glimlachend, 'was dat slechts een concept?'

Hij wordt bleek. Er valt een korte stilte, dan zegt een van de jonge vrouwen rechts van mij: 'Natuurlijk niet. Miljoenen mensen kwamen om in de holocaust, en daar is hard bewijs voor. Alleen nazi's en gekken zouden dat in twijfel trekken. Ik bedoel, gaat het daar niet om bij geschiedenis? Om erachter te komen wat er werkelijk is gebeurd zodat men, zeg maar, niet met de feiten kan rotzooien?'

Als ze uitgesproken is glimlacht ze, strijkt haar kroezige blonde haar uit haar gezicht en knippert vrolijk met haar ogen. Haar accent is lastig te peilen, neutraal, met een noordelijk tintje. Ze is gekleed als de andere jonge vrouwen in de zaal: spijkerbroek, sportschoenen, het verplichte neusknopje en een wijd skateboard-sweatshirt, maar ik krijg de indruk dat ze niet bij het Emma-Nicole-Natalie-groepje hoort. Als ik naar haar kijk slaat ze haar armen over elkaar en grijnst ondeugend. Op haar notitieblok zie ik dat ze de titel van de cursus heeft geschreven, gevolgd door mijn naam, en dan, keurig onderstreept de vraag: 'Is geschiedenis objectief?' Net als van veel meisjes van haar generatie is haar handschrift klein en rond, gebruikelijk, niet verrassend.

'Dat is waar,' zeg ik. 'Maar betekent dat dat goede geschiedenis alleen maar neerkomt op speurwerk, of ligt het ook aan interpretatie? Alec, wilde jij iets zeggen?'

Hij leunt achterover in zijn stoel, houdt zijn pen omhoog terwijl hij op zijn beurt wacht. Hij ziet er verveeld uit.

'Het postmoderne perspectief heeft duidelijk belachelijke implicaties. Dat betekent echter niet dat we niet goed moeten opletten wie wat zegt en waarom. Het is vrij duidelijk wanneer je de meest elementaire historische teksten bekijkt, dat er veel verschillende versies van dezelfde geschiedenis kunnen zijn.' Dit zegt hij op de matte toon van iemand die zichzelf te slim vindt voor zo'n simpele discussie, maar ondanks zijn houding kijken de andere studenten waarderend naar hem.

'Dank je, Alec,' zeg ik met een neutrale glimlach. 'Dat is prima.'

Opnieuw leunt hij achterover, zijn ogen flitsen naar het raam.

'Ik snap dat niet, eerlijk gezegd. Ik bedoel, om terug te komen op de holocaust, mensen zijn omgekomen: feit. Hoe kunnen daar verschillende versies van zijn?'

Dit komt weer van het meisje met het kroeshaar, haar wangen blozen licht. Ik kijk op mijn lijst en zie in mijn aantekeningen dat ze de groep verteld heeft dat ze Beth Wilson heet, dat ze als hoofdvak genderstudies doet, en deze cursus volgt om 'haar eigen verleden te verkennen'. Ik geef haar een geruststellende glimlach. 'Ga verder.'

'Ik bedoel, waarom zou je willen twisten over het feit dat al die mensen vergast zijn?'

Ze zwijgt en lacht even verlegen. Ze is niet echt knap, maar haar frisse gezicht, grote ogen en zachte huid geven haar de aantrekkingskracht van een wollig jong dier.

Ik kijk haar scherp aan en vraag me af of het een goed idee was zo'n gevoelig onderwerp zo vroeg in de cursus aan te snijden.

Alec schudt zijn hoofd en wiebelt zo met zijn voet dat hij de rugzak van de jongen voor hem raakt. 'Dat slaat helemaal nergens op.'

De heftigheid waarmee hij het zegt maakt dat het meisje met haar ogen knippert. Ze kijkt me aan, dus geef ik haar een knipoogje alsof ik wil zeggen: 'Maak je geen zorgen. Het gaat prima.'

'Luister, dit is een goed begin,' zeg ik. 'Het gaat erom dat we moeten nadenken over de verschillende condities waaronder historische verslagen worden opgesteld. Daarom wil ik, ook uit praktisch oogpunt, omdat jullie verschillende historische methoden zullen bestuderen en zelfs jullie eigen individuele geschiedschrijving zullen hanteren, dat jullie voortdurend alert zijn hoe geschiedenis ontstaat, en wie het opschrijft.'

Met uitzondering van Alec, die zijn notitieblok opzij heeft geschoven, krabbelen de studenten razendsnel in hun blokken. Het is altijd prettig om zo serieus te worden genomen. Ik strek mijn benen uit, wiebel mijn tenen in mijn schoenen heen en weer. Het trimester is begonnen.

Een uur later bergen mijn nieuwe studenten hun notitieblokken op en stromen ze de gang in. Ik pak mijn spullen bij elkaar, verlang terug te gaan naar mijn kleine nieuwe kantoor met de dozen boeken en ongelezen memo's. Ik heb honger, mijn maag knort om sandwiches en cake, mijn geest verlangt rust.

'Dr. Bainbridge?'

Als ik me omdraai staat het holocaustmeisje achter me. Ze heeft een gestreepte wollen muts over haar gele haar getrokken, waardoor ze eruitziet als Worzel Gummidges knappe jongere zusje en houdt haar boeken tegen haar borst geklemd.

'Hallo.'

Ze zwijgt en zegt dan ademloos: 'Ik wilde eigenlijk alleen maar zeggen hoe ik van het college heb genoten.'

'Geweldig!' Ik ben er niet echt met mijn gedachten bij, en denk alleen aan eten en e-mails, wil het snel met haar afwerken zodat ik weg kan.

'Ik vond het heel, heel knap van u dat u die Andy de politieke consequenties van wat hij zei liet zien. Ik bedoel, wat voor iemand zou de genocide willen ontkennen?'

Ik trek mijn wenkbrauwen op. 'Ik weet niet of hij dat wel deed.'

'Het is zo verfrissend om een college bij te wonen waar mensen echt betrokken zijn. Nu voel ik me helemaal geïnspireerd.'

'O ja?' Ik glimlach naar haar, het compliment verwarmt me als een slok glühwein. Ik hijs mijn tas over mijn schouder en loop door de deur.

'Ik zou dolgraag meer weten over uw onderzoek,' zegt ze terwijl ze met me mee trippelt. 'Ik bedoel, in de prospectus staat alleen dat u expert bent op het gebied van naoorlogse familiegeschiedenis.'

'Precies die onderwerpen waarover we het tijdens het college hebben gehad, over welke historische versies gehoord worden en welke niet. Mijn proefschrift was gebaseerd op de mondelinge geschiedenis van vrouwen die in de oorlog in het East End opgroeiden en hoe schaarste en rantsoenering hun familieleven beïnvloedden. Het staat op de literatuurlijst.'

'God, het klinkt fascinérend.' Ze zwijgt en kijkt door een open raam naar de campus beneden. Hoewel het al oktober is, is de zon nog warm. Buiten Blok D liggen studenten op het gras alsof het nog hoogzomer is. 'Denkt u dat ik zo iets zou mogen doen voor mijn project? Ik bedoel, ik dacht erover mijn eigen familiegeschiedenis te bestuderen. Is dat wat u van ons verwacht?'

'Dat is precies wat je zou kunnen doen. Alleen moet je over een invalshoek denken, niet alleen de verzameling van genealogische details.'

Haar gezicht krijgt een wezenloze uitdrukking, alsof ze even perplex is. We zijn bij de trap naar de tweede verdieping aangekomen, en ik blijf staan om aan te geven dat ik niet verwacht dat ze met me meegaat naar mijn kantoor. Het lijkt me een heel aardig meisje, maar ik wil lunchen.

'Ik dacht,' zegt ze plotseling. 'We zouden een discussiegroep kunnen oprichten, of zoiets. Ik bedoel, buiten de colleges om. Als u tijd hebt...'

Ik kijk haar aan met half dichtgeknepen ogen door de late herfstzon. Als alle studenten hier zo zijn, zal ik mijn verwachtingen moeten bijstellen. In Londen lazen alleen de overenthousiastelingen voldoende, laat staan dat ze gingen lobbyen om werkgroepen op te richten. Ondanks mijn grote verlangen naar iets te eten en een pauze werkt haar enthousiasme aanstekelijk, want nu knik en glimlach ik naar haar. 'Wat een geweldig idee. Ik heb morgenochtend om elf uur spreekuur. Waarom kom je dan niet langs? Dan kunnen we erover praten.'

Ze grinnikt naar me waardoor een rij bruine voortanden zichtbaar wordt. Misschien rookt ze veel, hoewel dat met haar jeugdige kleding en ronde, enthousiaste gezicht onwaarschijnlijk lijkt. 'Gaaf.'

Ze trekt haar tas over haar schouder en stapt opzij als ik naar de trap loop. Ik wil net mijn voet op de eerste trede zetten als ik me iets herinner. 'Hoe heet je ook weer?'

'Beth.' Ze klikt met haar voet en knikt naar me. Ze heeft die Amerikaanse, of misschien Australische gewoonte om een bewering als een vraag te laten klinken. 'Beth Wilson?'

Brighton, 10 oktober

Lieve mam,

Dat mag ik je toch wel noemen, hè?

Ik denk de laatste tijd veel aan je, vraag me niet waarom. Dit is mijn besluit: ik ga alles opschrijven in deze brieven aan jou. Je zult ze waarschijnlijk nooit lezen, dat weet ik. Het is mijn eigen privé-therapie.

Wat zou ik je over mezelf moeten vertellen? Ik studeer, zit in mijn derde jaar nu. Misschien lijk ik op je, misschien niet. Hoe dan ook, ik verwacht niet van je dat je me zou herkennen als we elkaar op straat zouden passeren. Ik werk hard, altijd gedaan. Ik zou niet willen zeggen dat ik veel vrienden heb. Ik hou niet van uitgaan, drugs of clubs en dat soort zaken. Veel mensen zeggen dat ik oud ben voor mijn leeftijd, maar zo voel ik me niet. Wat ik graag doe is in de bibliotheek zitten, mezelf verliezen in woorden en ideeën. Soms ben ik er de hele dag en als ik weer buiten kom, lijkt het daglicht scherp, de anderen die over de campus lopen vreemden.

O, en ik hou ook van de zee. Die geeft me het gevoel dat het oké is om alleen te zijn.

En jij? Waar hou jij van?

3

Terug in mijn kantoor zit er al een bundel briefjes op mijn deur geplakt. Excuses voor afwezigheid bij het college, verzoeken om een afspraak, een memo over een vergadering vanmiddag die ik was vergeten. Ik ben hier pas een paar dagen en ben al bedolven onder een stroom van administratie, de e-mails knallen van het scherm als hamburgerbestellingen bij McDonald's, steeds wanneer mijn aandacht even afdwaalt. Aan de andere kant van mijn deur is het een en al leven, de gangen zijn gevuld met eerstejaars die zich voor de prikborden verdringen, er heerst een sfeer van nerveuze spanning. Arme zielenpieten, voor hen is de eerste week zwaarder dan voor mij, met hun onbeschreven notitieblokken en wanhopige pogingen vrienden te vinden en bijna tastbare adolescentenangst. Ik hoor de gespannen hoogte van hun stemmen buiten mijn deur als ze voorbijlopen: het overdreven luide vloeken en de geforceerde jovialiteit van eerstejaars die indruk proberen te maken.

Mijn introductie op de universiteit is eleganter gegaan. Tot nu toe heb ik in de kantine beneden beleefd kopjes koffie gedronken met drie collega's, en geluncht met onze vriendelijke oudere professor, die me steeds Kerry noemde en zacht boerde terwijl we onze muffe sandwiches opaten. De rest van de geschiedenisfaculteit moet ik nog ontmoeten. Ze zijn óf weg voor onderzoek óf komen om in de colleges, studiegroepen en administratieve rompslomp. Ik prent mezelf voortdurend in om het kalm aan te doen, maar de hele week heb ik al de zenuwen omdat ik nieuw ben. Mijn maag draait om bij de minste uitdaging en aan het eind van de dag heb ik barstende hoofdpijn. In Londen had ik een prima baan als docent. Ik had een flat, een langdurige relatie, en een bonsaiboom die al mijn aandacht kreeg, en die mijn partner ongetwijfeld niet op tijd water zal geven als protest tegen mijn afwezigheid. Ik was tevreden, ingeburgerd; er was geen reden voor al deze ontwrichting. Toch wilde ik het.

Ik staar naar mijn scherm, scrol over alle oninteressante boodschappen tot ik er een tegenkom met de titel: 'Lang niets gehoord'. Hij is van Sarah, mijn oudste vriendin.

Even snel om hallo te zeggen. Heb je in eeuwen niet gezien, dus vraag me af wat je uitspookt... Zag Matt onlangs in Sainsbury's. Hij zag er wat somber uit, maar ik had geen tijd om hem aan te spreken voornamelijk omdat Poppy een gigantische driftbui had, het kleine kr*ng. Afgezien van trauma's blijft het hier geweldig. Pops praat al zoveel, ze zegt zelfs het alfabet op. Gisteren sloeg ze haar mollige armpjes om mijn hals en zei dat ze van me hield. En ze is nog geen twee! Je weet echt niet wat je mist, Cass. Je moet zsm Matt bij zijn boeken wegsleuren voor een spermadonatie. Hoe dan ook, kan niet uitgebreid vertellen – ze is net wakker uit haar slaapje. Veel liefs – we praten snel, oké?

Mijn hand hangt boven 'beantwoorden' maar ik kan geen geschikte luchtige boodschap bedenken. Het probleem is dat er zoveel te zeggen valt, maar niet echt via e-mail. Ik breek mijn hoofd, fronsend omdat ik haar plotseling zo mis.

Lieve S.
Bergen nieuws. Ben uit gelukkig echtelijk thuis naar enge flat aan zee getogen voor een leven in eenzaamheid. Vraag niet waarom!!! Liefs en kussen, C.

Of:

Spermdonaties momenteel niet beschikbaar vanwege totale koerswijziging in persoonlijk leven. Bel voor verdere informatie (alleen 's avonds).

Wat ik moet doen is haar persoonlijk spreken, maar tegenwoordig is het steeds moeilijker om meer dan een paar onbeduidende platitudes uit te wisselen: met mij gaat het goed, met hem is het goed, het is Goed. Het is een kwestie van tijdstip, dat is het probleem. Sarah belt graag midden op de dag als Poppy slaapt, maar dan ben ik aan het werk. En als ik haar 's avonds bel, krijg ik vrijwel altijd het antwoordapparaat. De laatste keer dat ik haar aan de lijn kreeg, hadden we nog geen minuut gesproken voor Poppy de hoorn greep en de verbinding verbrak. In de tussenliggende maanden is er een stroom van e-mails en voicemails geweest, maar geen rechtstreekse communicatie. En nu ben ik hierheen verhuisd en ze weet het niet eens.

Ik scrol verder langs een stapel dodelijk uitziende boodschappen met de titel 'curriculum herstructurering', dan zie ik er plotseling een zonder titel maar met als afzender M.Hughes@uni.ac.uk, en mijn hart springt even op. Ik dubbelklik op de muis in de hoop op gratie.

> Hoezo heb jij eigenlijk de auto? Dat dacht ik toen ik gisteravond meer dan een uur in godvergeten East Croydon zat. Een of andere gestoorde gooit zich net nadat we goed en wel vertrokken zijn voor de trein wat betekent dat ik pas na middernacht thuis ben. Dus de volgende keer kom jij naar mij, oké?
> Hoop dat je van je 'onafhankelijkheid' geniet. Gaat het daar allemaal om? Matt

Dus hij is nog steeds kwaad. Ik slik, lees het bericht opnieuw en druk op 'beantwoorden'. Ongetwijfeld was het niet zijn bedoeling het zo agressief te laten klinken, maar zijn bericht heeft me het gevoel gegeven of iemand me slechts half voor de grap een stomp in mijn maag heeft gegeven.

> Schat, naar dat je zo'n ellendige terugreis had. Natuurlijk kom ik vrijdag naar Londen. Ik bel nog. Hou van je, C

Ik druk op 'verzenden' en stel me voor dat mijn woorden zich door de ether naar hem toe slingeren. Hij zal ze snel lezen, met zijn gedachten nog bij zijn artikel, de verfijnd gestructureerde argumenten, de conclusie waar hij naartoe werkt, en die hij bewaart voor de laatste fase in zijn betoog. Dan zal hij me verwijderen zonder te antwoorden, en me in mijn eigen vet laten gaar koken, al die stomme spelletjes die hij graag speelt.

Er is zoveel te doen. Om te beginnen zou ik de stapel memo's die zich al over de grond van mijn kantoor uitspreidt moeten lezen en vervolgens actie ondernemen. Dan zijn er de dossiers van het kantoor van postdoctorale toelatingen, de nauwkeurig ingevulde formulieren en verklaringen van voorgesteld onderzoek die ik zou moeten lezen en van commentaar voorzien, maar die ik onder aan de stapel zal laten rotten tot ik ten minste drie e-mails en een dringend telefoontje van genoemd kantoor heb ontvangen. Er zijn ongeveer twintig eerstejaars wier persoonlijke studiebegeleider ik ben en met wie ik nog kennis moet maken, en een introductiebijeenkomst van postdoctoraal studenten waar ik over tien minuten moet zijn. Ten slotte is er de lezingencyclus die ik in de zomer had moeten voorbereiden, maar waaraan ik tot nu toe over gedacht noch geschreven heb en die volgende week begint.

Ik zal echter niet in paniek raken. Nee. Wat ik wel ga doen is uitrusten en mijn lunch opeten.

Maar net als ik het plasticfolie van mijn broodje kip tikka lostrek, wordt er op mijn deur gebonsd en voor ik tijd heb om 'ja' te roepen, loopt er een man van rond de dertig mijn kantoor binnen alsof het van hem is.

Hij is vrij knap, op een slordige academische manier, met een zware Harry Hill-bril, spijkerbroek en een dichtgeritst zwart vest. Zijn blonde geitensik, zandkleurige wenkbrauwen en macho houding geven hem het uiterlijk van een eenentwintigste-eeuwse viking. Hij lijkt te lachen, maar of dat is om het aanzicht van mij met mijn armoedige lunch, omgeven door puinhopen van academisch leven in mijn benauwde kamer, of om een eerdere grap is onduidelijk.

'Zo, hallo, dr. Bainbridge. Welkom op de eerste dag van het trimester!' Hij zegt het luid terwijl hij grinnikend met gespreide benen midden op het versleten acryl tapijt staat. Zijn zandkleurige haar is meedogenloos gekortwiekt, misschien in een poging dreigende kaalheid te verbloemen, en hij heeft een grote neus en ogen die verdwijnen als hij glimlacht. Hij kijkt me aan met het zelfvertrouwen van de alfaman op zijn werkplek. Ik weet al wie hij is. Hij heet Julian Leigh en zijn kantoor is naast het mijne.

'Hai,' zeg ik en leg mijn broodje neer. Het is goed om zo'n opgewekt, bemoedigend gezicht te zien.

'Heb je een productieve start gehad?' Met omhoog gekrulde mondhoeken kijkt hij naar de papierrommel op de vloer.

'Ja. Gaat wel.'

'Al wat studenten ontmoet?'

'Ja.' Ik knik naar hem en hoewel ik nog steeds niet weet wat de grap is begin ik te lachen.

'Hebben ze je gecharmeerd met hun intellect?'

'Eh...'

'Wie heb je zoal?'

Ik staar hem aan terwijl ik me alle namen probeer te herinneren. 'De jongen met Masai oren... Andy Dubow?'

Hij kreunt en slaat zijn hand tegen zijn voorhoofd. 'Hartstikke stom, maar denkt dat hij alles weet. Solliciteert naar een zes min.'

'Inderdaad. Dat was de algemene indruk. Eh, een stel oudere vrouwen, Mary en Ellen of zoiets...? Een meisje, Beth?'

Hij trekt een gezicht en schudt zijn hoofd. 'En Alec Watkins? Magere jongen met een bril? Hij houdt je bij de les.'

Ik herinner me hoe de jongen fronste naar mijn literatuurlijst, het geïrriteerde gewiebel met zijn voet. 'Is hij een probleem?'

Julian trekt een gezicht. 'Alleen als je hem dat maakt. Vorig jaar heeft hij alleen maar negens gehaald.'

'Ik dacht al dat hij goed was.'

'Hmm.'

Het is even stil en ik voel me zonder aanwijsbare reden gegeneerd. Julian kijkt me nog aan, alsof hij meer verwacht.

'En,' zegt hij, 'hoe bevalt de kust? Waar zei je dat je woonde?'

'Queen's Square.'

'Mooi uitzicht op zee.'

Het lijkt of hij me plaagt, maar ik heb even geen geestig antwoord bij de hand. 'Ja, inderdaad.'

'Woon je daar... alleen?'

Hij grinnikt niet langer en in een flits gaat er een bijna angstige blik over zijn gezicht. Jezus, hij probeert me te versieren. Ik slik, en kijk omlaag naar mijn handen zonder ringen. 'In zekere zin,' zeg ik en belachelijk genoeg voel ik dat mijn wangen blozen als een schoolmeisje. Het moet maar niet geanalyseerd worden, maar ik wil hem niet over Matt vertellen.

'Ik zekere zin?'

'Ik woon met iemand in Londen.'

Om mijn blos te verbergen sla ik mijn ogen neer en strijk mijn rok onnodig glad met mijn handen.

'Je flatgenoot?'

Dit is het moment waarop ik hem moet verbeteren, en vertellen dat het niet echt een flatgenoot is, meer een partner met wie ik al lang ben, maar om de een of andere reden kan ik alleen maar mijn hoofd op en neer bewegen als een nephond op het autodashboard.

'Bevalt het je op de universiteit?' vraagt hij, en lacht zonder reden, alsof hij vroeg of ik een belachelijke hobby had, zoals strijken. De manier waarop hij naar mijn borsten kijkt maakt dat ik me steeds ongemakkelijker voel. 'Niet bang om besprongen te worden?'

Mijn gezicht trekt zenuwachtig. Waar heeft die man het over? Is dit weer een grap? 'Besprongen in welk opzicht?' zeg ik met een grimas.

'O, je weet wel, al die donkere hoeken op de campus. Geen goede plek om 's avonds alleen rond te lopen.'

'O nee?'

Hij likt wellustig zijn lippen. 'Vorig trimester is er een studente bij Kunst B aangevallen.'

'Echt?'

'En een ander meisje is van de zomer in de bossen bij de parkeerplaats verkracht.'

Hij zegt het zo dat het klinkt alsof hij zich verkneukelt. Inmiddels zijn er allerlei zenuwen in mijn gezicht actief, alsof ik een milde neurologische aandoening heb. Wanhopig wensend van onderwerp te veranderen flap ik eruit: 'En jij, woon jij alleen?'

'*Tout seul.* Ik ben vorig jaar gescheiden en naar hier verhuisd.'

Opnieuw glimlacht hij schuins naar me, omdat hij kennelijk mijn vraag over hoe hij leeft opvat als een teken van romantische belangstelling. Ik zou hem meteen over Matt moeten vertellen, maar kan niet bedenken hoe, zonder in nog diepere stromingen van miscommunicatie te belanden. Hoe dan ook, het is te laat, want hij kijkt op zijn horloge en loopt naar de deur. 'Jezus!' mompelt hij. 'Ik zie je nog wel, Cass. Misschien gaan we een keer wandelen of we kunnen eens afspreken om iets te drinken op het strand.'

Ik slik. 'Ik...' Maar voor ik tijd heb mijn zin af te maken, zwaait hij en slaat de deur hard achter zich dicht.

Enige tijd later sta ik in de damestoiletten en kijk in de spiegel. Een te zware vrouw van bijna middelbare leeftijd kijkt terug. Ik heb het vast mis gehad wat betreft de toon van Julians vragen, hou ik mezelf voor, want behalve Matt heeft niemand me in geen jaren willen versieren. Zelfs al flirtte Julian wel, is het iets wat ik wil aanmoedigen? Ik vond het een leuk gesprek, begon bijna terug te flirten, maar toen begon hij bizar genoeg grappen te maken over meisjes die waren aangerand. Nee, zeg ik tegen mezelf. Zijn aantrekkelijkheid verglijdt te snel in iets minder verteerbaars, als een vrucht die er op het eerste gezicht sappig en heerlijk uitziet, maar licht bedorven blijkt te zijn.

Ik kijk niet langer meer met plezier in de spiegel, besef ik mismoedig. Ik heb hetzelfde ronde gezicht, dezelfde groene ogen en hetzelfde dikke zwarte haar, dezelfde Keltische mopsneus en volle lippen als altijd, maar tegenwoordig zijn er nieuwe, nauwelijks opvallende verzakkingen bij mijn kaken en ik moet steeds witte haren bij mijn slapen epileren, mijn nieuwe geriatrische tiara. Ook ben ik dikker, nog erger dan toen ik een tiener was, toen ik mezelf zo uithongerde dat ik bijna flauwviel om me in een maat 42 van Miss Selfridge te kunnen persen. Tegenwoordig draag ik losse hippieachtige jurken over broeken met elastiek en klompen in plaats van de strakke broeken en plateaulaarzen die ik vroeger droeg. Het valt niet te ontkennen: ik ben, onontkoombaar, een vrouw van achter in de dertig. Veel vrouwen die ik in het East End heb geïnterviewd waren grootmoeder op die leeftijd.

Ik strijk mijn haar uit mijn ogen en doe wat lippenstift op terwijl mijn feministische haren rechtop gaan staan bij de sombere loop van mijn gedachten. Wat kan het mij schelen, ik weiger depressief te worden. Dus ik heb gisteravond een grijze schaamhaar ontdekt, maar wie maakt dat wat uit? Zou het een man wat kunnen schelen? Zo slecht zie ik er niet uit. Ik heb nog steeds mooi gevormde, sterke benen, gebruind van de zomer en in tegenstelling tot die van Sarah steken mijn borsten strak vooruit. 'Liefdesgrepen,' noemt Matt mijn vetkussentjes. 'Kom hier, sexy, laat me die rondingen eens lekker vastpakken.' En natuurlijk doet vet niet af aan aantrekkingskracht. Ik ben wat men knap noemt.

Misschien was wat lippenstift het enige wat ik nodig had, denk ik, vastberaden tegen mezelf glimlachend. Dit is hoe ik me aan de wereld presenteer: een opgewekte, opbeurende, positieve vrouw, helemaal een met zichzelf. Ik bijt met mijn lippen in een papieren zakdoekje voor de overtollige lippenstift en na een bemoedigende blik naar mijn spiegelbeeld ga ik terug naar mijn werk.

4

Het is laat in de middag als ik de universiteit verlaat. Ik klim in de oude Kever, waarvan Matt steeds zegt dat we hem moeten inruilen voor iets volwasseners, en begin aan de terugrit. Naarmate de dag vorderde is het zonlicht vervaagd en de lucht bewolkt en donker, de overgang naar de herfst onomkeerbaar. Nu hangt er een donkergrijze rand wolken onheilspellend boven de horizon en als ik mijn sleutel in het contact steek, valt er een druppel regen op de stoffige voorruit. Ik stuur de auto uit de campus naar de vierbaansweg die naar het centrum van de stad voert. Van ergens niet ver weg hoor ik een donderslag. De zee zal nu grijsgroen zijn, helemaal nerveus en schuimend, opgejaagd door de dreigende storm.

Ik ben verdoofd van vermoeidheid, leeg door de inspanning van de hele dag aardig tegen vreemden te zijn. Ik wil niemand zien, met niemand praten en niets doen. Ik rij terug naar mijn lege flat, waar ik heel stil en rustig helemaal alleen zal zitten. Ik zet de auto in zijn drie, trap het gaspedaal in en net als ik in wil voegen in het spitsverkeer, knalt er iets tegen de zijkant van de auto. Met een luid 'shit' zwenk ik naar links en druk mijn voet zo hard op de rem dat de Kever vooruit hopt en hortend tot stilstand komt, als een gewond konijn.

Ik heb iets geraakt. Achter me is de file tot stilstand gekomen en een vrouw van middelbare leeftijd in een zwarte regenjas rent over het trottoir en bukt zich om onder mijn auto te kijken. Ik open het portier en stap uit. Ik voel het natte gespetter van regen op mijn voorhoofd, ruik de zware chemische stank van gemorste benzine. Mijn hart pompt zo hard dat ik nauwelijks kan ademhalen.

Het is een fietser. Ik zie de verwrongen metalen wielen van de fiets onder de achterbak uitsteken en daar, ineengezakt op de stoeprand – o christus – ligt een lichaam. Het is een meisje, ik zie haar

haar dat over haar gezicht is gevallen, en het versleten denim van haar spijkerbroek. Een paar seconden vertraagt alles, ik stap over de stoeprand, leun voorover en zeg met een stem die niet echt als de mijne klinkt: 'Ben je gewond?' Op de weg rijden andere voertuigen langzaam door de regen om mijn stilstaande auto, de inzittenden vergapen zich aan het tafereel. Bij het zien van hun gezichten denk ik dat ik moet kotsen.

'O, het spijt me zo,' zeg ik. 'Ik had je helemaal niet gezien.'

En dan gaat het meisje als een wonder rechtop zitten, kijkt om zich heen, staat op en ik zie dat degene die ik heb aangereden Beth Wilson is, de studente van mijn collegeklas.

'Hai,' zegt ze ademloos. En als ik mijn hand uitsteek om haar overeind te helpen grinnikt ze naar me met iets van bijna opluchting. Plotseling staat ze op het trottoir, terwijl ze modder van haar spijkerbroek veegt en me bijna verwachtingsvol aankijkt. Ik schud mijn hoofd en zeg telkens opnieuw: 'Ik had je helemaal niet gezien...' alsof dat me op de een of andere manier vrijwaart.

Naast me slaat de vrouw haar arm om Beths schouders. Een kleine menigte drentelt op het trottoir, te Engels om te blijven staan en openlijk te staren, maar wel nieuwsgierig. De regen doordrenkt ons, de fijne nevel valt neer als een sluier. Om ons heen rommelt het onweer.

'Zal ik een ambulance bellen?' vraagt de vrouw en ik zie dat ze haar mobieltje hoopvol uit haar aktetas heeft gehaald en ermee frutselt om signaal te krijgen.

Beth glimlacht me geruststellend toe. 'Nee, nee, dat hoeft niet. Ik mankeer niets. De auto heeft me niet eens geraakt.'

'Wat is er dan gebeurd?'

'Weet ik niet. Ik ben waarschijnlijk geslipt. In de regen, zeg maar?'

Opluchting stroomt door me heen. Ik haal een keer diep, kalmerend adem terwijl ik me de yogalessen probeer te herinneren waar ik regelmatig niet verscheen. 'Bedoel je dat het niet mijn schuld was?'

'Nee, het kwam door mezelf, mijn wiel raakte de stoeprand.' Ze lacht.

'En je fiets?' Dat is de vrouw weer die nu onder mijn auto naar de verwrongen spaken loert. Ik voel dat ze belust is op drama, haar ongedefinieerde antipathie voor mij, en wil dat ze verdwijnt.

'O, dat.' Beth bukt zich en trekt hem onder de Kever vandaan. De klap die ze op het harde asfalt moet hebben gemaakt in aanmerking genomen en de schok toen ze zich onder mijn auto voelde glijden, lijkt ze opmerkelijk kalm. Zwijgend kijken we naar het wrak van haar fiets. Het voorwiel is helemaal verwrongen, het zadel stuk. Ten slotte zet ze hem tegen een lantaarnpaal. 'Ik zal er wel mee naar huis lopen,' zegt ze.

'Niets daarvan. Je loopt niet naar huis.' Ik leg mijn hand op haar schouder. 'Ik zal je brengen. Dat is wel het minste wat ik doen kan.'

'Ja?'

'Jazeker. Ik sta erop.'

Ze veegt haar natte, besmeurde handen af aan haar spijkerbroek. 'Gaaf.'

Bijna onmiddellijk staat ze bij het portier aan de passagierskant dat ze gretig opent om meteen in te stappen. De auto ligt zo vol oude kranten, schandalig belegen afhaalverpakkingen en lege colablikjes dat ik ruimte voor haar moet maken op de stoel, en de rotzooi over de gescheurde hoofdsteunen achterin mik. Daar staan nog drie dozen boeken die ik nog moet uitpakken. Ze zit rechtop op de stoel, haar voeten tegen een tas cd's, haar achterste deelt de ruimte met een paar fluwelen gordijnen die ik van mijn oma heb geërfd en ik om de een of andere reden van het ene huis naar het andere sleep hoewel ik ze nooit ophang.

'Sorry voor alle troep.'

'Nee hoor, geeft niets.' Ze grinnikt, duidelijk opgetogen dat ze een lift krijgt. Bewegingsloos zitten we in de beslagen auto, met druipende gezichten en regendruppels in onze haren.

'Wat doen we met je fiets?'

Ze snuift verachtelijk. 'Niemand zal hem nu willen hebben, wel?'

Opnieuw onweergerommel, tot nu toe geen bliksem.

'En, waar gaan we heen?'

'Maakt me niet uit.'

'Waar woon je?'

'Zet me maar af bij de boulevard,' zegt ze opgewekt. 'Daar is het vlakbij. De rest loop ik.'

Terwijl ze dat zegt, brengt ze haar hand naar haar neus en wrijft er afwezig over. Hij bloedt heel licht, zie ik met een schok, en nu zit er een veeg bruin bloed op haar wang. Ik steek mijn hand in mijn zak en geef haar een papieren zakdoekje. 'Je neus bloedt.'

'O, ja.' Ze dept hem, kennelijk nauwelijks onder de indruk.

Ze lijkt gespannen, want ze omklemt haar rugzak zo vast met haar handen dat het witte bot van haar knokkels door haar huid te zien is, en ze kijkt me niet aan. Misschien heeft ze een vertraagde shockreactie vanwege het ongeluk. Ik zwijg even en zeg dan: 'Hé, zullen we een kop koffie of iets anders gaan drinken? Zodat we zeker weten dat je niets mankeert?'

Dat lijkt te werken, want haar gezicht klaart op. Ze is heel jong, waarschijnlijk pas negentien of twintig. 'Gaaf.'

Ik start de motor, zet de auto in zijn versnelling en we rijden weg. Een tijdje rijden we zwijgend over de Downs in een lange spetterende rij spitsverkeer. Het zal zo donker zijn en de straatverlichting is al aan. Ik overweeg naar de boulevard te gaan en een café te zoeken waar ze sterke thee en plakken Mother's Pride serveren en niet moeilijk doen over hoe lang je blijft. Ik heb een berg werk te doen, maar dat meisje is net onder mijn auto beland, het zal moeten wachten.

Ze geniet zichtbaar, achteroverleunend in de doorgezakte bekleding van de Kever en giechelend als ik mijn beroemde verhaal vertel over de dag dat ik halverwege een college over de geschiedenis van de seksualiteit in Groot-Brittannië erachter kom dat mijn publiek uit eerstejaarsstudenten bestaat die dachten een college over thermodynamiek te krijgen. Ik werp steeds snelle blikken op haar om te zien of ze niet instort of last krijgt van posttraumatische emoties, maar haar ogen glanzen en haar wangen zijn roze.

'Bevalt het je op de universiteit?' vraag ik. Het is een van mijn standaard openingszinnen. Die, en: 'Wat vind je van de cursus?'

'Het is geweldig. Ik bedoel, het is zo'n verandering voor me.'

'Want?'

'Nou, kijk. Ik ben gek op studeren, al die boeken en in de bibliotheek zitten en zo.'

Ik staar naar de passerende koplampen tot ze wazig worden. Ik concentreer me niet helemaal op wat ze zegt.

'En Brighton is blijkbaar te gek om uit te gaan,' zeg ik vaag. 'Er zijn heel veel disco's en zo.' Ik weet niet waarom ik dat laatste zeg, omdat ik in jaren niet in een disco ben geweest. Misschien wil ik dat ze beseft dat ik voeling heb met de wereld van hippe studenten.

'Ja, daar ben ik dol op. Naar disco's gaan en zo.'

We zijn inmiddels over de heuvels heen en rollen door de regen naar de zee. Onder me zie ik de nette rijtjes gemeentewoningen die aan de rand van de stad liggen en op het water, in de verte, de lichten van een vissersboot.

'Ik zat te denken over wat u zei tijdens college, over hoe we onze eigen verhalen verzinnen? Dat je de feiten naar believen kunt verdraaien?' zegt Beth plotseling. 'Ik bedoel, denkt u dat echt?'

Ik frons, probeer me te concentreren. 'Nou, ja, tot op zekere hoogte. Twee mensen kunnen natuurlijk twee verschillende versies van dezelfde gebeurtenis hebben, en dat is iets wat historici moeten onthouden.'

'Maar stel dat ze dezélfde versie hebben? Als ze allebei tegelijkertijd hetzelfde voelen? Ik bedoel, zeg maar, wat als mensen verliefd worden?'

Ik werp haar een zijdelingse blik toe, nog net in staat een schampere lach te onderdrukken. Ze heeft het totaal niet begrepen. Of misschien is ze slechts meer beïnvloedbaar en heeft ze meer fantasie dan de meesten, als een kind dat gezichten in de lucht ziet, terwijl alle anderen wolken zien. 'Ik geloof niet dat het daar werkelijk om gaat.'

'Waarom niet?' Ze heeft haar armen over elkaar geslagen en kijkt me met een uitdagende glimlach aan.

'Nou, om te beginnen hebben we het over wetenschappelijk denken, niet over emoties.'

'Hebben die twee dingen niets met elkaar te maken? Verandert emotie niet alles?'

'Waarschijnlijk wel, maar...'

'Dus ik heb gelijk!' Ze lacht terwijl ze triomfantelijk met haar vuist in de lucht slaat. Ik zou meer willen zeggen, maar hoor plotseling het komische riedeltje van mijn mobiel. Matt heeft de kiestoon op 'Rudolf The Red-nosed Reindeer' gezet, de kwal, en hoe nauwkeurig ik de instructies ook bestudeer, ik kan het niet veranderen.

Als ik de telefoon uit mijn tas haal, zie ik dat Matt de beller is. 'Hallo, schat.'

'Hallo, mijn weelderige schoonheid.' Zijn stem klinkt warm en opgewekt, de boze bui vergeten. Ik had niet beseft hoeveel pijn zijn zwijgen me deed, maar nu voel ik opluchting, als een te strakke broek losritsen na een lange drukke dag.

'Vertel,' zeg ik. Bij Matt kun je beter niet terugkomen op eerdere onenigheid om de vrede niet opnieuw in gevaar te brengen.

'Ik wilde alleen je stem horen.'

'Ik zit in de auto, ik geef iemand een lift.'

'O ja? Ik zou jou wel een lift willen geven.'

'Klinkt interessant.'

Uit mijn ooghoeken zie ik Beth dromerig door het beslagen raam kijken.

'Ik kan nu beter niet praten,' zeg ik. 'Ik bel je later, goed?'

'Oké. Ciao, schat.'

Dan, typerend, klikt hij zijn telefoon uit voor ik nog iets kan toevoegen. Het geeft niet. Ik ben zo blij dat hij niet meer boos is dat ik een wijsje neurie als ik het gaspedaal indruk.

We zijn bij de Marine Parade. Het is hier winderiger dan in de heuvels waar de campus ligt en de auto schommelt door de zwiepende vlagen. Ik parkeer de Kever en onszelf schrap zettend rennen we door de regen naar een café aan de oostkant van de pier. Ik zie de zee graag als hij in de storm kolkt zoals nu, de ijsreclameborden klapperen, de zeemeeuwen drijven als surfers op de wind. Aan zichzelf overgelaten door de toeristen, studenten vreemde talen, busladingen Sikhs uit Southall ziet het er heel anders uit. En door diepe, geheime stromingen is het los van herinneringen en spijt.

Als we bij het café zijn, trek ik hijgend van opluchting de deur open, en meteen slaat ons een warme lucht van goedkope bakolie en verschaalde sigaretten tegemoet. Het is leeg. Er staan zo'n tien formica tafels met plastic stoelen en tinnen asbakken, en boven de toonbank hangt een bord dat 'ontbijt voor £2,50 en thee voor 75p' aanprijst. Ze hebben plakken cake in plasticfolie en scones die er oudbakken uitzien, worstjes met friet voor drie pond en verschillende sandwiches.

Een uitgezakte man met een schort leunt rokend over de toonbank. Zijn buik is zo dik dat die letterlijk op de morsige bovenkant rust, zijn grijze haar is vettig. Hij kijkt ons met doffe berusting aan; misschien had hij gehoopt te kunnen sluiten en naar huis te gaan. Ik bestel twee thee, een pakje volkorenkoekjes voor Beth en een KitKat voor mezelf. Ik zal een kwartier blijven, denk ik. Dan moet ik echt terug naar de flat en mijn college voor morgen voorbereiden. Met mijn aluminium blad loop ik langzaam naar de tafel bij het voorraam waar Beth al zit. Die ochtend zou het recht op het strand en de zee hebben uitgekeken, maar nu zien we alleen regen die tegen het donkere glas klettert.

Ik klungel met mijn plastic stoel die klem zit onder de tafel. Beth zit met haar kin in haar handen en kijkt me verwachtingsvol aan. 'Zal ik helpen?'

'Nee.' Ik trek nogmaals aan de stoel die achteruitschiet waardoor de tafel een stoot krijgt en mijn thee in een dampende plas over het formica morst. 'Krijg wat!' Ik lach verontschuldigend naar haar. 'Ik weet niet waarom ik altijd zo onhandig ben.'

'U ziet er niet onhandig úít.'

'Nee?'

'Helemaal niet. U ziet er echt uit als iemand die alles onder controle heeft.'

Ik trek een gezicht. De waarheid is dat waar anderen bewonderenswaardige controle hebben over de materiële zaken die hen aan deze wereld binden, die dingen al heel mijn leven voortdurend mijn grip ontglippen. Kinderschatten stuk gevallen, belangrijke sleutels kwijt, mooiste kleren gescheurd. 'Juffertje Brokkenpiloot,' noemde mijn moeder me. 'Altijd warrig.'

'Ik bedoel, gaat het daar niet juist om met geschiedenis studeren?' vervolgt Beth. 'Dat je voorzichtig met de feiten omgaat?'

Ik kijk op naar haar, verrast door dat inzicht. 'Ja, ik denk dat dat deels zo is.'

'Daarom hebt u er misschien uw beroep van gemaakt.'

Ik zou meer willen zeggen, maar maak me steeds drukker door het gevoel dat er iets kwijt is. Iets heel belangrijks. Ik voel bij mijn voeten en ontdek dat mijn oude leren rugzak er niet is.

'Mijn tas!'

Dat is typisch Cass-gedrag. Ik zet altijd dingen neer waarna ik in een waas wegloop. Ik kan me duidelijk herinneren dat ik de tas heb opgepakt nadat ik geparkeerd had, dus misschien heb ik hem aan de kant van de weg laten staan toen ik de auto afsloot. Inwendig bestraf ik mezelf voor mijn stomme vergeetachtigheid, maar ik word afgeleid door Beths gelukkige glimlach.

'Er is niets aan de hand.' Ze bukt en tovert hem te voorschijn als een konijn uit een hoed. 'Ik heb hem voor u meegenomen. U had hem op de motorkap van de auto laten staan.'

'Dank je! Zie je nu wat ik bedoel?'

Ze haalt goedgehumeurd haar schouders op.

Plotseling spreken we tegelijkerijd.

'Ik...'

'En, vind je...'

Ze wordt rood en laat haar giechellachje horen. 'Sorry.'

'Vind je je studie leuk om te doen?' maak ik mijn zin af.

'O hemel, ja. Het is geweldig.' Dat zegt ze zo beslist dat ik niets anders kan bedenken om te vragen.

'Goed zo.'

Ze blaast in haar kop thee en slurpt luidruchtig, terwijl ze haar haren uit haar gezicht strijkt en naar me opkijkt. Ik zoek in mijn tas naar mijn sigaretten. Inmiddels ben ik met mijn gedachten bij het college voor morgen en mijn aandacht dwaalt af van Beth naar de lijst vragen waarmee ik zal beginnen, de casus die ik zal gebruiken om mijn punt te illustreren.

'Eigenlijk was het de bedoeling dat ik naar Harvard ging,' zegt ze.

Ik kan die rotdingen niet vinden. Nog steeds niet volledig geconcentreerd graai ik in mijn tas, me afvragend of ik ze in mijn kantoor heb laten liggen.

'Ik ben door het intakegesprek en alles gekomen. En ik had ook een plaats in Cambridge. Ik zou rechten gaan studeren. Ik zat bij de top-tien van de landelijke eindexamenresultaten.'

Ik heb mijn zoektocht naar mijn sigaretten gestaakt en richt mijn aandacht op Beth. Ze leunt over tafel en kijkt me met grote ogen aan, armen over elkaar. Ik knik haar bemoedigend toe, en glip in mijn rol van oplettende docent. Het is best lief, maar volkomen transparant, deze naïeve poging om te imponeren.

'Wat een hoogvlieger!' zeg ik, mijn best doend niet te neerbuigend te klinken.

Als ze de ironie in mijn stem al opmerkt, laat ze het niet blijken. 'Het zat zo, toen het erop aankwam, kon ik het niet aan. Ik bedoel, al dat megasucces dat je ouders van je willen. Daarom besloot ik hiernaartoe te gaan. Tegen de wil van mijn pa en ma, mag ik wel zeggen.'

'Heel goed, volg je hart.'

Ik breek een reepje KitKat af, pel het zilverpapier eraf. Misschien geef ik de verkeerde indruk van de plek waar ik werk. 'Natuurlijk zouden we ook niet willen dat onze studenten dit als een makkelijke keuze beschouwen,' begin ik. 'Ik bedoel, we hebben misschien niet zo'n naam als Harvard...'

Beth onderbreekt me echter: 'Was dat voor u hetzelfde? U weet wel, ouderlijke druk om op academisch niveau te presteren?'

'Hemel, nee. Eerder het omgekeerde.' Ik steek de KitKat in mijn mond, neem een slok thee en zuig de vloeistof door de chocoladebiscuit. Het is een walgelijke gewoonte, die Matt haat, maar zonder mijn sigaretten kan ik niet anders.

Beth kijkt me nog steeds vragend aan. Haar koekjes heeft ze niet aangeraakt. 'Hoe bedoelt u?'

'Dat wil je niet weten.' Ik giechel en neem een laatste slok thee. Ik wil niet dat ze op dit onderwerp doorgaat.

'Dus u hebt uw hart ook gevolgd,' zegt ze, 'en gedaan wat u wilde doen. Dat is zo cool.'

Ik kijk naar haar en sta op.

'Ik moet echt naar huis,' zeg ik, mijn handen warm wrijvend.

Beth schuift haar stoel achteruit en staat ook op met een enthousiaste grijns. 'Ik ga naar het strand naar de golven kijken,' zegt ze. 'Vanmorgen heb ik erin gezwommen. Dat zou je nooit geloven als je er nu naar kijkt, hè?'

Ik kan mijn onwillekeurige huivering niet onderdrukken. 'Niets voor mij.'

'Het is nog steeds best warm.'

'Het gaat niet om de kou.'

De vraag die ik op haar gezicht vorm zie krijgen bereikt haar lippen niet. Ze pakt mijn tas en geeft hem aan mij, waarschijnlijk voor het geval ik hem weer vergeet, en loopt dan voor mij uit naar de deur.

Het regent niet meer. Voor het café nemen we afscheid en Beth haast zich naar het kiezelstrand, haar nylon parka wappert als een vogel die probeert op te vliegen als ze tegen de wind in leunt. Als ze in het mistige donker verdwijnt, dwing ik mijn gedachten terug naar de lezing van volgende week. Misschien moet ik mijn dia's van Bethnal Green in de Blitz proberen te vinden en daarmee openen, of een stukje van een van mijn interviews afspelen. Hoe dan ook, vanavond moet ik echt aan het werk.

Toch, nu ik bij mijn auto aankom, instap en het portier sluit, ben ik niet in staat om te bewegen. In minder dan een uur is mijn goede humeur verdwenen, en nu voel ik me leeg en dof, als een veelbelovende dag die onverwacht bewolkt is geworden. Ik hoef alleen maar de motor te starten en weg te rijden, maar ik ben verstijfd, mijn handen omklemmen nutteloos het sleuteltje, mijn benen blijven resoluut over elkaar. Aan de andere kant van de voorruit, slechts een paar honderd meter verderop, slaan de golven op de kiezels. Ik hoor het aan en af rollen van de kiezels, het zuigende schuimende water. Ik had hier niet moeten komen, had erop moeten staan Beth af te zetten waar ze ook mag wonen, en dan linea recta naar mijn lege flat en mijn laptop moeten gaan. En nu zit ik vast, rillend op de bestuurdersstoel van mijn koude Kever, het hulpeloze slachtoffer van mijn eigen malaise.

Beth vindt me misschien 'cool', maar ik ben een bedriegster. Het is waar dat ik een doctorstitel heb en een goed ontvangen monografie heb gepubliceerd naar aanleiding van mijn interviews met vrouwen over hun ervaringen met rantsoenering en familiestructuren in het East End in 1949 en 1950. Ik geef lezingen, colleges, word zelfs uitgenodigd om deel te nemen aan serieuze wetenschappelijke congressen. Sinds ik echter ben gepromoveerd, heb ik het onontkoombare gevoel dat ik niets weet, en dat op een dag de omvang van mijn onwetendheid en algehele onbegrip van de wereld ontdekt zal worden.

'Een deskundige op het gebied van families, wat een grap.' Dat zeg ik hardop, met een verbazend felle stem. 'De bijzonder coole dr. Bainbridge, dezelfde vrouw wier familie vrijwel uiteen is gevallen, wier broer aan de andere kant van de wereld woont, wier vader dood is en die jaren niet met haar moeder heeft gesproken, ondanks de smekende verjaardagskaarten die ze van haar ontvangt. 'Laat alsjeblieft iets van je horen,' schrijft ze, in haar kleine, kriebelige handschrift. 'Het zou zoveel voor me betekenen.' En voor ik het kan tegenhouden zie ik haar voor me, niet nu, maar zoals ze was toen ik klein was, met haar krullende zwarte haar en de noppenjurk die ze naar feesten droeg. Dan vond ik haar engelachtig mooi en kroop op haar schoot en liet mijn vinger over haar zachte bepoederde wangen naar haar glanzende roze lippen glijden. Ik wilde nooit dat ze uitging, probeerde me aan haar vast te klampen en haar tegen te houden, maar altijd zonder uitzondering tilde ze me op en zette me resoluut terug op de grond. 'Klef' noemde ze het. Een eigenschap die ze haatte.

En plotseling herinner ik me de sensatie van water over mijn hoofd, de scherpe pijn in mijn neusholten, mijn paniek om de verstikkende diepten. Dan kwam ik weer boven met zwaaiende armen, half schreeuwend om hulp, half happend naar adem, en daar stond zij, met haar voeten stevig op de zandbodem geplant, en lachte me uit. 'Wees niet zo'n angsthaas,' zei ze plagerig. 'Wat ga je doen als ik je de armbandjes laat afdoen?'

Ik ga recht zitten en schud de gedachten van me af als laatste plakkende regendruppels. Wat zou het als ik 'problemen' met mijn familie heb gehad? Dat diskwalificeert mij niet als expert in familiegeschiedenis. Ik ben een wetenschapper, geen studentendecaan. Er is een enorm verschil tussen intellectuele kennis en de troebele, veranderende materie van emotionele kennis. En zelfs als de critici die mijn gedachten bevolken me voortdurend vertellen hoe weinig ik begrijp, kan ik me zo goed verdedigen – gewapend met mijn literatuurlijsten, zorgvuldig uitgedachte argumenten en nauwgezet onderzochte bronnen – dat niemand dat ooit te weten hoeft te komen.

Ik start de koude sputterende motor en trek kwaad aan de versnellingspook. Het is tijd om naar huis te gaan.

5

Het duurt niet lang voor ik bij Queen's Square ben. Ik parkeer de auto en haast me naar nummer zestien, mijn gebouw. De straat staat vol met wat eens ruime Regency herenhuizen waren, maar is nu duidelijk verpauperd. Ik weet zeker dat het niet zo rommelig was toen ik het in de zomer bekeek. Deze avond is het een vergaarbak van vuilniszakken, roestende fietsen die aan spijlen geketend zijn en doorweekte matrassen op de trappen naar de kelder. Met uitzondering van het gebouw aan het eind, waarop een schreeuwerige regenboog is geschilderd en waar uit de ramen van de bovenste verdieping een spandoek wappert met de tekst VERDEDIG JE KRAAKRECHT, zijn alle gebouwen in flats opgedeeld.

Nummer zestien is misschien wel het meest afgeleefd in de straat, de bladderende buitenverf grijs van ouderdom, de kozijnen rottend. Ik spring de trap op en zoek naar mijn sleutels. Ze zitten niet in mijn zak, noch in het voorvakje van mijn tas. Naarstig vis ik er een allegaartje uit: een handvol kleingeld, een verkreukte kaart die ik naar mijn broer wilde sturen voor zijn verjaardag zes maanden geleden, twee ongeopende rekeningen die ik vanmorgen heb ontvangen, mijn portemonnee en een dikke bundel universiteitsdossiers. Alleen geen sleutels, en de voordeur van het gebouw is enorm, zwaar en gesloten.

Ik loop achteruit in het portiek en vraag me af of er iemand anders thuis is. Hoewel ik hier bijna een week woon, heb ik nog niemand van mijn buren ontmoet. Soms hoor ik de voordeur dichtslaan en voetstappen op de trap, of ruik ik wierook in de gang, en gisteren, toen ik mijn post opraapte, had ik het uitgesproken gevoel dat er iemand achter me stond. Maar tot nu toe kan ik geen gezichten koppelen aan de lijst achternamen die naast de bellen bij de voordeur zijn geplakt.

De ramen van de tweede en derde verdieping zijn donker, maar achter de netgordijnen van de flat op de begane grond brandt licht. Stampend van kou druk ik mijn vinger op de bel. Lange tijd gebeurt er niets, dan hoor ik een klik, gevolgd door ruis. 'Ja?' Het is een vrouw, wier stem wordt vervormd door de antieke intercom.

'Hallo? Ik woon in de flat boven u. Ik heb mezelf buitengesloten.'

Stilte. Door de dikke deur heen hoor ik geschuifel, dan gaat de deur een paar centimeter open en een gezicht tuurt naar buiten. 'Hallo,' zeg ik. 'Ik woon boven. Ik ben mijn sleutels kwijt.'

De deur zwaait open. Mijn buurvrouw kijkt de straat in, haar handen nerveus friemelend aan de losse huid van haar hals. Voor ik tijd heb mijn gedachten te censureren, flitst de zin door mijn hoofd. Ze is in de vijftig, misschien ouder, en draagt een camouflagebroek à la Lara Croft, die wijd hoort te zijn, maar strak om haar dijen zit, en cowboylaarzen. Daarop draagt ze een T-shirt met lange mouwen, opgetrokken over haar dikke buik om een gepiercete navel te laten zien. Haar gezicht is vaal en om haar dunne vingers zitten zware zilveren ringen. Ze heeft zwartgeverfd haar dat met paarse stukjes stof in staartjes is gebonden die als boeddhistische gebedsvlaggen uit haar hoofd spruiten.

'Ik heb je gezien,' zegt ze, zonder glimlach knikkend. 'Je woont in de flat waar Jenny en Doug woonden.'

Ik stap naast haar de tochtige gang in. Het is een deprimerende aanblik: het bladderende behang, het rode tapijt zo vuil dat het bijna bruin is, het wervelend patroon lijkt op spiralen opgedroogd bloed. Onder een doffe spiegel staat een krakkemikkige houten tafel bedekt met rekeningen van huurders die allang vertrokken zijn, reclame voor dubbele beglazing, vuilniszakken voor Ouderen in Nood en gedateerde telefoonboeken. Het ruikt er naar verschaalde kooklucht en vocht.

'Goeienavond,' zeg ik met uitgestoken hand. 'Ik ben Cass.'

Ze pakt mijn hand en houdt hem slap in de hare. 'Welkom, Cass,' zegt ze. 'Je zult waarschijnlijk mijn cliënten tegen het lijf lopen in de gang.' Haar stem is diep en hees, de korrelige tonen van een zware roker.

Ik knik zwijgend, niet in staat een passend antwoord te verzinnen. Door de geopende deur van de flat zie ik paarse muren en een deuropening met een glitterend kralengordijn. Het riekt er naar wierook. Er volgt een lange stilte, dan zegt ze: 'Ik leg ook de tarot, als je belangstelling hebt. Maar voornamelijk doe ik astrologie.' Nog steeds geen glimlach, terwijl ze slechts naar me staart alsof ze mijn aura probeert te lezen.

Ik ben zo moe en leeg van mijn dag dat ik slechts onnozel glimlach.

'Ik hoor je 's nachts heen en weer lopen.'

Ik trek een gezicht. 'O, sorry. Het is hier zo gehorig.'

'Nee hoor,' zegt ze met een lachje dat als een gekir klinkt. 'Ik heb er geen lást van. Het is prettig om iets van leven te horen.'

Ik vraag niet verder. Het enige wat ik wil is mijn flat in gaan, de computer aanzetten en aan de lezingen beginnen. Omdat ik echter zo'n kluns ben om mijn sleutels te verliezen, ben ik nog steeds buitengesloten.

'Ik zal de huisbaas moeten bellen of zoiets,' mompel ik, 'om naar binnen te kunnen.'

Ze staart me aan, likt vluchtig haar lippen, als een hagedis die een vlieg hoopt te vangen. 'Ik heb reservesleutels,' zegt ze langzaam. 'Die liet Jenny altijd bij me achter.'

Ze draait zich om, schuifelt haar flat in en komt even later terug met een grote, kristallen sleutelring. Ik volg haar de trap op en ze opent de deur, waarna ze de sleutels snel weer in haar zak stopt. Aan de manier waarop ze bij de bovenste trede draalt, neem ik aan dat ze hoopt binnen gevraagd te worden.

'Geweldig!' zeg ik als de deur openzwaait. 'Hartstikke bedankt!'

Ze staart me een seconde te lang aan. Waarschijnlijk maak ik een stuurse en onvriendelijke indruk, maar ik wil haar wanhopig graag kwijt.

'Ik ben Jan,' zegt ze, 'en jij bent beslist een Kreeft.'

Dan draait ze zich om en stampt de trap af naar beneden.

Het rare is dat ze gelijk heeft.

Eindelijk ben ik alleen. Ik loop de flat in met het gevoel dat ik een indringer ben. Vanochtend heb ik de ramen opengegooid, de flat met geruststellende, alledaagse sporen van mijn aanwezigheid gevuld: koffie, verbrande toast, lavendelzeep. Maar in mijn afwezigheid heeft de flat zijn eigen aard weer aangenomen en nu ruik ik alleen de smerige, sombere lucht, de vochtige muren en het stoffige, muffe tapijt. Het heeft hier te lang leeggestaan.

Ik loop de zitkamer in, knip het licht aan en kijk de kamer door naar de stapels boeken, mijn laptop die nog verwijtend in zijn koffer tegen de muur ligt. De kamer voelt leger en groter dan ooit aan, de openslaande deuren reiken hoog tot aan het gevlekte, gepleisterde plafond, het lelijke houtvezelbehang is bedekt met witte plekken waar eerder schilderijen hingen. Toen ik de flat voor het eerst zag, begin september, stroomde er zonlicht door de ramen en het bladderig decor viel me nauwelijks op. Maar nu, onder het schelle licht van het peertje, is een gevoel van verlatenheid onvermijdelijk. Iemand moet ooit doelbewust en hoopvol de nepluchters en katoenfluwelen gordijnkappen hebben aangebracht. Men moet met overtuiging de nep Regency behangstroken in de gang hebben geplakt, de moddergroene badkamertegels met het enthousiasme van een vernieuwer hebben uitgekozen. Dat was echter ongetwijfeld lang geleden. Wie hier het laatst hebben gewoond, gaven duidelijk weinig om hun omgeving.

Ik loop naar het midden van de kamer en vraag me af wat Doug en Jenny voor mensen waren. Het enige overblijfsel van hun aanwezigheid dat ik tot nu toe heb ontdekt is een beschimmelde kaart uit Gambia, achter het bidet. Wat heeft hier aan de muren gehangen? Wat voor meubilair heeft zulke diepe voren in het hoogpolig tapijt achtergelaten? Ik sta bij de ramen, onzeker wat mijn volgende stap moet zijn. Ja, er is een lezing te schrijven, maar de hele dag ben ik zo afgemat geraakt door alle extreme activiteit dat ik me, nu ik alleen ben, losgeslagen voel. Niet in staat iets anders te doen dan bij het raam te talmen en in de duisternis te staren. De wind is weer opgekomen en de houten blinden schudden en klepperen alsof ze bezeten zijn.

Ik zal koffiezetten, met een koekje. In de keuken zet ik de ketel aan, doe een klein dansje om warm te worden. De keuken heeft een L-vorm, een nauwe gang die naar het benepen zitgedeelte leidt, wat in de huurovereenkomst beschreven werd als 'ontbijtbar'. Aan het eind is een glazen schuifdeur en een klein platdak, dat met het trottoir beneden is verbonden door een krakkemikkige brandtrap. Als ik de telefoon aan de muur zie, herinner ik me dat ik Sarah zou bellen. Ik zou mijn computer moeten aanzetten en moeten typen: 'Week een: Methoden in mondeling overgeleverde geschiedenis', maar de hele dag heb ik er al naar verlangd met haar te praten en nu grijp ik mijn kans.

Ik pak de hoorn en toets haar nummer in. Bijna onmiddellijk neemt ze op. Haar stem klinkt ademloos en licht geïrriteerd, alsof ze is gestoord in iets belangrijks. 'Hallo?'

'Met mij.'

Stilte. Misschien herkent ze mijn stem niet meer. Dan lijkt ze zich iets te ontspannen en ze zegt: 'Hallo, vreemdeling, dat is lang geleden,' precies als de oude Sarah met wie ik dolgraag wil praten. Ik wil haar vertellen hoe alles in mijn leven is veranderd en dat ik nu in een vervallen flat aan zee woon, als ze gilt. Er klinkt een doffe klap, waarschijnlijk de hoorn die valt. Op de achtergrond hoor ik gedempt peutergekrijs.

Ik hou de hoorn een tijdje van mijn oor, terwijl mijn ogen door de keuken dwalen. Hier zal ik niet veel koken. De oven is werkelijk een vettig wrak, de plastic beschermlaag bladdert rond de knoppen. Als ik goed kijk zijn die tegels, met hun bloemmotief, bedekt met een vette laag. Ik hou de hoorn weer tegen mijn oor en hoor Sarahs stem zingen: 'Arme Poppy, mammies poppedeintje,' steeds weer opnieuw, een moederlijke ode aan de god van kleine kinderen. Na nog een lange stilte hoor ik Sarah zeggen: 'Waarom ga je niet naar Bob kijken, liefje?'

Dan is ze ineens terug. 'Jee, sorry. Pops viel net van haar driewieler.'

'O, hemel.'

'Ik dénk dat ze niks mankeert. Ik bedoel, ze heeft geen blauwe plekken. Maar het is wel heel naar om te vallen, hè Popsy? Ja! Bob zal het beter maken!'

Grimmig omklem ik de hoorn. Ik had nooit kunnen denken dat ik zo jaloers kon zijn op een dreutel van drie turven hoog, wier enige woorden zijn: 'Bob' en 'geef me', of zelfs omdat Sarah zo eindeloos afgeleid kan zijn. Sinds Poppy's geboorte is er echter een merkbare verschuiving ontstaan in onze vriendschap. Ik stel me degene die ooit mijn glamoureuze vriendin was aan de andere kant van de lijn voor. Ze zal een wollig topje en een vreselijke legging aan hebben. Haar ooit mooie haar zal over haar gezicht hangen en er zal een vlekje van Poppy's snot op haar schouder zitten. De laatste keer dat ik bij haar op bezoek was, schreeuwde Poppy aan één stuk door. En Sarah, van wie ik ooit hield om haar scherpe geest en intensiteit, was glazig, stoned van uitputting en een en al obsessieve belangstelling voor elke gril van Poppy, waar ik heel moeilijk begrip voor op kon brengen. Bij elkaar genomen herinnerde dat bezoek me aan mijn emoties toen Matt en ik tijdens een weekend onbedoeld langs het hotel in Eastbourne reden, waar ons gezin tijdens vakanties logeerde. Het hotel was vrijwel geheel neergehaald, de enige overblijfselen waren twee afgebrokkelde muren en een deel van het dak. De gehele linkervleugel, waar vroeger een bar was en David en ik biljartten, was gereduceerd tot een puinhoop. Wat ik voelde toen ik naar het grote bord aan de oprit staarde, dat met grote letters NIEUWE LUXEAPPARTEMENTEN uitschreeuwde, was schok, verdriet en het sterke verlangen om er zo snel mogelijk weg te komen. Het is natuurlijk niet zo dat Sarah en Poppy op een vervallen gebouw lijken, toch waren mijn emoties bij beide gelegenheden opvallend gelijk. Toen ik Poppy over Sarahs schoot zag klauteren en zag hoe haar blik steeds van mijn gezicht naar dat van haar dochter dwaalde, als door een magneet getrokken, begreep ik eindelijk dat de dagen van vrijheid en onverantwoordelijkheid voorbij waren. De tijd waarin we de hele nacht konden doorzakken en gesprekken voeren met een fles wijn erbij, of zelfs met z'n tweetjes in een opwelling weekendjes naar Barcelona of Parijs bespraken, was verleden tijd. Op een bepaald moment, zonder me te raadplegen, had mijn beste vriendin het voortouw genomen en was alles veranderd. En ik bleef achter voor het bord van de projectontwikkelaar, met een beroofd en misplaatst gevoel.

'En,' zegt Sarah, bedaard, 'hoe gaat het met je?'

'Goed. Ja, het gaat prima. Ik ben naar de kust verhuisd.'

'Poppy!' roept ze. 'Niet aankomen! Wat zei je, Cass?'

Ik zuig mijn lip naar binnen en voel dat mijn gezicht betrekt van kinderachtige jaloezie. 'Ik ben naar de kust verhuisd.'

Ze is zo lang stil dat ik me afvraag of ze weer verdwenen is. Ik stel me de telefoon voor, bungelend aan zijn snoer terwijl mijn blikkerige, onbeduidende woorden ongehoord tegen haar keukenmuur weerkaatsen. Maar ze is er nog. 'De zee?' zegt ze ten slotte. 'Ik dacht dat je een bloedhekel aan de zee had.'

'Het gaat niet om de zee,' zeg ik langzaam. 'Het gaat om die baan, weet je nog, waarop ik gesolliciteerd heb.'

'O, heb je die gekregen? Dat is fijn...' Ze klinkt verre van overtuigd.

'Ja, ik ben er blij mee.'

'Misschien is het een goed besluit,' zegt ze aarzelend. 'Hoe denkt Matt erover?'

'Hij vindt het oké.'

Weer een stilte. Het probleem is, ze kent me te goed om zulke duidelijke leugens te laten passeren. Om de stilte op te vullen, vervolg ik: 'Het is eigenlijk heel prettig om eens een tijdje uit Londen weg te zijn. Je kent me, Sarah, in mijn hart ben ik een buitenmens.'

'O ja?'

'Mijn jeugd heb ik in landelijk Hertfordshire doorgebracht.'

'O ja?'

'En het is ook veel leuker werk...' Mijn stem sterft weg. Ik heb het ongemakkelijke gevoel dat ze iets gaat zeggen wat ik niet wil horen. 'Hoe dan ook,' zeg ik met geveinsde opgewektheid, 'hoe is het met jou?'

'Nou, tot ongeveer een minuut geleden ging het prima, maar eerlijk gezegd ben ik met stomheid geslagen. Ik had geen idee dat je werkelijk ging verhúízen.'

Ik slik. Sinds de universiteit is Sarah altijd verwoestend eerlijk tegen me geweest. Het is een van de redenen waarom ik van haar hou. 'Het is maar tijdelijk,' zeg ik zwakjes. 'En ik ben de weekends terug.'

'Maar je hebt me nooit verteld dat je ging verhuizen!'

Ze klinkt zo gekwetst dat mijn hart samentrekt van schuld. Ze is terecht gekwetst. De eenregelige e-mailtjes en mislukte pogingen haar terug te bellen zijn armzalig voor een beste vriendin.

'Het spijt me echt,' zeg ik, de neiging verdringend om te doen alsof het allemaal een grap is, 'maar we hebben in maanden niet de kans gehad om echt te praten. Als we dat hadden gedaan, had ik het je natuurlijk verteld.'

Ze aarzelt en zegt dan: 'Ik zal je echt missen. Niet, trouwens, dat ik je ooit zie tegenwoordig, zelfs in Londen...'

Er klinkt zoveel gevoel in haar stem dat mijn adem stokt. 'Je kunt komen logeren. Poppy zou genieten van de zee.'

Ik probeer vrolijk over te komen, maar deze laatste opmerking klinkt op de een of andere manier alsof het me niet kan schelen hoe ze zich voelt. Ze zucht en ik voel iets kils door me heen gaan, misschien een besef hoezeer mijn leven is veranderd.

'We moeten praten,' zegt ze. 'Ik heb het gevoel dat ik niet meer weet hoe het je vergaat.'

Weer een koude vuist om mijn hart. 'Ik weet...'

Ergens in de verte hoor ik een bons en weer peutergekrijs.

'O god! Niet weer, Poppy! Luister, Cass, het spijt me heel erg, maar ik moet ophangen.'

Ik ben sprakeloos. Ik had gerekend op een fijn gesprek met Sarah om me op te vrolijken, maar nu voel ik de hete tranen opkomen.

'Ik hou van je, Cass,' zegt ze. 'We praten snel, oké?'

'Oke.'

En weg is ze.

Meteen als ik de hoorn terugleg, gaat de telefoon weer over, met doordringende, beschuldigende toon, alsof degene aan de andere kant van de lijn genoeg heeft van het wachten. Ik neem snel op in de hoop dat Poppy's ongelukje afgehandeld is en Sarah me terugbelt. 'Hallo?' Aan de andere kant hoor ik twee lange tonen, die aangeven dat er wordt teruggebeld. Dan is er een klik en geluid van ademhaling. 'Hallo,' zeg ik tegen wie het ook mag zijn. 'Hebt u op mijn nummer teruggebeld?'

Er komt echter geen antwoord. In plaats daarvan wordt er opgehangen. Ik hou de telefoon even vast terwijl ik nadenk over de brutaliteit van mensen en leg hem neer. Tegen het aanrecht geleund zie ik een pak Jammie Dodgers tussen een pak theezakjes en een pot suiker. Wat ik nodig heb, is een lekkere zoete snack. Terwijl ik het ene na het andere koekje in mijn mond prop, wil ik net doelbewust naar de zitkamer en mijn laptop lopen als de telefoon nogmaals gaat. Ik grijp hem beet terwijl ik kruimels over het mondstuk sproei. 'Ja?'

Niets, alleen stilte. Misschien is het een mobiel die geen bereik heeft.

'Hallo?' breng ik uit, de kruimels van mijn kin vegend. Ik weet zeker dat er iemand aan de andere kant van de lijn is. Ik grijp de hoorn vaster beet en luister of ik hoor ademhalen. 'Rot op, dan,' fluister ik en verbreek de verbinding. Maar meteen als ik ophang, gaat hij weer over. Ik laat hem twee of drie keer rinkelen en voel me kwaad. Als ik opneem zeg ik kortaf: 'Ja?'

Even denk ik dat het weer de zwijgende beller is, want het is even stil, gevolgd door snel inademen. Maar dan zegt een stem: 'Ik heb je mobiel de afgelopen twee uur proberen te bellen' en met een zucht van verlichting besef ik dat het Matt is.

'O ja? Ik heb niets gehoord.'

'Je bent hem waarschijnlijk weer kwijt,' zegt hij en ik stel me vóor dat hij traag naar me glimlacht. Ondanks zijn pogingen klagerig te klinken komt hij plagerig door met slechts heel licht verwijt in zijn stem. 'En toen was je in gesprek.'

'Sorry. Ik had Sarah aan de lijn.'

'Hoe bevalt het fulltime moederschap? Hoe is het met de kleine Poppy?'

'Allemaal prima,' zeg ik snel. 'En met jou?'

'Veel beter nu ik je spreek.'

Hij zet zijn flirterige stem op, warm en plagerig. Ik glimlach terwijl mijn lichaam zich ontspant bij zijn geruststellende toon. Als we hier zijn, op deze zonnige plek, is het makkelijk zijn stormachtige kant te vergeten; de onvoorspelbare buien en jaloezie die opvlammen als hij zich onbemind voelt. We kunnen zijn hoe we altijd waren: langdurige geliefden, of zoals Matt het wil, 'partners' met vaste rollen. Matt, de ervaren en zelfverzekerde lector politicologie en Cass, zijn vrouw. Geen spelregels, geen druk, alleen de troostrijke kameraadschap van twee gedeelde levens.

'Hoe gaat het met het huis?'

'Veel opgeruimder nu jij er niet bent.'

'Zo erg ben ik niet!'

Hij lacht.

'Heb je mijn mail ontvangen?'

'Ja. En het antwoord is dat ik volgende week naar Wenen ben voor de Europese netwerkconferentie, weet je nog? Dan ga ik met volle kracht vooruit en Staat en Maatschappij afmaken, dus het heeft niet zoveel zin voor je om helemaal naar Londen te komen. Ik kom de week daarna wel naar jou. Ik noteer het voor de eerste week van november, goed?'

Het is maar goed dat hij mijn gezicht niet ziet, want ik grijns met wat vreemd genoeg als opluchting aanvoelt. Zijn aankondiging betekent dat ik hem bijna een maand niet zal zien. Met uitzondering van een onderzoeksreis naar Washington van twee maanden, zeven jaar geleden, zijn we nooit langer dan vier of vijf dagen uit elkaar geweest. Dit is nieuw terrein, een situatie die ik niet had verwacht. Het was nooit bij me opgekomen dat we elkaar niet minstens elk weekend zouden zien. Zeker had ik niet verwacht dat we formele afspraken zouden moeten maken met agenda's en als yuppen die nog maar pas iets met elkaar hebben. De onverwachte vrijheid geeft me een vreemd uitgelaten gevoel.

'En?' zegt Matt. 'Ga je me niet vertellen hoe het is gegaan?'

'Goed. Ik heb vanmorgen mijn eerste lading studenten ontmoet en de hele middag waren er vergaderingen. Nu drentel ik rond in deze oude flat en wilde dat je hier was om me gezelschap te houden.'

Meteen als ik dat zeg, weet ik dat ik een fout heb begaan. Door de telefoon voel ik hoe hij verstijft en hoe zijn gezicht betrekt.

'Nou, sorry. Dat heb je aan jezelf te danken,' zegt hij kortaf. 'Als je mij in de buurt wilt hebben geef dan niet eindeloos voorrang aan je academische ambities.'

'Doe niet zo belachelijk! Ik ben niet naar Edinburgh gegaan. Het is maar negentig kilometer van Londen.'

'Ja, maar op de een of andere manier voelt het veel verder.'

De manier waarop hij dat zegt, bevalt me niet. Ik bijt op mijn lip en voel tranen opwellen. 'Hoe bedoel je?'

'O, kom nou, Cass. Dat weet je best.'

Ik grijp de hoorn vast met vochtige handen. 'Jij denkt dat ik in Londen had moeten blijven,' zeg ik langzaam.

'Daar wil ik het niet door de telefoon over hebben.' Hij gebruikt zijn omgaan-met-lastige-studenten-stem: geen tegenspraak duldend, koud en gesloten.

Ik zwoeg door, me bewust van het gevaar en niet in staat om te stoppen. 'Waarover?'

'Hou op met die spelletjes, Cass. Je weet waar ik het over heb.'

Ik slik, niet in staat te antwoorden. Uiteindelijk breng ik met verstikte stem uit: 'Het maakt niet echt verschil.'

'Nee hoor.' En dan hangt hij zoals gewoonlijk meteen op.

Nadat ik gekalmeerd ben, sta ik bij de openslaande deuren en kijk naar de straat beneden. Het regent niet meer en donkerblauwe vlekken verschijnen vanachter de voorbijrazende wolken, soms hier en daar een ster.

Vroeger was het niet zo. Matt en ik waren ooit zo gelukkig. Hij was mijn redder, degene die me zekerheid, comfort en onvoorwaardelijke liefde gaf. Ik leun tegen het kozijn en sluit mijn ogen. Ik sta in de tocht en het hout trilt iets door de luchtstroom. Ik was een arme postdoctoraal student toen ik hem voor het eerst ontmoette, en een groot, chaotisch huis in Holloway deelde met vijf andere studenten. Ik leefde op tonijnsandwiches, sigaretten en oploskoffie. Het grootste deel van mijn tijd probeerde ik mijn chaotische onderzoeksaantekeningen in iets samenhangends te veranderen. Ik barstte van de ideeën en had overvloedig gelezen over de ervaringen van de Britse burgerbevolking tijdens de oorlog, naoorlogse activiteitsstructuren en relaties tussen de seksen. Toen ik die enorme mengelmoes van debatten en gegevens probeerde te koppelen aan de oude vrouwen wier verhalen ik had gehoord, viel alles wat ik wilde zeggen weg. Ik voelde me verloren, gefrustreerd door mijn onmacht te doen wat vereist werd. Toen, op een zaterdagavond, na een hele dag waarin ik geprobeerd had één paragraaf te schrijven, herinnerde ik me dat ik zou eten bij een kennis. Ik kwam te laat, had niet eens de moeite genomen me om te kleden. Daar zat hij, aan het eind van de tafel met een joint in zijn hand, orerend over Foucault en het einde van georganiseerde politiek, zijn favoriete thema. Toen hij me zag, hield hij op met praten, maakte plaats voor een extra stoel en schonk me een glas wijn in.

Het is een cliché, maar het was alsof we elkaar al jaren kenden. De hele avond praatten we over ons werk, en negeerden we heel onbeleefd de mensen die aan onze andere kant zaten. Toen ik hem over mijn East End-vrouwen vertelde, luisterde hij met een inlevingsvermogen dat veel groter was dan dat van mijn supervisor, en toen we later die avond een taxi naar huis deelden volgde ik hem zonder iets te vragen bij zijn huis naar binnen. Zelfs toen namen we het voor vanzelfsprekend aan: we waren een stel, voor we nog maar gezoend hadden.

Ik bijt op mijn lip als ik me herinner hoe goed het toen was. We zijn al zo lang samen, onze huiselijke routine en gewoonten zo diep in mijn psyche geworteld dat ik tot een week geleden nauwelijks besefte dat ze er waren. Nu ze weg zijn, voel ik me losgeslagen, mijn ongebonden status verkwikkender dan ik me ooit had kunnen voorstellen. We hadden het voor elkaar, elk onderdeel van ons leven in kaart gebracht. Het was als in een warm bad liggen met een exemplaar van *Heat*. We werkten op dezelfde universiteit, hij als lector en ik met allerlei tijdelijke exploratieve functies. Ons huis was knus, in lichte, warme kleuren geschilderd, aan de muren schilderijen die we samen hadden gekocht, de planken vol met onze talloze boeken. Meestal kookte hij 's avonds terwijl ik zat te luisteren naar wat hij over zijn dag vertelde. Dan dronken we een fles wijn waarna we met onze boeken en elkaar naar bed gingen. Soms aten we met vrienden, die inmiddels ook allemaal stellen waren, de meeste met kinderen. Op zaterdagochtend haalden we boodschappen bij Waitrose, dan een wandeling op de Heath of een middagvoorstelling in de bioscoop. Zondags werkte hij, of we brunchten uitgebreid met de kranten erbij. We maakten zelden ruzie, de scherpe kantjes werden gladgestreken door onze langdurige verbondenheid. Of liever, ik had me de grote vrouwelijke kunst van het zich voegen naar eigen gemaakt. Ik haalde hem uit zijn onzekerheden en onderging toegeeflijk zijn driftbuien. Ik was eraan gewend, nam het allemaal voor lief. Ik hield van hem, hield van ons leven samen, en begrijp nog steeds niet waarom ik het allemaal moest opgeven, om hier te komen en alleen te zijn.

Ik ril en ga bij het raam vandaan. Waarom denk ik nu in de verleden tijd aan hem? Er is niets voorbij. Dit is slechts een fase, een kort intermezzo terwijl ik mijn cv opbouw. Bovendien, we weten allebei dat we niet eeuwig zo zalig zorgeloos konden blijven. De levenscyclus zat ons op de hielen, als een valse hond die eindeloos gevoerd moest worden met verandering en aanpassing. Dat heb je te lang gedaan, gromde hij. Cass is vijfendertig, Matt bijna veertig. Je moet je leven vormgeven.

Het zou allemaal zo makkelijk moeten zijn, net zoals het voor

Sarah is geweest, en bijna al mijn andere vrienden. En toch, in plaats van veranderingen te omarmen, zoals iedereen verwacht, trek ik in de tegenovergestelde richting. Om de een of andere reden begonnen de trips naar Waitrose me tegen te staan, de gezamenlijke avonden met vrienden werden beklemmend. Het was alsof ik mezelf een rol zag spelen in een saai, voorspelbaar tv-stuk. Steeds vaker wilde ik naar voren leunen en mezelf afzetten.

Verbaasd knipper ik met mijn ogen bij die gedachte, want zo heb ik het nog nooit geformuleerd. Ik overdrijf natuurlijk. Alles is kits. Matt en ik gaan gewoon door de tienjaarcrisis. De reden dat ik naar Brighton ben gekomen, is omdat ik voor het eerst in mijn carrière een vaste betrekking kreeg aangeboden, niet omdat ik bij hem weg wilde. Afwezig ga ik met mijn vinger over de stoffige radiator. Het is waar dat we de laatste tijd te veel met elkaar overhoop liggen, maar dat is alleen omdat hij het niet eens is met de verandering van richting. Hij vindt het onnodig en als je ervan uitgaat dat het leven een reeks fases behelst die je verplicht moet doormaken, heeft hij gelijk. Wat ik zou moeten doen, op dit moment, is met hem in Londen een nestje bouwen.

Bekijk het maar. Ik ben niet zo'n oermoedertype met een kind aan de borst terwijl ze haar zelfgemaakte organische brooddeeg kneedt. En als hij echt eerlijk nadenkt, is Matt ook niet het vadertype. De enige reden waarom hij is begonnen te fantaseren over kinderen is omdat Josh, zijn oudste vriend uit zijn wilde studiejaren in Manchester, net vader is geworden. Sinds ze elkaar op de Heath tegenkwamen en Josh de comateuze kleine in een schapenwollen draagband droeg en niet uitgesproken raakte over zijn gelukkige nieuwe leven, voelt Matt zich buitengesloten. De fantasie heeft echter geen serieuze consequenties. Hij wil precies zo doorleven als eerst, en zo nu en dan een wandeling maken met zijn vrienden en hun draagband op zondagmiddag. Nee, besloot ik, toen ik het kind een plasje braaksel op Josh' kraag zag deponeren, degene die al het werk zal doen, ben ik.

En opnieuw ben ik vervuld van de woede en de vervreemding die steeds vaker in onze relatie opduiken. Ik schud mijn hoofd alsof ik de emoties die zich daar hebben vastgezet wil losmaken. Daarbeneden, achter de tuinen, aan de andere kant van de weg en over de kiezels, kolkt de zee. Sarah had gelijk dat ze zo verbijsterd was door mijn nieuws: wat doe ik hier op deze plek, die me zo beangstigt?

Ik ga bij het raam vandaan, misselijk en in de war.

Brighton, 11 oktober

Lieve mam,

Gisteren had ik deze droom. Ik heb hem heel vaak en hij lijkt me belangrijk.

Ik ben op het strand en ineens zie ik jou, je staat op een rand stenen naar de golven te kijken. Jij niet, natuurlijk, want ik heb nu eenmaal geen idee hoe je eruitziet, maar degene zoals ik je me altijd voorstel. Het is hartje zomer, net als altijd. Op de achtergrond hoor ik het gegil van kinderen die in de zee spetteren en het elektronisch gebliep van de gokautomaten. Overal zijn mensen, op het strand verspreid in gelukkige gezinnetjes: dikke vaders en doezelende moeders, kinderen kraaiend in de branding. Boven hen cirkelen de bietsende zeemeeuwen in de warme lucht van het Kanaal.

Maar jij ziet niets van dat alles. Je staat daar maar te kijken, alsof je op je schip wacht dat binnen moet komen. Je lange haar is goudblond, je opbollende zijden jurk blauw; ik geloof dat je blootsvoets bent. Als je je omkeert zie ik mijn eigen gelaatstrekken in jouw gezicht weerspiegeld.

En dan, als ik zwaai en je naam roep draai je je om en begint over de kiezels naar me toe te rennen. Ik blijf zitten, verlamd van vreugde en angst. Eindelijk, denk ik steeds. Eindelijk. Maar dan als je bijna bij me bent besef ik dat je helemaal niet naar mij keek, maar langs me heen, naar iets wat ik niet kan zien. En terwijl ik mijn armen naar je uitstrek en roep of je wilt blijven staan ben je weg.

Droom jij? En kom ik erin voor?

6

Ik ben niet altijd bang geweest voor de zee. Toen ik een kind was, waren onze jaarlijkse vakanties aan zee in het familieleven verweven, net als ons keurige huis in de buitenwijk, of het bos erachter waar David en ik met elkaar om het hardst fietsten. Achteraf gezien waren de voorbereidingen en planning voor die reis vaak beter dan de gebeurtenis zelf, die toen ik de prepuberale jaren had bereikt, steeds saaier werd. Inmiddels wilde ik dolgraag net als de andere meisjes in mijn klas zijn, wier meer avontuurlijke en welgestelde ouders naar Mallorca of Korfu uitweken. God! kreunde ik. Niet weer Eastbourne! Toen ik jonger was, zag ik de Britse kust echter als een magische, avontuurlijke plek, waar op elk strand ijskarren stonden en de zee altijd stralend blauw was.

De avond voor ons vertrek hielpen David en ik pa de Rover inladen met koffers en tassen met regenjassen, rubberlaarzen en de oude rubberboot die hij bij aankomst opblies met zijn fietspomp. Op de koffietafel in de zitkamer had hij zijn *Roadways of Britain Atlas* uit 1971 uitgespreid en de route zorgvuldig uitgestippeld. In minder dan vierentwintig uur, dachten we koortsachtig, zouden we aankomen bij het tochtige vakantiehuisje dat ze hadden gehuurd, of het goedkope hotel aan de zuidkust waar we vaak logeerden, dat – tenminste tijdens ons eerste bezoek – ons voorkwam als de ultieme consumentenhemel, met draagbare tv's in onze kamer, mandjes toast bij het ontbijt en zakjes shampoo en zeep in de badkamer. Later lag ik wakker in onze slaapkamer te luisteren naar Daves regelmatige ademhaling terwijl ik vlinders in mijn buik had van verwachting. Op de oprit onder mijn raam wachtte de Rover, de motor klaar voor actie, de vering zwaarbeladen met onze gezamenlijke dromen.

Dan kwam de ochtend en we namen onze plaatsen in het voertuig in, waarna we via de rustige wegen van ons uit de kluiten gewassen dorp naar de snelweg reden. Mijn herinnering aan wat ongeveer tien reizen naar verschillende locaties moet zijn geweest, is samengeperst in één reis: pa en mam voorin, kibbelend over de route, het stoppen voor de lunch, en David en ik achterin geperst met ons speelgoed en onze stripboeken. Naarmate de uren oneindig werden, gingen we ons steeds erger vervelen en te veel van pa's Glacier mints uit het handschoenenkastje eten. Toen was er geen M25, dus het ging via de A1 door de stedelijke grauwheid van de North Circular naar de eindeloze buitenwijken van Purley Way. Dan, net als we dachten dat we het niet langer uithielden, zette de auto de vaart erin op weg naar de kust, als een stadshond die in de verte een konijn ziet en er extatisch over de velden op af sprint.

En ten slotte, de zee. In mijn herinnering was de eerste glimp altijd over de top van een heuvel, een glinsterende strook blauw, in mijn herinnering met een regenboog, als een scène uit *The Wizard of Oz*. Dan juichten we en knepen onszelf wakker. Pa stopte de auto zelfs wel eens om opzij te leunen en mam een ongebruikelijke zoen op de wang te geven. We hadden twee, soms zelfs drie weken in het vooruitzicht. Geen school, geen chagrijnige oppas die betaald werd om 's ochtends een oogje in het zeil te houden als mam de telefoon beantwoordde in de plaatselijke dokterspraktijk. En, het allerbeste, de voortdurende aanwezigheid van een vader die van een grauwe zwijgzame aanwezigheid aan de eettafel veranderde in een energieke zandkastelenbouwer, organisator van kietelwedstrijden en kampioen boeren laten.

Zelfs mam ontspande zich. 'Dit is waar ik echt thuishoor,' zei ze verwijtend met een zucht, terwijl ze smachtend naar het water keek, alsof haar huwelijk met pa en het daaropvolgende leven in Hertfordshire een straf was, die haar door de wrede gril van haar dominante echtgenoot was opgelegd. Zoals ze ons altijd inprentte, was ze in Dorset geboren en opgegroeid aan zee. Het was waar dat ze altijd gelukkiger leek als ze er in de buurt was. Ik kan me haar nu voorstellen, ontspannen in de zon, haar vest over haar knieën, neuriënd broodjes met sandwich spread besmerend of boodschappen voor ons in het zand schrijvend. Ze kon goed zwemmen, beter dan pa, en aan het eind van elke dag stond ze op en liet haar handdoek op het zand vallen om naar de deinende golven te lopen. Ze gilde nooit omdat het koud was, noch plensde ze met veel vertoon haar armen nat zoals de andere vrouwen op het strand. Ze dook er gewoon in en zwom in een rechte lijn van ons vandaan tot haar hoofd een stip in de verte was. Toen hield ik van haar, om haar kracht en minachting voor gevaar.

Hoeveel vakanties waren er zo? Waarschijnlijk niet meer dan twee of drie, en allemaal voor ik tien was. Daarna kwam de zomer waarin mam me dwong om te proberen 'echt' te leren zwemmen, zonder armbanden en ik mijn vrees voor verdrinking opliep. 'Belachelijk kind,' mompelde ze zacht toen ik steeds vaker weigerde zelfs maar mijn grote teen in het water te steken. 'Spring erin en doe het gewoon.' Zoals het er tussen mam en mij nu eenmaal voor stond, gingen we steeds tegen elkaar in. Het duurde niet lang of ik weigerde zelfs een badpak aan te trekken, terwijl zij dreigde me in het hotel achter te laten. Toch, ondanks die latere ervaring, de zonnige vakantie aan zee belichaamt iets van mijn vroege jeugd. Een periode van gratie misschien waarin we allemaal ons best deden en niet wisten hoeveel er spoedig verloren zou zijn. En hoewel, met het verstrijken der jaren, die herinneringen minder makkelijk te onderscheiden zijn – de kleuren en contouren in een sepiakleurige eenheid vervagen – is er een die er nog altijd uitspringt. Die komt elke keer terug als ik aan mijn moeder denk, en elke keer als ik nu op mijn balkon sta en over de zee uitkijk.

Ik zal zeven of acht zijn geweest, en, ongebruikelijk, hielp mam in plaats van pa me met een zandkasteel. Deze keer waren we in Cornwall, niet Sussex. Ik herinner me het gouden schelpenstrand en de uitstekende rotsen, een Neptunusbaai met beschutte plassen en verborgen riffen. Anders dan mijn vaders bouwsels, die, vanwege zijn beroep als taxateur, bestonden uit strakke steden met perfecte torens die door Davids emmer werden gemaakt, was deze creatie fantasievoller, een extravaganza van Mervyn Peake met scheve torentjes en een ingestorte gracht vol water. Het grootste deel van de middag had ik de vloedlijn afgeschuimd voor versieringen. We hadden de balustrades met zeewier, zeeslakschelpen en zeemeeuwveren bedekt en nu doorzocht ik de slijmerige plassen aan de rand van het strand met hun prikkerige roze zee-egels en drijvend plankton. Mam had het kasteel ook even in de steek gelaten en liep in de branding, haar gezicht dromerig, haar zakken vol schelpen. Ik weet niet meer waar David of pa waren.

'Kijk eens!'

Toen ik me omdraaide, zag ik dat ze met grote stappen over het strand liep en iets kostbaars in haar handen hield. Toen ze bij me was, glimlachte ze en hurkte op het zand om haar vingers te openen en te laten zien wat ik eerst voor een oude leren buidel hield, het overblijfsel van een schipbreuk. Aan de hoeken zaten puntige slierten, om aan een piratenriem te bevestigen, misschien.

'Weet je wat dit is?'

Ik schudde mijn hoofd. Ze sprak niet vaak zo met me, zo ernstig, alsof we samenzweerders waren in een avontuur.

'Het is hoornkapsel,' zei ze zacht. 'Een hondshaai heeft het gelegd, of een haai. Het zit vol eitjes. Het is aangespoeld met de stroming.' Ze pakte het bij een van de slierten en gaf het aan mij. 'Misschien zit er zelfs een baby in.'

Ik hield het ding in de palm van mijn hand en staarde. Ik wilde iets zeggen wat ze wilde horen, maar wist niet wat dat zou kunnen zijn. Ze was zo onvoorspelbaar, lachte vaak spottend om mijn commentaar, of verloor haar geduld en liep weg. Nu ik terugkijk, veronderstel ik dat ze ongelukkig was met hoe haar leven was gelopen.

'Kunnen we kijken?' fluisterde ik.

'Kom maar.'

Ze stak haar hand naar me uit, stond op en plechtig liepen we terug naar de zee. Het werd vloed, het water spoelde in draaiende stroompjes over het zand en de stenen. Toen we bij de strandlijn hurkten, likte het speels aan onze tenen en het spatte over onze blote benen. Uit de achterzak van haar shorts haalde mam het zakmes dat ze bij zich had voor picknicks. 'Er zit waarschijnlijk niets in,' mompelde ze terwijl ze met gefronste wenkbrauwen in de taaie huid van de buidel sneed. Ik staarde en wenste vurig dat dat niet zo was.

En daar, toen ze de bovenkant van de buidel aftrok, kronkelde een piepklein embryo, mijn babyvis. Vol ontzag keken we ernaar, moeder en dochter, onze handen verstrengeld.

'Ongelooflijk,' zei ze ademloos, en ik voelde de warmte van haar vingers die de mijne omklemden, de plotselinge opwinding in haar pols. 'Dat heb ik nog nooit gezien!'

Met de buidel zwijgend in haar hand knipperde ze met haar ogen in de namiddagzon. Nu fantaseerde ik dat de babyvis onder mijn liefdevolle zorg volwassen zou worden. Mijn eigen huisdier, een soort die natuurlijk aaibaarder en intelligenter was dan de meeste. Ik kon het in mijn slaapkamer houden, dacht ik enthousiast, ik kon een aquarium nemen. Met een glimlach zei ik het eerste wat in mijn gedachten opkwam: 'Kunnen we het houden?'

De kalme verwondering op mijn moeders gezicht verdween. 'Wees niet zo dwaas,' snauwde ze, mijn hand wegduwend. 'Het zou alleen maar doodgaan.'

'We zouden het in een tank kunnen stoppen en met zeewier voeren,' mompelde ik zwak.

'Ze eten geen zeewier.'

'Mam, alsjeblieft!'

Maar nu had ik het bedorven. Haar gezicht kreeg zijn normale vermoeidheid en ze fronste geïrriteerd. 'Nee.'

'Maar ik kan ervoor zorgen!'

'Er valt niet over te praten,' zei ze, en wendde haar blik af terwijl haar vingers zich om de eizak sloten. 'En waag het niet om een van je driftaanvallen te krijgen.'

Voor ik haar kon tegenhouden had ze zich opgehesen. Even dacht ik dat ze een veilige plek voor het kapsel wilde zoeken, waar het kleine, zachte wezen binnenin tenminste een kans had om te overleven, maar toen zag ik haar arm over haar hoofd naar achter zwaaien en ze wierp het terug in de schuimende stroming. Ze veegde het zand van haar handen, draaide zich op haar hielen om, weg van de golven en rende terug het strand op, buiten gehoor van mijn gejammer.

Of heb ik het me verkeerd herinnerd? Was dit eigenlijk alleen maar een droom? Ik voel het koude zand onder mijn voeten, hoor het zuigen en spatten van de golven, zelfs de rauwe kreten van de meeuwen, maar dan zit ik rechtop en zie dat ik niet in Cornwall ben, maar gewoon in slaap ben gevallen op het versleten tapijt bij het raam. Ik was vast vermoeider dan ik had gedacht. Mijn mond heeft een vieze smaak, er ligt een plasje speeksel op mijn kin waar ik heb gekwijld.

En nu mijn ogen helemaal open zijn en ik weer tot de werkelijkheid ben teruggekeerd, besef ik dat ik niet alleen ben. De kamer is langs de wanden donker, maar het midden van het tapijt baadt in een plas vaal geel licht van de straatlantaarn aan de overkant. En zonder twijfel, in de donkerste nis bij de deur hoor ik iemand ademen. Ik sta op en loop wankel door de kamer. Het ademen is gestopt, maar in de duisternis is de deur net zachtjes dichtgegaan.

'Hallo?' fluister ik. 'Wie is daar?'

Er komt natuurlijk geen antwoord, alleen het doffe geluid van vergiftigd bloed dat in mijn slapen bonst.

7

'Wat zijn levensgeschiedenissen?' Ik zwijg en kijk zo autoritair mogelijk de collegezaal rond. Ik leun nonchalant tegen het podium, maar heb problemen met mijn handen, die ik al een paar minuten vroom voor me samenklem als een novice. Ik vouw ze strak voor mijn boezem en haal opnieuw adem.

'Bij levensgeschiedenissen gaat het in de eerste plaats om het vastleggen van mondeling overgedragen herinneringen van het verleden van mensen, of wat tegenwoordig vaak met een moderne term "narratief" wordt genoemd. Die zijn in essentie minder formeel dan de metanarratieven van de algemene geschiedenis, de grootse verhalen van koningen, staatslieden en oorlogen, waaruit de standaard historische teksten bestaan. Voor sommigen zijn levensgeschiedenissen daarom subjectiever.'

Ik stop, meer voor het effect dan om mijn aantekeningen te bestuderen. Ik weet precies wat volgt. Ik zet de overheadprojector aan en de sheet die ik tien minuten geleden haastig heb beschreven herhaalt sprakeloos mijn woorden: *Wat zijn levensgeschiedenissen? Zijn ze belangrijk?* In steil oplopende rijen voor me zitten meer dan honderd studenten, sommige met hun ogen op het scherm gericht, andere die aantekeningen maken in hun notitieblokken. Ik herken niemand uit mijn eigen groep. Ik kijk de zaal door en kan Beths gezicht in het donker niet ontwaren. Stel dat ze een vertraagde reactie heeft gekregen na haar val onder mijn auto vorige week, denk ik, en dat ze nu ergens alleen in een studentenkamer in coma is geraakt?

Ik trek mijn schouders recht en hou mijn buik in die over de tailleband van mijn linnen broek puilt, dan haal ik diep adem en vervolg mijn betoog.

'Er is bijvoorbeeld het zorgwekkende probleem van geheugen.

Misschien zijn we in staat formele geschiedenisbronnen te vergelijken met secundaire bronnen, maar de verhalen die mensen ons over het verleden vertellen zijn vaak minder verifieerbaar. Herinneringen zijn zeer onbetrouwbaar: hoevelen onder ons hebben niet geluisterd naar de verwarde herinneringen van oudere familieleden?'

Ik kijk op en dwing mezelf te glimlachen. Het gaat altijd beter als ik eenmaal op dreef ben.

'En hoe zit het met de dingen die we ons denken te herinneren, die slechts indirect te maken hebben met werkelijke gegevens? Foto's of video's, bijvoorbeeld, kunnen zowel nuttige als afleidende hulpmiddelen voor het geheugen zijn; ze kunnen ons op het verkeerde been zetten. Zo geloofde ik heel wat jaren geleden dat het bruidsmeisje op een familiefoto ikzelf was. Ik kon me de stof herinneren van de jurk die ze droeg, de geur van het boeketje rozen dat ze vasthield. Daar was ik bij de bruiloft van nicht Milly. Het stond in mijn geheugen gegrift. Vele jaren later vernam ik echter dat niet ik dat kleine meisje was, maar een ander kind dat qua uiterlijk en lichaamsbouw op me leek. Ten tijde van de bruiloft was ik nog niet eens geboren.'

Eindelijk zie ik Beth op de eerste rij, die diep geconcentreerd noteert wat ik zeg. Mijn opluchting als ik haar zie maakt dat ik hardop giechel, alsof wat ik net gezegd heb heel geestig is. Ik vouw een ezelsoor boven aan mijn aantekeningen, zwijg een seconde en ga verder.

'Als we eenmaal concluderen dat alle verslagen, formeel of informeel, in context moeten worden gezet, hoeven we ons niet zoveel zorgen te maken om deze problemen. Waarin we ons moeten oefenen is de kunst van het interpreteren...'

Het is bijna elf uur. Ik heb nog tien minuten om de lezing af te ronden en een overzicht van de voornaamste punten en een gerichte literatuurlijst uit te delen, die ik behoorlijk paniekerig heb uitgeprint vanmorgen. Ik beëindig mijn verhaal en als ze de verandering van toon bemerken, leggen mijn toehoorders hun pennen neer en beginnen met hun voeten te schuifelen in afwachting van op te kunnen staan. Mijn stem is hees van de sigaretten van gisteravond. Ik hoop dat het niemand is opgevallen dat de broek die ik aan heb, de enige schone die ik kon vinden, bij het kruis is gescheurd omdat ik na het ontbijt te zwaar ben neergeploft.

'Goed,' zeg ik als ik de projector uitzet, 'dat was het voor vandaag. Tot volgende week.'

En nu gaan ze staan, pakken hun jassen, leunen over de banken en roepen elkaar, een massale exodus van jonge mensen op weg naar het daglicht, hun tassen over hun schouder slingerend, blikjes frisdrank openend, en voedsel en sigaretten in hun monden proppend. Ik zoek in de snel leeglopende zaal naar bekende gezichten. De verpleegsters staan allemaal achterin, Andy Dumbo is verdwenen en Beth staat nog over de bank gebogen en maakt ijverig aantekeningen. Misschien voelt ze me kijken, want ze kijkt op en zwaait even naar me.

'Dr. Bainbridge?'

Ik schrik, draai me om en zie Alec Watkins die achter het podium draalt. Het is zo ongewoon voor me om mijn titel te horen dat ik een belachelijk ogenblik denk dat hij de spot met me drijft. De meeste studenten spreken me met mijn voornaam aan, en zelfs als telefonistes van een callcenter me vragen: 'Is het juffrouw of mevrouw?' ben ik nooit zo arrogant dat ik hen op hun plaats zet met: 'Doctor, als je het weten wilt.'

'Ja?'

'Kan ik u even spreken?'

'Natuurlijk.'

Zijn schouders zijn iets voorovergebogen, alsof hij zich schaamt voor zijn lengte en hij glimlacht niet terug. In plaats daarvan tuit hij zijn lippen en staart naar zijn voeten, die in scherpe tegenstelling tot de alom aanwezige studentikoze sportschoenen in veterschoenen met zachte zolen zijn gestoken, zoals mijn vader die ooit gekozen had kunnen hebben. Ik heb het gevoel dat ik steeds krijg als ik denk dat een student op het punt staat een klacht in te dienen.

'Het gaat over de cursus,' zegt hij en de moed zakt me in de schoenen. Ik zou meer als Matt moeten zijn, die kritiek als een uitdaging beschouwt, grinnikt om de grove opmerkingen die hij soms leest op zijn evaluatieformulieren, en in het algemeen te zelfverzekerd is om zich druk te maken over hoe de studenten over hem denken. Ik moet echter nog uitstijgen boven de behoefte om wanhopig graag aardig gevonden te worden. Daarbij komt natuurlijk dat Matt gebeiteld zit in zijn positie terwijl ik nog in mijn proeftijd werk.

'Wat wil je zeggen?' Ik werp hem een warme, verwelkomende glimlach toe, in de hoop hem voor me te winnen. Als hij achterdochtig terugstaart, zie ik dat hij zijn handen voor zijn borst in elkaar grijpt en voel een golf van medelijden om zijn houterige houding. Als kind zat hij waarschijnlijk vooraan in de klas en stak hij bij elke vraag zijn hand op om te antwoorden; het type dat door de harde jongens in elkaar werd geslagen. Terwijl ik vragend bij hem blijf staan, met mijn papieren tegen mijn borst geklemd, wordt zijn hoofd vuurrood. Hij draait zijn gezicht van me af, mompelt iets, dan schudt hij snel zijn hoofd alsof hij het wil uitwissen.

'Wat zei je?'

'Nee, laat maar. Het maakt niet uit.'

Er valt weer een lange stilte. Ondanks mijn goede voornemens raak ik steeds geïrriteerder. Met een lichte zucht kijk ik ongeduldig naar de uitgang.

'Hier,' zegt hij plotseling, 'dit heb ik geschreven.'

Hij stopt, graait in zijn rugzak en haalt er een kartonnen map uit, waar op één kant een grote koffievlek zit. Ik heb de indruk dat dit niet zijn bedoeling was, dat het een vorm van uitstel is. 'Hier,' hij duwt het in mijn handen, 'dit is mijn essay voor week drie.'

'Geweldig! Maar misschien kun je het beter geven tegelijk met alle anderen op de vastgestelde datum. Anders raakt het op de verkeerde stapel, en mezelf kennende, raak ik het vast kwijt.' Ik lach licht.

Hij kijkt me ernstig aan, weigert zich te laten afschepen. 'Dat doe ik liever niet.'

Met tegenzin pak ik de map uit zijn uitgestrekte handen. Nog steeds beweegt hij niet. Ik probeer me naar de deur te draaien, maar hij blokkeert mijn weg. 'Was er nog iets?'

Hij slikt, en kijkt me aan. 'Ik zou u graag spreken,' mompelt hij. 'Onder vier ogen, als dat mogelijk is.'

'Prima,' zeg ik met een knikje naar hem om aan te geven dat ik het gesprek wil beëindigen. Misschien ben ik onredelijk, maar zijn onbuigzame stijve manier van doen is niet aantrekkelijk en ik wil hem graag kwijt. 'Mijn spreekuren staan op de deur vermeld.' Met die woorden draai ik me resoluut naar de deur van de collegezaal en laat hem alleen achter in de grote lege ruimte.

Als ik buiten sta, neem ik een diepe teug van de koele lucht. Binnen was het benauwd, maar hierbuiten is het een prachtige herfstdag. De regen van gisteren is opgehouden en tussen de campusgebouwen door zie ik het blauw van de lucht. Gele en rode bladeren liggen verspreid over de betonnen voetpaden, de weg ligt vol plassen. Ik hou van deze tijd van het jaar. Na de ongedefinieerde verlangens van de zomerwarmte kom ik weer terug in mezelf en begroet ik de verandering in het weer met een opwelling van opwinding en doelgerichtheid. Ik sla rechtsaf naar de cafetaria in Blok D. Ik wil niet verder nadenken over mijn klungelige confrontatie met Alec en richt mijn gedachten in plaats daarvan op het extra grote chocoladecakeje en de *latte* die ik daar wil gaan kopen. Ik ben van plan met die schatten naar mijn kantoor terug te gaan, de deur dicht te doen en ze met volkomen toewijding te consumeren, de stukken cake in mijn mond te laten smelten terwijl ik slokken sterke koffie neem en dan de kruimels van mijn lippen lik. Ik hoop heel erg dat niemand me zal storen, maar dat is niet omdat ik me schaam voor mijn schrokken. Het is meer dat ik goed voedsel graag mijn volledige aandacht geef, dat is een reactie op alle diëten die mijn moeder me opdrong. De smakeloze ijsbergsla en uitgedroogde vis, de ban op snoep en cake, de manier waarop ze me aan het eind van elke week woog en ontevreden fronste om haar dikke dochter. Is het zo verbazingwekkend dat ik in geen twintig jaar op een weegschaal heb gestaan?

Toch, als ik bij mijn kantoor aankom, zie ik dat mijn kleine feestmaal zal moeten wachten, want Beth Wilson staat buiten.

'Hallo!' Ik zet de koffie op de grond en zoek naar mijn sleutels. Typerend genoeg heb ik de originele nooit gevonden, dus dit is de reserveset die ik aan Matt zou geven. 'Wat kan ik voor je doen?'

'Oké.' Ze haalt diep adem. 'Twee dingen, allebei heel even. Een, ik heb heel erg genoten van het college. Iedereen zei achteraf hoe goed het was.'

'Echt?' Ik staar haar verbaasd aan. Mijn indruk was dat ze het maar saai vonden.

'Het tweede was dat ik laatst wat familiedocumenten heb bekeken en ik echt denk dat het een heel gaaf project wordt. Ik vroeg me af of ik het een keer met u kon doornemen.'

'Natuurlijk. Maar misschien niet nu.'

'Morgenochtend dan? Vroeg, bij het ontbijt, misschien?'

'Prima!'

En in tegenstelling tot Alec, die zo horkerig is dat hij geen idee heeft van lichaamstaal of wanneer hij moet opstappen, steekt ze simpel haar duim op en draait zich om. Ik hoor hoe ze opgewekt in zichzelf zingt als ze terug de gang in huppelt.

Vijf minuten later is het stuk cake geschiedenis en is Julian Leigh mijn kamer binnengevallen. Vandaag draagt hij een strak T-shirt en een stretch spijkerbroek waarin zijn gespierde lichaam goed uitkomt. Als hij tegen mijn deurpost leunt laat hij zijn knokkels kraken, alsof hij zich er klaar voor maakt iemand in elkaar te slaan. Hij traint regelmatig, denk ik, als ik naar zijn zelfvoldane gezicht kijk. Ongetwijfeld flirt hij met alle knappe studentes.

'Volgens mij was het een drukke ochtend!'

Ik draai me af van de computer waarop ik Lezing Twee probeer op te stellen en glimlach hem opgelucht toe. Misschien is het de afwezigheid van Matts puriteinse ijver, maar de laatste dagen schijn ik mijn werk het liefst te mijden. 'Hoe bedoel je?'

'Nou, je hebt je vest binnenstebuiten aan. Of is dat de nieuwe mode?'

Als ik me omdraai, zie ik het Henneslabel van mijn glitterzwarte vest omhoogsteken, een vlag ter aanbeveling van goedkope kleding. 'Verrek.'

'Het is eigenlijk best leuk.'

'O, hou op.'

Hij lacht. Ondanks mezelf ben ik blij dat hij langs is gekomen. Misschien heb ik hem verkeerd beoordeeld, denk ik, terwijl ik mijn kleding herschik. Weliswaar heeft hij gisteren een paar heel vreemde opmerkingen over aangerande vrouwen gemaakt, maar misschien was dat een mislukte poging tot ironie op dezelfde manier als in hun omhelzing van het onzegbare, anderszins intelligente mensen die zich verre van politieke correctheid houden, intolerant kunnen overkomen.

'Wat heb je zoal gedaan?' vraagt hij nonchalant.

'Tweedejaars methodieken. Ik heb het vanmorgen in ongeveer tien minuten geschreven.' Ik verzwijg dat ik sinds zes uur op ben en me druk maakte over wat ik zou zeggen. Het is namelijk beslist niet cool onder docenten om toe te geven dat men te hard zwoegt op iets als lesgeven wat zo moeiteloos hoort te zijn. Maar ik heb altijd een verkrampte relatie met mijn werk gehad. Ik overleef in een staat van bijna permanente ontkenning, in de hoop dat het zal overgaan, om vervolgens te ontdekken dat het onvermijdelijk achter me is geslopen en zijn tanden ontbloot, klaar om te bijten. Vandaar de slapeloze nachten, de paniek bij het ontwaken en de gekrabbelde aantekeningen.

'Indrukwekkend!'

Niet zeker of dat oprecht bedoeld is, geef ik hem een, naar ik hoop, raadselachtige glimlach. 'Laten we hopen dat het ze niet is opgevallen,' zeg ik.

'Hoogst onwaarschijnlijk.' Hij kijkt om zich heen en trekt zijn wenkbrauwen op, naar ik aanneem geschokt door de staat waarin mijn kantoor verkeert. Aan zijn voeten ligt Alecs map, die al op de grond is gevallen. Hij duwt er met zijn teen tegen. 'Nu al essays?'

'Van griezel Alec Watkins.'

Meteen als ik het zeg wens ik dat ik die woorden terug kon nemen. Er is tenslotte geen rationele reden waarom ik zo'n antipathie tegen hem heb, maar ik flapte het er zomaar uit.

'Waarom is het een griezel?'

Afwerend haal ik mijn schouders op. 'Hij bezorgt me gewoon de rillingen, dat is alles.'

'De rillingen?' Julian grinnikt met duidelijke afkeer, waarschijnlijk vanwege mijn kinderachtige taalgebruik, en ik voel dat ik bloos. Waarom zei ik dat?

'Hij is zo serieus en leergierig,' mompel ik.

In plaats van de spot met me te drijven zoals ik had verwacht, grinnikt Julian meelevend. 'Ja, dat is waarschijnlijk waar. Ze zijn allemaal veel te leergierig. Ze moeten enorme leningen aangaan om hier te komen, daarom willen ze er zeker van zijn dat ze waar voor hun geld krijgen. Toen ik studeerde, vermeed ik colleges als de pest en schreef ongeveer een essay per trimester. De rest van de tijd was ik van de wereld.'

Ik kijk hem verbaasd aan en denk aan mijn eigen ervaring, de eindeloze dagen die ik in de bibliotheek doorbracht, de nachten dat ik opbleef, rokend, pepermuntthee drinkend en aantekeningen makend. Als ik ooit minder dan een negen kreeg, strafte ik mezelf met nog meer nachten, zonder mezelf een avond vrij te gunnen. Pas later, toen ik Matt leerde kennen, ontspande ik iets en werd de ijzeren vuist van werken losser. Misschien is Julian echter zo briljant dat hij niet hoefde te blokken. 'Werkelijk?' zeg ik vlak. 'Hoe heb je dan kunnen promoveren?'

'Offerandes aan de goden.'

'*Ach so.*' Ik probeer de juiste lichtvoetige toon te vinden, maar slaag er niet in. Het is typerend voor iemand als Julian, die met al zijn gebeeldhouwde trekken uitstraalt dat hij 'uit een welgesteld milieu' komt, om te doen voorkomen alsof zijn academische kwalificaties hem simpel in de schoot zijn geworpen. Matt, die net als ik staatsonderwijs heeft genoten, geeft tenminste grif toe hoe hard hij heeft moeten werken om te komen waar hij nu is. Julian heeft zijn armen over elkaar geslagen, ongetwijfeld vindt hij me hopeloos stijf.

'Ik weet dat ik flauw ben,' zegt hij, 'maar je moet je af en toe eens kunnen laten gaan.'

Ik kijk naar hem en stel me zijn achtergrond voor. Dat is niet moeilijk; hoogopgeleide, artistieke ouders, een groot huis vol boeken ergens in Noord-Londen, een chique school, een plaats op liberaal Oxbridge min of meer gegarandeerd. Op de universiteit zal hij het type jongeman zijn geweest dat me in mijn eerste jaar angst aanjoeg. Uitbundig, zelfverzekerd op het arrogante af, snierend tegen iemand van een middelbare school in de Home Counties wiens enige ervaring met wijn *Liebfraumilch* was en die niet Azië of Afrika 'had gedaan' in zijn jaar vrij. Tegen de tijd dat ik afstudeerde was die angst in rigide afkeer veranderd. Ik had me inmiddels aangesloten bij de actiegroep Steun de Mijnwerkers en had de opstaande prinses Di-kragen en gerende rokken van de vroege jaren tachtig – mijn gedoemde poging erbij te horen – achter me gelaten voor kistjes en overalls. En nu, ook al horen we volwassen te zijn, voel ik een zindering van die oude vijandigheid door me heen gaan. Narrig sla ik mijn armen over elkaar en probeer de onvermijdelijke richting van mijn gedachten te ontlopen, maar het is te laat. Mensen als Julian komen altijd aan de top, denk ik kwaad. Inmiddels zullen de meesten uit zijn milieu in de media of advocatuur zitten, een handvol is wetenschapper, nog een paar zijn in diplomatieke dienst. Over een paar jaar zullen mensen als zij het land besturen. En als hij het heeft over zich een beetje laten gaan, heeft hij absoluut geen idee.

'Ja,' zeg ik met een strak gezicht. 'Daar heb je waarschijnlijk gelijk in.'

'Heb jij dat dan niet gedaan?'

'Me als student laten gaan, bedoel je?'

'Ja.'

Ik haal mijn schouders op en kan het beeld van mezelf als vijftienjarige niet meer vermijden. Mijn vale gothic jurk, met de lange zwarte franje, cowboylaarzen en die leren armband beslagen met spijkers die zo zwaar was dat mijn polsen er pijn van deden. Lange verloren dagen in mijn kamer waar ik naar Black Sabbath luisterde en cider achterover klokte, als mijn moeder dacht dat ik naar school was.

'Nee,' zeg ik kattig. 'Sorry dat ik zo saai ben. Toen ik studeerde was ik alleen maar een blokbeest.'

Hij doet een stap achteruit en neemt me in zich op. 'Op de een of andere manier betwijfel ik dat zeer.'

En nu wil ik het gespreksonderwerp bijzonder graag veranderen. 'Nou, misschien moet je niet voorbarig oordelen,' zeg ik kortaf. 'Je hebt geen idee hoe ik ben, dus probeer me niet in een hokje te duwen, oké?'

Ik kijk snel naar de vloer, omdat ik overspoeld word door gêne. Julians mond staat open. Even kijken we elkaar aan, allebei met een rood gezicht. Mijn woede is snel verdampt en een vleug schaamte blijft over. Ik wil mijn excuses aanbieden, mijn overdreven uitbarsting weglachen met een geestige opmerking, maar ik weet dat als ik mijn mond opendoe ik in tranen zal uitbarsten.

'Het geeft niet,' zegt Julian zacht en hoewel er niet echt iets gebeurd is voel ik dat hij afstand van me neemt, en zich afvraagt of hij me eigenlijk wel beter wil leren kennen.

'Dat ben ik absoluut niet van plan.'

8

Maar ik heb wel degelijk de beest uitgehangen. O zeker, geloof me maar. Tijdens de winter van 1979 was ik vervuld van woede, verlangens en energie die ik niet in de hand had. Ik haatte mijn ouders en mijn leraren, wilde naar iedereen uithalen. Op allerlei manieren stuurde ik erop aan om een fulltime jeugdig delinquent te worden.

Achteraf bezien was de basis voor deze op het eerste gezicht schokkende verandering – van ijverige, beste leerling van de klas naar spijbelaar, verdovende middelen gebruikende wilde meid – veel eerder gelegd. Op de een of andere manier wilde ik in die jaren waarin de kindertijd ophoudt niet langer mijn ouders een plezier doen. Of, om precies te zijn, ik wilde het mijn moeder niet langer naar de zin maken. Ik weet niet wat ze van me wilde: een slanker, minder lastig en 'makkelijker' kind zeker; een kind dat niet altijd, in haar woorden, 'overal heibel om maakte'. Misschien wilde ze gewoon dat ik meer op haar leek: lenig, doelgericht, onbevreesd. Ze had er beslist een vreselijke hekel aan als ik zeurde; toen ik een jaar of tien, elf was dreef de geringste klacht haar tot een woede-uitbarsting, dus ik leerde mijn mond te houden. Misschien herinnerden mijn eisen haar er eenvoudig aan hoe weinig ze wilde geven.

Toen ik eenmaal een tiener was kreeg dat sombere, ongedefinieerde ongenoegen een andere vorm. Vanaf de derde klas vond ik school steeds saaier. In plaats van naar de eentonige lessen te luisteren, zat ik liever achter in de klas hartjes in mijn schriften te krabbelen, en de namen van popgroepen. Mijn kleine groep vriendinnen en ik hadden al enige tijd geëxperimenteerd met de bedwelmende mengeling van nicotine, cider en wodka-guinness en hingen rond in de enige pub die ons wilde bedienen en waar we het aanlegden met elke manspersoon die belangstelling had. We waren allemaal nog maagd, maar even zo vrolijk jaagden we vol toewijding na wat we 'ervaring' noemden.

Die winter raakten de gebeurtenissen in een stroomversnelling. Ergens tussen het begin van de vijfde klas en Kerstmis gaf ik er de brui aan en ging helemaal niet meer naar school. Inmiddels had ik Billie en haar entourage ontmoet, een groep oudere tieners die me in hun onvoorstelbaar glamoureuze wereld van kruimeldiefstal en heavy metal introduceerden. Bij Billie thuis kwamen we bij elkaar en dronken, we rookten ons suf van de pakjes Benson & Hedges en gingen dan naar de stad om wat winkeldiefstalletjes te plegen. Ik verstopte de eyeliner en platen van Motorhead die ik vergaarde onder mijn bed. Als ze dat hadden ontdekt zouden mijn ouders verbijsterd zijn geweest. Zo nu en dan snoven we de speed die Billies negentienjarige vriend had gescoord, dan zetten we de platenspeler keihard en headbangden we op de gitaarriedels. Ik dacht dat ik onoverwinnelijk was, dat niets ertoe deed, nu niet en nooit.

Ik staar naar mijn toetsenbord, probeer me te concentreren op de memo die ik aan het schrijven ben. Ik zou moeten werken, niet mijn tijd verdoen met herinneringen. Nu ik echter begonnen ben kan ik mijn gedachten niet terugbrengen naar het heden. Julians onschuldige opmerkingen hebben een smurrie aan herinneringen losgemaakt: een dikke kleverige brij die me als ik mijn verdediging opgeef bedelft onder een lawine van spijt. Ik wil er niet over nadenken. Ik hoor aan het werk te zijn. Vastbesloten staar ik naar het scherm en dwing mezelf bij de les te blijven. In de afgelopen paar minuten zijn er zes nieuwe e-mails bij gekomen. Een van Alec met de vraag of hij het tijdstip van onze afspraak kan bevestigen, een intern memo over de veiligheid op de campus en info over verschillende workshops: verdachte politiek, de semiotiek van posturbaan landschap, feministische pedagogie; op weg in de eenentwintigste eeuw. Geen van alle titels waar ik momenteel veel van snap.

Het lijkt nu zo lang geleden, meer dan twintig jaar, zo'n lange tijd, maar ik ben nooit ook maar een enkel detail vergeten. Kerstmis 1979, we stonden in de rij voor de Odeon in Peckham om de nieuwe groep te zien waar iedereen laaiend enthousiast over was: de Dreadheads. Als ik mijn ogen sluit zie ik ons in de overvolle, benauwde, beslagen trein, drie meisjes en twee jongens die een fles wodka doorgeven en kettingroken alsof hun leven ervan afhangt. In de hoek van de wachtkamer op het station, die naar pis stonk en gebroken ramen had, hadden we een joint gerookt. We deden alsof het ons niet kon schelen als we betrapt werden. We dachten dat we zo hard waren; tienerkrijgers uit de buitenwijken, dapper en vrij.

God, het was belachelijk. Ik zie mezelf, al dronken toen we ons in de trein persten, het opzettelijk vloeken, de rauwe bravado. Als ik mijn ogen sloot en mijn hoofd tegen het mistig natte raam leunde, helden mijn gedachten over, gleden ze weg uit de realiteit naar bedwelmende illusie. Het leven was goed, de mogelijkheden eindeloos, zong een stem vanbinnen. Het gaf niet van pa. Het was allemaal een leugen.

Het lukt niet. Ik moet naar buiten, heb behoefte aan een stevige wandeling, met de frisse lucht in mijn gezicht. Ik pak mijn jack, been de kamer uit en wurm me langs de studenten die in de gang krioelen.

Als ik buiten ben begin ik over de campus te joggen waarbij mijn wijde broek tussen mijn benen schuurt. Aan de overkant van de speelvelden, achter het parkeerterrein, ligt bos gevolgd door een adembenemende heuvelrug. Onelegant hijs ik mezelf over een overstap en adem de vochtige moslucht in. Natte bladeren vormen een tapijt op het pad, een hulde aan het eind van de zomer. Ik merk dat de modder op mijn benen spat, maar dat kan me weinig schelen. Het is het seizoen van schimmels, van overrijpe paddestoelen en de rottende karkassen van boomstammen. Mijn hart pompt hard van de inspanning, mijn borst doet pijn. Gulzig zuig ik de lucht naar binnen, maan mezelf tot kalmte, maar nu ik begonnen ben kan ik niet ophouden met denken aan die avond, al die jaren geleden. Ik dacht dat ik het in bedwang had, maar na een toevallige opmerking van Julian ben ik weer diep onder gegaan, teruggeworpen in de tijd naar de persoon die ik vroeger was. De nacht van de Dreadheads, zo herinner ik me het. De nacht waarop alles begon.

11 november 1979, vijftien jaar oud. We zaten in de trein, de wodka was op, onze stemmen waren luid en brallend van de opwinding en bedwelming. Toen waren we er: we gingen de bierlucht van de club binnen, langs de verkopers van zwarte kaartjes en T-shirts, de horden in leren jacks gehulde headbangers, met hun slierterige haar dat over hun puisterige gezichten viel, de rockmeiden met dijlaarzen en dikke zwarte Cleopatra make-up op hun ogen. Ik was al

eerder naar plaatselijke optredens geweest, in parochiehuizen en jeugdclubs, waar om elf uur het licht aanging en buiten ouders in auto's zaten te wachten. Maar dit was anders, dit was rock-'n-roll. Een groep Hell's Angels was ons in de foyer voorbijgelopen. Ik moest me bedwingen niet te staren naar een vent die het woord 'haat' op zijn voorhoofd getatoeëerd had. Er hing een gespannen sfeer, alsof er elk moment een gevecht kon uitbreken.

Het lawaai was zo overweldigend dat ik wilde springen, schoppen en schreeuwen. Op het podium stond een groep uit het voorprogramma, jongens van wie niemand behalve de meest toegewijde lezers van *NME* ooit gehoord had. Ik kon net een glimp van ze opvangen, gebogen over hun gitaren, met hun gescheurde spijkerbroeken en lange haarslierten die voor hun gezichten zwaaiden als koren in de wind. De jongens wilden helemaal naar voren lopen, dus begonnen we ons een weg te banen door de wiegende dicht opeengepakte menigte, botsend tegen bierglazen en op tenen trappend. Inmiddels was ik zo dronken dat ik steeds struikelde en dubbelzag alsof ik voor de lachspiegel stond. Ik was nu bijna vooraan en danste, met hoofd achterover, en ogen dicht. De anderen waren al lang geleden in de menigte opgelost en overal om me heen duwden lichamen tegen me aan, een zwetende massa jeugd die zich steeds dichter naar het podium perste. De jongen links van me tegen wie ik dronken had gegrijnsd had zijn arm om mijn middel geslagen en we bewogen samen. Ik kon nauwelijks zijn gezicht zien, maar herinner me de warmte van zijn hand en zijn spijkerjasje dat naar joints rook.

Genoeg! Ik hoef hier niet over na te denken. Het is zo lang geleden dat het niet meer uitmaakt. Ik sla rechtsaf, dep mijn ogen met de rug van mijn hand. Ik zal tot de voet van de heuvels gaan, besluit ik, en dan zal ik weer omdraaien. Het pad voor me maakt een scherpe bocht en versmalt bij een stuk met overhangend struikgewas en braamstruiken. Ik loop eropaf terwijl ik diepe verkwikkende teugen lucht neem van de koude middaglucht. Door de bomen filtert een diffuus waterig zonlicht op de modderige grond.

Ik ga de tunnel struikgewas in en probeer er niet op te letten hoe de zon achter het gewelf van dichte begroeiing is verdwenen. Ik ben eigenlijk veel te rationeel om zo te reageren, maar de simpele fysieke combinatie van geen licht en bos geeft me plotseling een schok van angst. Het pad wordt zelden gebruikt, niemand weet dat ik hier ben, bedenk ik nerveus. Achter me hoor ik geritsel in de bladeren, een eekhoorn misschien, of een vogel, niets onheilspellenders. Toch is het genoeg om me haastig om te draaien en op mijn schreden terug te keren, want het vooruitzicht van een dwaaltocht door de ongerepte natuur is niet langer zo aantrekkelijk. Ik wil ontzettend graag terug zijn in mijn kleine veilige kantoor.

Ik begin terug te lopen over het pad. Ik had niet beseft hoe ver ik was, maar nu ik door de bomen tuur lijken de gebouwen aan de voet van de heuvel heel klein. Ik versnel mijn pas en loop zonder op te letten langs de overhangende struiken. Achter me heb ik net het geluid van brekende twijgen gehoord. Ik stel me aan, zeg ik steeds bij mezelf. Een volwassen vrouw zou midden op de dag gewoon in het bos moeten kunnen lopen zonder bang te zijn, vooral iemand zo fors als ik. Maar mijn adem stokt en mijn hart bonst. Ik weet het nu zeker; ik hoor voetstappen die me snel inhalen.

Het zal iemand zijn die z'n hond uitlaat, niets ook maar in de verte bedreigend. Ik begin weer te joggen met puffende adem. Over een paar seconden zal mijn angst belachelijk blijken, hou ik mezelf voor: dwaze Cassie, weer zet ze zichzelf voor schut. Maar nu rent de persoon achter me en komt snel dichterbij met wat lijkt op dodelijke vastberadenheid. Ik hoor de voetstappen op de moddergrond dreunen, en de hijgende adem van een man. Dan heeft hij me ingehaald, sprint de bocht om en knalt tegen mijn rug. Ik word de struiken in geslingerd.

'Jezus!'

Een moment voel ik alleen een stekende pijn in mijn rechterknie en op mijn gezicht. Ik ben min of meer voorover in een plas beland en voel het water al door de manchetten van mijn jack en de knieën van mijn broek sijpelen. Een prikkelige tak die mijn wang heeft geschramd zit vast in mijn haar. Mijn aanvaller die een seconde op mijn rug was beland is achteruit gesprongen alsof hij door de bliksem getroffen is. Als ik mijn ogen open zie ik sportschoenen, witte sokken en donker haar op gespierde enkels. Ik krabbel overeind en draai me om naar mijn aanvaller, want het heeft duidelijk weinig zin om weg te rennen. Kon ik me maar de aanwijzingen herinneren van de cursus Zelfverdediging voor vrouwen die ik volgde toen ik in de twintig was. Wat zeiden ze ook alweer? Iets over onze aanvallers luid toeschreeuwen?

Ik sta tegenover een jongeman gekleed in een donkerblauw joggingpak. Zijn gezicht is rood en bezweet en hij strijkt modderige handen door zijn korte bruine haar. Zijn gezicht is zo bekend dat zich voor in mijn hersens een bel van herkenning vormt die elk ogenblik uiteen kan spatten.

'Ik verwachtte niemand...' Zijn stem sterft weg. Hij staart me aan.

'Waarom volg je me?' zeg ik naar adem happend.

'Ik volgde u niet. Ik was alleen maar aan het joggen.'

Achterdochtig kijk ik hem aan terwijl mijn angst meer in kwaadheid verandert. Nu ik het joggingpak en de sportschoenen in me heb opgenomen, lijkt zijn uitleg logisch. 'Nou, dan moet je verdomme beter uitkijken!'

Hij biedt echter geen excuses aan, houdt zijn blik op mijn gezicht gericht, een standvastige kalme blik, als een vos die bij een konijnenhol wacht. Ik schraap mijn keel, maar heb behalve een stroom grove vloeken niets te zeggen. De stilte en waakzaamheid van de jogger brengen me van mijn stuk.

'Waar gaat u heen?' vraagt hij.

Maar ik ben al achteruit gestapt met een quasi-nonchalant schouderophalen, en loop zo snel als ik kan terug over het pad. Mijn arm en mijn knie doen pijn, maar ik zwoeg voort, met een onbehaaglijk en angstig gevoel, hopend dat hij niet zal zien hoe verward ik ben.

Als ik bij de eerste bocht aankom, daag ik mezelf uit om om te kijken. Ik verwacht dat het pad weer leeg is, en dat ik in staat zal zijn mezelf uit te lachen vanwege mijn dwaasheid, maar de jogger staat nog steeds naar me te kijken. Op dat moment besef ik wie het is.

Het is Alec Watkins, zonder bril.

9

De avond na mijn ontmoeting in het bos met Alec vindt het volgende incident plaats. Zoals elke avond sinds ik hier woon, ben ik alleen, terwijl alles wat ik nog moet doen zwaar op me drukt en ik toch te onrustig ben om aan het werk te gaan. Deels komt dat door de flat. Daar is iets mee wat me nerveus maakt, hoewel ik het niet goed kan uitleggen. Ik voel me een indringer, alsof iemand anders – de werkelijke bewoner – elk moment kan binnenkomen en om uitleg zal vragen. Zelfs het lichtste geluid, het kraken van vloerplanken boven me of het ratelen van buizen jaagt me de schrik op het lijf. De avonden zijn het moeilijkst. 's Morgens, als de zon door de roestige openslaande deuren schijnt en ik de alledaagse geluiden hoor van auto's en mensen op de trottoirs, de kreten van de zeemeeuwen die op de wind zeilen, kan ik mezelf geruststellen. Ik heb de juiste keuze gemaakt, zeg ik dan. Dit is een mooie Regency-flat, ook al is hij wat verwaarloosd; een in essentie stijlvolle plek, vol originele details, zoals makelaars dat noemen.

Als de duisternis is gevallen en ik op de sombere gloed van de stoffige peertjes moet vertrouwen, weet ik het niet meer zo zeker. Ik staar naar de bladderende rozenknoppen en vissen die het gebarsten plafond sieren. Ik wil het niet zeggen, want het zal mijn nervositeit tastbaar en werkelijk maken, maar ik krijg hier de kriebels. Kon ik maar wennen aan het voortdurende getik van de radiators, het vreemde gegorgel van de achtermuur dat Matt ongetwijfeld met zijn neerbuigende mannelijke zekerheid zou afdoen als slechts de afvoerpijpen. Steeds als ik de voordeur hoor slaan, verstijf ik en wacht tot de voetstappen op de trap bij mijn deur zijn. En 's nachts gaan de haren op mijn armen overeind staan door het constante gekreun en gezucht van een oud gebouw dat tot rust komt. Het is alsof mijn lichaam zich op scherp zet en op iets wacht.

Het is echter niet alleen de flat. Dit zeurende onheilsgevoel heeft ook te maken met de telefoon. Elke avond gaat die nu met regelmatige tussenpozen van tien minuten. Steeds als ik opneem, is het stil. Of liever, wat ik hoor is het zachte ademen van iemand aan de andere kant van de lijn. Ik ben zo nerveus geworden van dit aanhoudend ritueel dat ik een antwoordapparaat heb aangeschaft en het op 'onmiddellijk antwoorden' heb ingesteld. Alleen al langs het rotding in de gang lopen, met zijn kwaadaardig flitsende kastje dat het dozijn niet ingesproken boodschappen van die avond aangeeft, is genoeg om mijn maag te laten omdraaien.

In die stemming – rusteloos, met een onbestemd angstgevoel, eenzaam maar niet in staat de telefoon te pakken en naar huis te bellen – neem ik een bad en ga naar bed. Ik ga verhuizen, besluit ik als ik het dekbed over mijn hoofd trek. Ik zal iets kleiners en in betere staat zoeken in het centrum. Ik had romantische ideeën, maar het was een vergissing om hier in te trekken. Aan de andere kant van de blinden hoor ik het zachte aanzwellen en terugtrekken van de zee. Ik heb een afkeer van het strand en de kiezels, toch word ik er steeds meer naartoe getrokken, zoals de maan de getijden aantrekt. Ik sluimer in, de gebeurtenissen van de dag vervagen. Ik zie de collegezaal en het bos en Alecs gezicht. Dan opeens vervaagt gelukkig alles.

Met een schok word ik wakker. Ik heb verwarde angstige dromen gehad en even blijf ik met gesloten ogen liggen terwijl ik in de werkelijkheid probeer terug te keren. Ik rende door een bos, achtervolgd door iemand, een man, wiens gezicht ik niet zag, maar wiens dreunende voeten steeds dichterbij kwamen. Ik probeerde harder te rennen, maar was als aan de grond genageld, mijn benen weigerden. Toen hij me bijna te pakken had, verdwenen de bomen en stond ik op de rand van een rots. Ver onder me strekte de bleke gladde zee zich eindeloos uit. Aan de horizon tufte een eenzame lijnboot voorbij.

Het beeld vervulde me met zo'n angst dat ik het uitschreeuwde. Misschien werd ik daar wakker van. Als ik mijn ogen open, zie ik de vage contour van de haard, de kale muren en dikke fluwelen gordijnen die voor de gebrandschilderde ramen hangen. De digitale wijzerplaat van mijn horloge flitst 3:05.

Ik rol op mijn zij en probeer de beelden uit mijn hoofd te wissen. Het zullen wel de naweeën van de droom zijn, want ik voel me onverklaarbaar geagiteerd, zoals een klein meisje dat uit een nachtmerrie is ontwaakt en nog steeds gelooft dat er een monster onder haar bed ligt. Misschien moet ik de radio aanzetten en naar de geruststellende kabbelstem van een nacht-dj luisteren. Ik friemel aan mijn cassetterecorder, maar net als ik de knop wil instellen, hoor ik weer iets: een dreun en een klap uit de richting van de keuken. Ik verstijf en voel mijn ingewanden week worden. Dan hoor ik het weer, een luid schuifelend geluid vanaf het platte dak achter de schuifdeur van de keuken. Het zijn vast katten, of duiven die bij de brandtrap tegen elkaar aan zitten. Hoe dan ook, ik ben zo gealarmeerd dat behalve me onder het dekbed verbergen ik alleen maar op onderzoek uit kan. Ik zwaai mijn voeten op de grond en sluip de slaapkamer uit naar de keuken.

De mistige oranje gloed van een straatlantaarn verlicht de gang. Ik ontwaar de voordeur, de uitgezakte vorm van mijn jack aan een haak en het flitsende antwoordapparaat dat aangeeft dat ik sinds ik in slaap ben gevallen zes nieuwe berichten heb ontvangen, waarschijnlijk allemaal van mijn spookbeller. Als ik in het halfdonker sta, mijn versleten peignoir om mijn naakte lichaam gedrapeerd, oren gespitst, word ik door zo'n pure angst overvallen dat ik nauwelijks kan ademen. Dat komt doordat het nacht is, prent ik mezelf in, en doordat ik zo alleen ben. Over een paar uur, als het licht wordt, zal ik lachen om mijn onredelijke angst voor de duif of kat die ongetwijfeld verantwoordelijk is voor het geluid.

Klappertandend zet ik nog een stap. Uit de keuken heb ik net nog een dreun gehoord. Misschien moet ik de politie bellen. Ik dwing mezelf verder te lopen en sluip door de gang de smalle keuken in. Aan de andere kant van de kamer voert een trapje naar de zogenaamde ontbijtbar, dan de ramen en het platte dak. Net als de gang baadt de keuken in een vaal licht van de straatlantaarns, de halfhartige duisternis van stadse nachten.

De weidse lucht achter de ramen is paars en ziekelijk van kleur, gekneusd door de stedelijke gloed. Aarzelend en met bonzend hart zet ik een stap. De ramen zijn dicht, hou ik mezelf voor. Zelfs al was er iemand op het dak, zou die nooit binnen kunnen komen. Maar als ik mijn voet op de eerste tree zet, hoor ik mezelf gillen.

Er is een man op het dak die me aanstaart. Toen ik opkeek zag ik een gestalte tegen het raamkozijn leunen, en een fractie van een seconde kon ik de omtrek van een gezicht met capuchon door het glas onderscheiden. Voor ik er echter zeker van was, stapte hij opzij. Nu, terwijl ik naar adem happend op het trapje sta, zal hij zich haastig via de brandtrap uit de voeten maken.

Ik moet overgeven. Als bevroren sta ik op de trap en laat de golf van misselijkheid over me heen komen. Ik moet het verkeerd hebben gezien. Ik staar naar het raam om me ervan te overtuigen dat de man echt weg is, maar ik ben niet dapper genoeg om de trap op te klimmen en op onderzoek uit te gaan. Misschien was hij een gelegenheidsdief, een junk waarschijnlijk, die de brandtrap zag en hoopte een open raam aan te treffen.

Maar hoe redelijk ik ook probeer te zijn, ik kan dat beeld van dat gezicht dat me door het glas aankeek niet van me afzetten. Nu ik mijn trillende benen probeer te bewegen, merk ik dat ik meer dan een minuut in dezelfde houding sta en mijn handen voor mijn mond heb geslagen alsof ik een kreet wil dempen.

Houterig loop ik de trap af en probeer alles logisch op een rijtje te zetten: het was een inbreker die ik heb afgeschrikt, of, ik heb het me ingebeeld. Ik ren echter naar de voordeur die ik dubbel vergrendel omdat ik in werkelijkheid geloof dat een onvoorstelbaar enge griezel op dit moment de trap op sluipt met een bloederige hakbijl achter zijn rug.

De tranen zitten me hoog en mijn trillende handen worstelen met de grendels boven en onder aan de deur. Met ingehouden adem luister ik of ik meer geluiden hoor, terwijl ik mijn hart probeer te kalmeren, maar er is niets. Een vliegtuig op weg naar Gatwick, nu en dan een auto.

Nu de deur vergrendeld is zak ik op de grond met mijn rug tegen de deur terwijl ik met bevende handen de telefoon pak. Neem alsjeblieft op.

Matt neemt meteen op, want de telefoon staat vlak naast ons bed.

'Ja?'

Hij klinkt slaperig, gedesoriënteerd, zoals iedereen waarschijnlijk die om tien over drie 's nachts wordt gewekt. 'Met mij!' gil ik.

'Er was iemand om het platte dak bij de keuken! Hij stond naar binnen te staren!'

'Wat?'

'Ik hoorde iets en toen ben ik naar de keuken gegaan en daar zag ik een gezicht!'

Ik stel me voor hoe hij rechtop gaat zitten, het licht naast het bed aandoet en zich dwingt wakker te worden.

'Wacht even, Cassie, rustig,' zegt hij langzaam en als ik zijn bekende stem hoor, nog dik van de slaap, wil ik niets liever dan bij hem zijn, veilig in ons Ikea-bed met het linnen dekbed en extra grote kussens. Het was krankzinnig om alleen te gaan wonen en nu kan ik me niet langer voorstellen waarom ik dat ooit gedaan heb.

'Is het net gebeurd?'

'Twee minuten geleden! En nu weet ik niet wat ik moet doen!'

Het is even stil. Misschien onderdrukt hij een geeuw.

'Heb je de politie gebeld?' vraagt hij.

'Wat kunnen die nu doen? Hij is weggerend.'

Mijn stem gaat weer omhoog, de wanhoop die ik zo hard probeerde te onderdrukken sijpelt naar buiten.

'En dan moet je de rest van de nacht wachten voor ze er zijn...' zegt hij, bijna redelijker dan ik prettig vind.

'Maar stel dat hij terugkomt?' Ik voel ergens in mijn keel opkomende snikken, een grote golf die elk ogenblik kan breken.

'Dat is niet erg waarschijnlijk,' zegt hij vriendelijk.

'O nee?'

'Luister,' zegt hij na weer een korte stilte, 'ben je er echt honderd procent zeker van dat je iemand hebt gezien?'

'Nou, ik geloof het wel. Ik hoorde geluiden. Ik dacht dat het misschien een kat was...'

'Heb je echt goed gekeken naar die persoon?'

'Nee! Ik bedoel, het gezicht zag ik maar een fractie van een seconde. Toen was hij weg.'

'Hoe is hij daarboven gekomen?'

'Via die stomme brandtrap, waarom kun je niet...' Ik stop midden in mijn zin, als een scheurende auto die op de remmen gaat. Ik sta op het punt om tegen hem te krijsen dat hij zijn mond moet houden. Ik kan geen vraag meer horen, wil ik gillen. Neem me serieus, verdomme!

Zich nergens van bewust vervolgt Matt: 'Dan heb je hem dus naar beneden horen klimmen, en over het trottoir weg horen rennen?' zegt hij met zijn redelijke, volwassen stem. 'Als je hem hebt afgeschrikt...'

'Ik heb niets gehoord,' mompel ik.

'Want weet je waar dit me aan doet denken...'

Hij hoeft zijn zin niet af te maken, want ik herinner me het ook. Een jaar of vier, vijf geleden, toen hij naar een congres was, werd ik wakker in de volle overtuiging dat er iemand beneden in ons huis was en belde in paniek 999. De daaropvolgende huiszoeking van de politie leverde niets op behalve mijn beschaamde excuses. Er lag niemand onder mijn bed of in de kast zoals ik dacht, en er was geen spoor van braak. Ik had me alles ingebeeld, er was geen andere verklaring voor.

Dat ik me dat nu pas herinner geeft aan hoe ik me schaamde en hoezeer ik de herinnering heb weggestopt. Nu Matt me zo begint te ondervragen, rammelt mijn herinnering ineens van twijfel, als een ouwe kar met een geblokkeerde uitlaat. Er was toch een gezicht? Of kan het de maan zijn geweest, vervormd door de wolken en het glas? En misschien was die schielijke beweging bij de rand van het raam een dier, in plaats van een menselijke insluiper. Het is inderdaad vreemd dat ik geen gebonk op de ladder hoorde toen de man naar beneden klom, noch voetstappen die over het trottoir wegrenden.

'Denk je dat ik het me heb ingebeeld?' fluister ik.

'Je bent soms nogal schrikachtig, Cassie. Dat is alles wat ik zeg.'

'Misschien heb je gelijk,' antwoord ik zwakjes. Ik voel me een klein meisje dat getroost en kalmerend gestreeld wordt.

'Luister,' zegt Matt met zijn laten-we-dit-even-oplossen stem. 'Zijn alle ramen en deuren afgesloten?'

'Ja.'

'Probeer het dan nu te vergeten. Morgen kun je kijken of iemand heeft geprobeerd in te breken. Maar nu moet je terug naar bed gaan.'

'Oké, pappie.'

'Zie je wel? Je voelt je nu al beter, hè?'

'Ik geloof het wel.' Ik probeer te glimlachen. 'Ja, dat is zo.' Ik kom overeind omdat ik voel dat ons gesprek bijna afgelopen is. Hij heeft zijn best gedaan om me gerust te stellen, is lief tegen me geweest en niet kwaad geworden omdat ik hem wakker heb gemaakt, maar ik voel me eenzamer dan ooit. 'Het spijt me zo dat ik je wakker heb gebeld,' zeg ik. Mijn pols is weer normaal, mijn stem vaster. Ik heb het koud, moet terug onder het dekbed.

'Ik bel je morgenochtend, goed?' zegt hij lief.

'Matt?'

'Ja?'

Ik wilde hem zeggen dat ik nog van hem hield, maar hij zucht even en ik slik het in. Ik weet wat die zucht betekent. Dwaze Cass heeft weer eens iets, en terwijl ik me voorstel hoe hij ophangt en weer gaat liggen, is het alsof hij onstuitbaar van me weg wervelt, in de vortex van de kloof tussen ons. Hoezeer ik het ook wil tegenhouden, ik kan het niet.

'Bedankt,' fluister ik.

10

Met een kreet van verwarring zit ik overeind. Ik droomde weer over de rots en nu hoor ik ergens aan de andere kant van de deur het geluid van de deurbel.

Ik ben in Brighton, veilig in bed. Mijn doodsangst achtervolgd te worden, het beeld van de zee onder de rots en gesuis van de lucht in mijn oren was een droom. Nu ik weer tegen de kussens terug plof, herinner ik me ook dat er vannacht iets onplezierigs – ik kan me nog niet herinneren wat – is gebeurd. Ik kijk de kamer rond en probeer helder te worden, maar mijn verwarde dromen blijven hangen als vochtige spinnenwebben. Waar was ik zo bang van? Ik zoek op de grond naar mijn horloge, zie dat het bijna negen uur is en herinner me plotseling: er was een gezicht, dat me van het dak bij de keuken aanstaarde.

Daar is dat zoemgeluid weer. Met mijn peignoir om me heen geslagen wankel ik de gang in. Waarschijnlijk staat er een Jehova's getuige of een oude bajesklant met een tas vol inferieure stoffers beneden op de bel van mijn flat te drukken. Voor ik echter op de intercom kan drukken, zie ik de vorm van een hoofd achter het glas van mijn voordeur. Een bang moment stel ik me het gezicht op het dak voor en mijn keel knijpt samen. Dan hoor ik een zachte vrouwenstem die zegt: 'Cass?' en ik ontgrendel de deur.

Tot mijn onuitsprekelijke opluchting is de persoon die daar staat Beth Wilson. Ze heeft een bos roze en paarse violieren in de ene hand, een rieten tas in de andere en kijkt me vrolijk aan.

'Goeiemorgen!' zegt ze opgewekt.

Ik stap opzij, verbaasd en blij tegelijk. Ik kan me niet herinneren dat ik vanmorgen hier met haar heb afgesproken, en zou normaal gesproken geïrriteerd zijn als een student onverwachts op mijn stoep stond, vooral zo vroeg. Maar nu is er niemand die ik liever zou zien.

Ik kijk in haar opgewekte, glimlachende gezicht en voel dat ik wat kalmer word. Jong, vrouwelijk gezelschap en een geanimeerde, intelligente werkbespreking is precies wat ik nodig heb.

'Je buurvrouw beneden heeft me binnengelaten,' zegt ze als ze haar spijkerjack uittrekt en de zitkamer in wandelt. 'Ik heb al mijn papieren en zo bij me... Ik weet niet waar ik moet beginnen, dus het zal goed zijn om jouw mening te horen.' Ze blijft staan. 'Je bedoelde toch hier af te spreken, in plaats van op de uni, hè?'

'Eh...'

Ze draait zich om en slaat haar handen voor haar mond. 'O god, nee, hè? Je bedoelde in je kantoor. Beth Wilson, je bent een stommeling!'

Ik giechel en loop achter haar aan de zitkamer in. Ik herinner me iets over een afspraak, maar ze heeft gelijk dat het mijn bedoeling was dat die in mijn kantoor zou plaatsvinden. 'Maak je geen zorgen,' zeg ik luchtig. 'Ik had duidelijker moeten zijn. Hoe dan ook, het is misschien wel zo goed dat je hier bent gekomen, want zoals je ziet heb ik me verslapen.'

Ochtendlicht valt op de vloer door de openslaande deuren in draaiende, stoffige kolommen. Het is prettiger een zorgeloze jonge stem in de flat te horen dan ik voor mogelijk had gehouden. Ik heb te veel tijd alleen doorgebracht, denk ik somber. De eenzaamheid maakt me zo schrikachtig.

'Hé,' zegt Beth. 'Dit zou echt gaaf kunnen zijn.'

'Hm. Zou kunnen is de juiste term.'

Terwijl mijn student haar kritische blik door mijn nieuwe woonruimte laat dwalen ben ik me er ongemakkelijk van bewust hoe vervuild het eruit moet zien. De stapels boeken en papieren, de lege borden op veronachtzaamde bladen, de bekers met aangekoekte bodems die de schoorsteenmantel vrijwel geheel in beslag nemen. Ik heb het altijd heftig ontkend, maar misschien heeft Matt gelijk. Hij doet inderdaad al het huishoudelijke werk. Bovendien ben ik behalve mijn sleutels ook mijn mobiel kwijt. Waarom ben ik altijd zo chaotisch? In Londen heb ik tenminste Matt en zijn huiselijke routine om me op orde te houden. De strategisch geplaatste sleutelhaakjes, de telefoonnummers opgeslagen in onze mobieltjes en laptops, de lijstjes die hij op het keukenbord schreef. Maar nu ik hier ben heb ik me steeds meer overgegeven aan de demonen van de chaos.

'Ik heb ontbijt meegenomen,' zegt Beth en zet haar tas midden in de kamer neer. 'We hebben alleen nog koffie nodig.'

Ik grijns; het enige wat ik heb is een bijna lege pot oploskoffie. Matt is de koffiezetter bij ons; obsessief past hij de hoeveelheden gemalen koffie en water in onze percolator af alsof het geheim van goede koffie atoomwetenschap vereist. Als hij mijn keukenkasten zag, zou hij met stomheid geslagen zijn. Hé, zeg ik bij mezelf, Beth is een student, niet de immer kritische Matt.

'Kijk eens,' zegt ze, terwijl ze op de grond hurkt en dingen uit haar tas haalt. 'Pains au chocolat, warm brood om van te watertanden, verse jus d'orange en wat mango's die afgeprijsd waren.'

'Dat had je allemaal niet hoeven doen,' mompel ik. Ondanks het enthousiaste gerommel van mijn maag is haar extravagantie misplaatst. Ik, de docent, zou het eten moeten uitstallen en zij, de student, zou het dankbaar moeten ontvangen. Het onverwachte omdraaien van de rollen geeft me een ongemakkelijk gevoel.

'Kom nou!' Ze grijnst brutaal. 'Dit is hetzelfde als een schoolkind dat de juf een glanzende rode appel geeft.'

Ik lach en neem een chocoladebroodje. Wat geeft het ook als ze het heeft overdreven?

'Nou, ik vind het een ramp dat je me in deze vreselijke oude peignoir aantreft. Ik moet me echt aankleden voor je over je werk begint.'

Ze kijkt me lang en goedkeurend aan. 'Die kleur staat je echt goed.'

'Kom nou toch!'

Ik laat haar achter in de zitkamer, en een tweede pain au chocolat naar binnen werkend ga ik me aankleden. Als ik vijf minuten later terug ben met twee bekers thee, twee borden en twee glazen voor de jus d'orange, staat ze bij de schoorsteenmantel en schikt de bloemen in een lege melkfles. Het eten op het tapijt is onaangeroerd.

'Heb je een vaas?'

'Helaas niet.'

Ik zie haar met de bloemen in de weer die de kamer al met hun zoete geur vullen. In tegenstelling tot haar geachte docent beleeft ze kennelijk genoegen aan huiselijke orde.

'Hoe wist je waar ik woon?' vraag ik. Ze is nu klaar met de bloemen en als ze de marmeren schoorsteenmantel keurend heeft bekeken, kiest ze de beste plek en zet de fles er voorzichtig neer.

'Van je secretaresse,' antwoordt ze, zich met een glimlach omdraaiend. Ze draagt een wijde spijkerbroek die over haar heupen zakt en een strak truitje dat haar kleine ronde borsten benadrukt. Haar haar is achterovergebonden en ze heeft wat kleur boven haar ogen aangebracht.

Ik kijk haar verbaasd aan. 'O já?'

'Ja, ze was er zeg maar heel cool over. Je vindt het toch niet erg, hè?' Ze kijkt me vragend aan met haar hoofd schuin als een tuinvogeltje, dan loopt ze door de kamer en gaat naast me zitten. Met haar handen in haar schoot gevouwen kijkt ze hoe ik nog een snee brood pak. Ach, ik vind het niet echt erg, maar ik ben enigszins verbaasd over Maggies nonchalante houding. In mijn vroegere werkkring werden studenten min of meer beschouwd zoals de Britse staat asielzoekers beschouwt. Ze moesten toegelaten worden, maar op armlengte afstand worden gehouden, tijdens kantooruren door de laagste ambtenaren, zeker niet vriendschappelijk behandeld en thuis worden uitgenodigd. Misschien is het gemak waarmee Maggie mijn privé-adres heeft doorgegeven een teken van een vriendelijk open instituut, in plaats van slordige omgang met de regels die het in Londen zou betekenen.

'Nee,' zeg ik. 'Ik vind het helemaal niet erg. Eigenlijk is het best prettig iemand op bezoek te hebben om het hier op te vrolijken.'

Ze grinnikt als een klein meisje dat een complimentje krijgt. 'Vind je het niet fijn om alleen te wonen?'

'Het is oké...' Ik aarzel. De drang om mijn hart te luchten is onweerstaanbaar. 'Alleen is het soms wel eens griezelig.'

'Griezelig?' Ze kijkt me aan, in afwachting van meer en plotseling kan ik me niet langer inhouden.

'Vannacht dacht ik zelfs dat er iemand door het raam naar me keek.'

Ik gier het uit, en voel me al beter. Nu ik het hardop gezegd heb, klinkt het belachelijk. Maar Beths ogen worden groot en net als ik vannacht op de keukentrap slaat ze haar hand voor haar mond.

'O, mijn god.'

'Er was niet echt iemand,' zeg ik luchtig. 'Ik weet zeker dat ik het me alleen maar heb ingebeeld. Is dat niet stom?'

'Maar je hebt wel iemand gezien?'

'Nee, natuurlijk niet. Dat is het juist. Ik had een nachtmerrie en heb het me ingebeeld. Het was waarschijnlijk alleen maar een vertekening van de maan.' Ik sta op het punt weer luid te bulderen, maar hou me in omdat ik me schaam dat ik mezelf zo blootgeef.

Beth staart me meelevend aan, haar ogen rond en glanzend. 'God. Is dat niet hetzelfde als wat met dat meisje is gebeurd?'

De manier waarop ze dat zegt bezorgt me kippenvel op mijn armen. 'Welk meisje?'

'Je weet wel, dat meisje op de universiteit? Dat ze wakker werd in haar studentenkamer en die man, zeg maar, stond in de hoek van de kamer naar haar te kijken?'

Ik wilde een hap nemen van het brood, maar de korst blijft onaangebroken in mijn onbeweeglijke hand rusten.

'Hij kwam door het raam binnen,' vervolgt Beth. 'Terwijl ze sliep.'

'Jezus,' fluister ik. 'Wat is er gebeurd?'

Beth haalt haar schouders op. 'Het is een tijd geleden,' zegt ze, 'maar volgens mij is ze vermoord.'

Ik staar haar aan, mijn gedachten stokken. Ten slotte breng ik mijn hand naar mijn mond en steek er wat brood in. Ik kauw mechanisch, en wens dat ik haar nooit over mijn insluiper had verteld.

'Neem jij niets van dit heerlijke brood?' breng ik uiteindelijk uit.

Verontschuldigend schudt ze haar hoofd. 'Ik ben allergisch voor tarwe.'

'O jee!' Ik trek een gezicht en weet niets meer te zeggen.

'Geeft niets,' zegt Beth. 'Ik ontbijt nooit.'

'Lieve hemel. Dat lijkt me een ramp.'

Eindelijk wordt de spanning gebroken. Zonder echte reden lachen we allebei, opgelucht dat we van onderwerp zijn veranderd.

'Ik mag eigenlijk ook geen melkproducten gebruiken,' zegt Beth, een slok thee nemend.

'Jemig.' Zelfbewust kauw ik mijn brood, ik voel me als iemand op een naaktstrand die enthousiast zijn kleren heeft uitgetrokken en ziet dat alle anderen gekleed zijn omdat ze beweren dat zonnebaden kanker veroorzaakt. Gelukkig is Matt hier niet. Net als wanneer het over homeopathie en macrobiotiek gaat, kan hij ook enorm tekeergaan als mensen beweren aan voedselallergieën te lijden, en klinkt dan meer als een intellectuele Alf Garnett dan als een hoffelijke academicus. Hij noemt het 'de nieuwe irrationaliteit', en het drijft hem tot grote woede als intelligente, hoogopgeleide mensen toch fervent geloven in iets waarvan hij vindt dat het slechts een stap verwijderd is van het plaatsen van teken op de huid van een koortspatiënt, of menstruerende vrouwen verbieden koeien te melken.

'Het maakt je erg traag, weet je. Ik bedoel, al dat vergif,' zegt Beth. 'Je zou echt moeten proberen het uit je dieet te schrappen. Het valt best mee als je eenmaal de eerste paar weken gehad hebt. Als je wilt zal ik een keer een veganistische, tarwevrije maaltijd voor je koken.'

'Tjonge.'

'Nee, echt, je zou het heerlijk vinden.'

Ik hoop dat mijn gezicht niet mijn totale gebrek aan enthousiasme verraadt. Net als Matt ben ik dol op alle soorten vlees, room, boter en kaas die het leven te bieden heeft. We hebben elkaar zelfs bij onze eerste ontmoeting drie plechtige beloften gedaan, onze antitrouwgeloften. De eerste was dat we elkaar nooit troetelnaampjes zouden geven, de tweede dat we de afwas altijd zouden laten staan tot de volgende ochtend, en de laatste was dat elk voedsel waarin gezondheid in plaats van smaak vooropstond, uit de keuken zou worden geweerd.

'En,' zeg ik, mijn mond afvegend en mijn bord neerzettend, 'hoe staat het met dat project?'

'Het gaat over vrouwengeschiedenis in de twintigste eeuw,' zegt ze terwijl ze haar tas pakt. 'Ik bedoel, het is nog wat vroeg in het trimester om over onze projecten en alles na te denken, maar ik ben zo geïnspireerd door de colleges.'

Ik leun achterover en sla mijn armen over elkaar. Inspiratie is geen woord dat gewoonlijk door mijn studenten wordt gebruikt. 'Waarom vertel je me niet gewoon wat je van plan bent?'

'Goed.' Ze haalt diep adem en zet haar gedachten op een rijtje.

'Het is een beetje zoals jouw onderzoek. Ik bedoel, ik weet dat ik nooit iets op dat niveau zou kunnen, maar ik dacht erover om alle vrouwen in mijn familie te ondervragen over hoe zij dachten dat de positie van vrouwen in de maatschappij tijdens hun leven was veranderd. Zoals, zeg maar, mijn oma en zus? Die wonen allebei nog in Yorkshire, waar mijn moeder vandaan komt. Verder zijn er deze papieren...' Ze rommelt in haar tas en trekt er een map uit. 'Deze brieven heeft mijn moeder me gegeven. Ze zijn door mijn oma aan mijn opa geschreven tijdens de oorlog. Ze was verpleegster, in Londen.'

'Te gek.'

Ze blijft in haar tas rommelen, haar pony valt over haar voorhoofd. Daar heeft ze puistjes, zie ik, die ze zorgvuldig heeft gecamoufleerd met foundationcrème. De make-up past niet bij haar jongensachtige verschijning en ik vraag me af of ze weet dat de bruine tint heel erg afsteekt bij haar bleke huid.

'Er is een hele berg. Allemaal over de bombardementen en hoe het voor haar was. Ze had ook kleine kinderen.'

'Dat klinkt fascinerend,' zeg ik echt geïnteresseerd. 'Die zou ik dolgraag zien.'

'Het is toch ongelooflijk hoe vrouwen leefden, hè? Ik bedoel, mijn oma hield in wezen het gezin bij elkaar. Ze zou zichzelf nooit een feministe of iets dergelijks hebben genoemd, in politieke zin, maar wat was ze sterk. Dat wil ik vastleggen.'

Ze is opgehouden met naar de brieven zoeken en leunt achterover terwijl ze me met glanzende ogen aankijkt. Ik heb bedacht dat hoe ongeschikt de plek ook is, ik degene ben die haar moet begeleiden. Het is vreemd, maar ze heeft de gave me te laten vergeten dat zij de student is en ik de docent.

'Je zult wat moeten lezen over feministische geschiedschrijving,' begin ik. 'Ik zal je een literatuurlijst geven als we in mijn kantoor zijn.'

'God, dat zou fantastisch zijn.'

'Geen brieven, dus?'

'Ik heb ze waarschijnlijk thuis laten liggen. Beth de idioot slaat nogmaals toe.'

'Het zou goed zijn om je eigen geschiedschrijving naast vergelijkbaar werk te plaatsen...' vervolg ik, maar ze onderbreekt me.

'Heb jij dat ooit overwogen? Over je eigen familie te schrijven?'

'Eh, nee.'

'Hoe komt dat?'

Ik slik de onprettige pijnlijke emotie weg, die ik altijd krijg als er over mijn familie wordt gevraagd. Een deel van me zou tegen haar willen zeggen dat het haar niets aangaat, en als we in mijn kantoor zaten, zou ik waarschijnlijk iets kortafs zeggen zoals dat we niet moesten afdwalen. In mijn zonnige flat lijkt zo'n reactie grof. 'Ze zijn allemaal dood,' zeg ik en voel dat ik rood word door die kinderachtige leugen. Dr. Bainbridge, de academica, die leugentjes verzint tegenover een student. Volkomen zielig.

Beths ogen worden groot. 'O!'

Ik wil de woorden uit de lucht grijpen en ze terug in mijn mond duwen, maar het is te laat. Tegenover me, op het stoffige tapijt, kijkt Beth me vol verwondering aan. 'Dus ben je dan een wees?'

Ik word overspoeld door schaamte. Stel dat ze ontdekt dat ik gelogen heb? Hoe moet ik dat ooit verklaren? En dan, voor ik het kan tegenhouden, zie ik mijn moeders brieven voor me, weggevouwen in een bundeltje tussen mijn boeken. Ik heb er nooit een beantwoord. Toch heb ik ze ook niet weggegooid.

'Laten we liever over de benodigde literatuur nadenken,' flap ik eruit, omdat ik het wanhopig graag over iets anders wil hebben, maar Beth negeert me.

'Hoe zijn ze gestorven?' fluistert ze. 'Bij een auto-ongeluk?'

Ik schenk haar een zwak glimlachje terwijl in mijn hoofd allerlei halve waarheden opkomen. Zelfs over het deel dat geen leugen is spreek ik zelden. Toch open ik nu mijn mond en zeg: 'Mijn vader is aan longkanker gestorven toen ik vijftien was.'

Hoe komt het dat een simpel feit, een rij woorden die achter elkaar zijn geplaatst, zulke krachtige emoties kunnen oproepen? Ik glimlach niet overtuigend en probeer het te laten klinken alsof het niet langer uitmaakt.

'Wat vreselijk!'

'De dombo rookte een pakje John Player per dag, dus het was nauwelijks verbazend.'

Ik steek mijn hand uit naar haar map, mijn lippen nog steeds stijf opgekruld. Ik zou alles willen doen om het te vermijden, maar nu zie ik pa voor me, die kerst dat zijn ziekte het van hem begon te winnen, voor de tv, zo hard hoestend dat hij kokhalsde, terwijl Bruce Forsyths Kerstshow op de achtergrond blèrde.

'Kom, laten we hierover nadenken.'

Maar ze is als een terriër met een dood konijn; ze weigert los te laten. 'En je moeder?'

'Gelijksoortig scenario.'

Ik pak de map, open hem en staar naar de inhoud, maar het enige dat ik zie, is pa's grijze gezicht. 'Het is lang geleden,' zeg ik kortaf.

'Wat ongelooflijk triest.'

Ze kijkt me zo verdrietig aan dat ik bang ben dat ze op het punt staat in tranen uit te barsten. 'Het is niet zo belangrijk. Niet meer.'

'Wel waar. Ik weet hoe het is.'

Ik kijk op, verbaasd door de veranderde klank van haar stem. Ze trekt haar schouders recht en doet haar hoofd achterover zodat ik haar ogen niet kan ontwijken, dan zegt ze met een lage, vertrouwelijke stem: 'Ik vertel dit meestal aan niemand, maar ik heb ook geen echte familie.'

Ik kijk naar haar gezicht dat ze uit alle macht in de plooi probeert te houden en haat mezelf nog meer. Wat vreselijk dat mijn laffe leugens haar ertoe gebracht heeft haar eigen familieleed op te biechten. 'En je moeder,' zeg ik hoopvol, 'en je oma?'

'Niet mijn echte. Het zijn mijn pleegouders. Daarom moet ik zo voorzichtig zijn met dit project, begrijp je, om ze niet op enigerlei wijze van me te vervreemden.'

'O god, ja. Natuurlijk...'

Ik wilde dat ze ophield, maar ze blijft praten, met lage, neutrale stem, alsof ze iets alledaags en onbelangrijks uitlegt. 'Ik woon pas een paar jaar bij ze. In het gezin daarvoor moest ik weg omdat de vader me misbruikte.'

'Jezus!' Ik kijk haar met open mond aan. Dat arme kind! Ik weet niet wat ik moet zeggen, wil het liefst haar hand pakken en erin knijpen.

Maar plotseling staat ze op en veegt kruimels van haar spijkerbroek. 'Het is niet belangrijk,' fluistert ze met een dappere glimlach. 'Ik wou dat ik er niet over begonnen was. Ik bedoel, Sue en John zijn echt geweldig. Ze geven me zoveel mogelijk warmte en dat is genoeg voor mij. Hun eigen dochter is bij een botsing omgekomen, dus help ik hen, zeg maar, met het rouwproces?'

'Maar dat moet ontzettend moeilijk voor je zijn...'

'Het is cool.' Ze haalt haar schouders op. 'Daarom wil ik niet verhuizen. Ik bedoel met het verlies dat ze al hebben en zo. Ik weet dat iedereen op de uni het zo gaaf vindt om samen huizen te delen en alles, maar ik blijf graag bij hen. Dat is nog een reden waarom ik hier studeer en niet in Harvard.'

'Dan zijn ze je vast erg dankbaar.'

Ze geeft me een droef glimlachje. 'Ik weet niet of ze het zo zien. Ik bedoel, ik ben degene die dankbaar is. Er zijn nu tenminste mensen die ik als familie kan beschouwen, ook al zijn ze officieel niet langer mijn pleegouders. Ik ben, zeg maar, veel te oud?'

Ze staat midden in de kamer en kijkt naar de openslaande deuren en de zee daarachter. Ons korte gesprek schijnt beëindigd te zijn. Aangezien ik niets nuttigs heb toe te voegen over haar pleegouders, wil ik dit bezoek afronden met af te spreken dat ze de literatuurlijst bij me ophaalt op de universiteit, als de telefoon gaat.

'O hemel, waar is hij?'

Ik spring op en probeer de draadloze telefoon tussen de rommel te lokaliseren. Wie me ook belt heeft me een welkom excuus gegeven om dit ongemakkelijke samenzijn te beëindigen. Als ik echter om me heen kijk, heeft Beth hem al in haar hand en tot mijn lichte verbazing op 'opnemen' gedrukt. Net als eerder toen ze met mijn ontbijt arriveerde, gaan mijn gedachten twee richtingen uit: ik erger me aan de veronderstelling van een intimiteit, of gelijkwaardigheid, die niet hoort te bestaan tussen docent en student, en tegelijkertijd vind ik het niet echt erg. In feite is het best lief dat ze zich zo op haar gemak voelt.

'Met het huis van Cass Bainbridge,' zegt ze met een knipoog naar mij. Dan: 'Hier is ze.'

Ik pak de telefoon van haar over en trek een gezicht dat haar vriendelijk op haar plaats hoort te zetten, maar waardoor ik er waarschijnlijk uitzie of ik last van een oprisping heb. Ik verwacht dat het Matt is die belt om te controleren of alles goed is. 'Hallo.'

'Cass? Met Julian. Julian Leigh?'

Mijn hart slaat over. 'Julian!' Mijn stem klinkt hoog en meisjesachtig, waarschijnlijk omdat ik me schaam over hoe ik hem gisteren toesnauwde. 'Hoe is het?'

'Goed, maar ik wilde zeggen dat het me spijt als ik je van streek heb gemaakt, gisteren.'

Dat is niet wat ik verwachtte. Sinds de eerste dag van het trimester had ik hem ingeschat als arrogant, het type man dat uit gewoonte te hard rijdt, en auto's naar de rechterbaan flitst terwijl hij zaken regelt met zijn mobiel. Zeker had ik geen verontschuldiging verwacht voor een misverstand dat zo subtiel was dat het niet eens een ruzie genoemd kon worden.

'Het geeft niets.' Ik haal diep adem en hoop dat Beth niet luistert. 'Het spijt mij ook. Ik was moe en chagrijnig.'

Hij zwijgt even. Ik krijg de indruk dat hij nerveus is, want als hij opnieuw praat stottert hij licht. 'Ik heb het gevoel dat we op de verkeerde manier van start zijn gegaan en ik wil het goedmaken. Ik weet dat ik soms te ver ga en overal grappen om maak, vooral als ik, eh, graag wil imponeren.' Er klinkt een vreemde verwrongen lach.

'Juist...' zeg ik langzaam.

'Dus, ik vroeg me af... of je, eh... een keer met me uit wilt gaan. Ik probeer je steeds te bellen, maar je neemt nooit op.'

Ik vang een glimp van Beths gezicht op. Als ze mijn blik ontmoet drukt ze haar hand tegen haar maag en doet alsof ze kokhalst. Dat is vreemd, omdat ik aannam dat Julian populair was bij de studenten. Toch verandert op het moment waarop ze dat doet mijn gevoel van aangename warmte omdat ik mee uit gevraagd word in een overweldigende schaamte omdat ik overweeg toe te stemmen. Ze heeft gelijk, denk ik. Hij is zo houterig tegen me, alsof hij een heimelijke perversie koestert.

'Dus jij was het gisteravond?' zeg ik koel, terwijl ik me het onophoudelijke, bijna obsessieve gerinkel herinner, maar niet helemaal geloof dat hij zo diep kan zinken.

'O ja? Ik weet het niet.'

'Nou, iemand belt voortdurend en hangt dan op zonder iets te zeggen.'

'We zouden een wandeling kunnen maken, of naar de film

gaan...' vervolgt hij hoopvol, maar ik heb mijn besluit al genomen. Ik moet open kaart spelen.

'Ik weet het niet, zeg ik, me iets omdraaiend zodat Beth me niet kan horen. 'Het zit zo, ik heb een relatie.'

'O!' Hij klinkt verbaasd en ietwat beledigd, alsof ik net mijn jurk heb uitgetrokken en een man blijk te zijn.

'Ik zie je straks, op het werk, goed?' zeg ik haastig en voor ik nog meer van zijn teleurstelling moet aanhoren, hang ik op.

11

Beth is weg en ik zit bij het raam. Ik hoef pas na de lunch college te geven, en nu heb ik nauwelijks fut om te bewegen, laat staan om mijn spullen te pakken en naar mijn werk te rijden. Die brieven die ik stiekem heb bewaard, en hoe ik over mijn familie heb gelogen, krijg ik maar niet uit mijn hoofd. Als ik opsta, loop ik haastig naar mijn slaapkamer, waar ik de bovenste la van de geloogde kast in de hoek openruk en er een zwaar boek uit haal dat onder mijn sokken en ondergoed verborgen ligt.

Het is een exemplaar van de *Complete Works of William Shakespeare* uit 1929, dat ik op mijn elfde verjaardag van mijn opa heb gekregen. Ik hou het in mijn handen en betast de versleten rode omslag, die aan de randen is vergaan, en de gouden belettering in reliëf. Ik kijk ernaar en streel met mijn vingers over de goudomrande bladzijden. Mijn opa kreeg het op school en aan de binnenkant van de kaft zit een vergeeld etiket met in nauwkeurig rondschrift: 'Heathview Jongensschool: Voor Alfred Bainbridge, hoogste examencijfer Latijn, september 1930'.

Ik heb het niet gelezen, daar gaat het bij zo'n boek niet om. Mijn eindexamenvak Shakespeare heb ik gehaald met een reeks goedkope paperbacks, waarin je zonder schuldgevoel aantekeningen in de marges kon krabbelen en delen tekst met een markeerstift kon accentueren. Eerder dan de som van de inhoud is dit boek zo'n artefact als ik in mijn college heb beschreven, een hulpmiddel voor de herinnering, onderdeel van familiegeschiedenis, een object om van generatie op generatie door te geven. Ik draai de eerste paar bladzijden om en kijk naar een kleurenportret van een geamuseerd kijkende Shakespeare, en laat het boek dan openvallen in het midden, waar de brieven zitten.

Het zijn er vier in totaal, plus die ene van David. Ik heb er al jaren niet meer naar gekeken. Het idee dat ze er zijn is voldoende, de deur dicht, maar de sleutel nog niet weggegooid. Als ik ze eruit haal en de dikke bundel openvouw, trillen mijn handen.

De brief van David valt me niet zo zwaar. Ik heb hem minstens vijf of zes keer gelezen, maar ondanks mijn goede bedoelingen – zoals de niet-verzonden verjaardagskaart in mijn tas en verscheidene halfhartige pogingen zijn telefoonnummer te vinden – heb ik niet teruggeschreven. Ik tuur naar het adres en stel me voor hoe zijn huis eruitziet. Een klein wit huis met een veranda en een keurig gazon in een straat ergens in Sydney, waar het zonlicht wit en meedogenloos is, en geluiden klinken van watersproeiers en spelende kinderen. Er zullen ook vogels zingen, wat hebben ze in Australië? Kookaburra's? En 's avonds het lage zingen van krekels. Anders dan bij mij was Davids ontsnapping harmonieus en niet confronterend gegaan. In tegenstelling tot zijn ongezeglijke zus heeft hij altijd zijn best gedaan de goede, harmonische zoon te zijn.

'Lieve Cass,' lees ik, terwijl ik met mijn ogen de regels oversla die ik uit mijn hoofd ken. 'Hoe gaat het met je?'

> Zoals je kunt zien, ben ik verhuisd. Ik heb een nieuwe baan, werk voor een groot IT-bedrijf, met een geweldig salaris en alle extra's (je zou mijn auto moeten zien, de nieuwste BMW!). Het is nogal een stap omhoog na de Sunblestfabriek, ha, ha. Dus nu hebben we eindelijk de grote sprong genomen van ons knusse flatje bij de haven naar een huis met vier slaapkamers buiten de stad. Het andere grote nieuws is dat Clare in verwachting is. De baby is uitgerekend in de lente...

Izzy zal nu drie zijn, denk ik grimmig. Misschien is er zelfs wel een jonger broertje of zusje bij gekomen. Ik stop met lezen, sla het stuk over waar hij schrijft: 'Het is nou al een tijdje geleden dat we iets van jou gehoord hebben. Mam zei dat ze je op de radio heeft horen praten over je East End-vrouwen. Dus weten we dat je nog steeds ergens bent. Het zou leuk zijn om jouw nieuwtjes te vernemen...'

Aan het eind heeft hij geschreven 'alle goeds, David' in plaats van 'liefs en kussen' dat ik me had herinnerd. Hoe typerend dat hij zo eindigde, alsof het een briefje aan een collega of vage kennis was. Ik laat de brief in mijn schoot liggen, staar nietsziend naar het nette handschrift, de manier waarop hij zijn naam in hoofdletters heeft geschreven, alsof hij mijn geheugen wil wakker schudden. De brief roept een nare combinatie van verdriet en schuldgevoel op, het tweekoppige monster dat me overal vergezelt. Ik had terug moeten schrijven, natuurlijk had ik dat moeten doen. Ik was het steeds van plan, maar met elke maand die voorbijging werd het steeds moeilijker om een begin te vinden. Na deze brief kwam de kaart die Izzy's geboorte aankondigde, daarna niets meer. Ik neem aan dat hij kwaad is dat ik niet gereageerd heb op zijn berichten. Op internet kan hij heel makkelijk uitvinden waar ik werk, dus moet hij weten dat ik zijn brieven heb ontvangen. Misschien is hij kwaad; hij zal zich minstens gekwetst voelen door mijn afwijzing. Wat, vraag ik me af, maakt hij zichzelf wijs waarom ik me zo slecht gedraag? Wat herinnert hij zich?

Na de zomer waarin we het hoornkapsel vonden waren er geen vakanties aan zee meer. Er was iets gebeurd, want mam begon fulltime te werken bij de dokterspraktijk, en haar gezicht kreeg de uitdrukking die ik met die latere jaren associeer: vermoeid en uitgeput, met een afwezige blik in haar ogen. We verhuisden ook, van een ruim huis dat over de brink van het dorp uitkeek naar een benauwd geval van Barrat Homes met twee slaapkamers in een van de 'hofjes' die in steeds grotere getalen verrezen aan de rand van het dorp. Achteraf gezien denk ik dat pa rond die tijd zijn baan moet hebben verloren, want ik herinner me dat hij vaker thuis was dan gewoonlijk en ons van school haalde en voor ons kookte terwijl mam aan het werk was. In tegenstelling tot haar schreeuwde hij nooit tegen ons als we eten morsten, noch verbood hij ons met onze ellebogen op tafel te leunen. Hij was zo zacht als zure boter, zei ze dan later als ze laat en chagrijnig thuiskwam en de rotzooi in de keuken zag.

Ik hield van hem als hij zo was. Na mijn bad klom ik op zijn schoot en lazen we samen de Hobbit, de Narniaboeken, Jennings en E. Nesbit. Ook speelde hij urenlang met ons terwijl mam gauw ongeduldig en verveeld raakte door de kinderlijke complexiteiten van onze fantasiespelletjes, de goeden en de slechten, de geheime codes. Waarschijnlijk maakte zijn gebrek aan ambitie in de wereld der volwassenen hem een goede ouder voor mijn aanhankelijke, onzekere achtjarige zelf. Hij zou de moeder geweest moeten zijn, herinner ik me dat ik zei, en hij lachte, maar op een manier die duidelijk maakte dat hij dat niet echt wilde horen. Hij was geen huisman van de eenentwintigste eeuw. In de jaren zeventig moesten die nog worden uitgevonden, althans bij Jan Modaal uit de provincie. Hij had de kostwinner moeten zijn, niet mam, en babysitten, zoals zij het honend noemde, was vrouwenwerk.

Onze hechte band was echter niet beperkt tot die korte periode van werkloosheid. Sinds Davids geboorte was het pa en ik tegen David en mam. Ik neem aan dat dat normaal is, de nieuwe baby eist moeders aandacht op en bijna standaard trekt het andere kind naar de vader. In ons geval was het echter niet tijdelijk, maar een patroon dat zich door de jaren heen steeds meer bestendigde. Ma liet altijd duidelijk blijken dat ze meer prijs stelde op Davids gezelschap dan het mijne. Hij was een 'ongelooflijk makkelijke' baby, dat vertelde ze althans eindeloos, helemaal niet zoals haar eerste. Waar ik rommelig en veeleisend was, was David rustig en tevreden, terwijl ik meer melk wilde dan haar lichaam kon geven, gaf ze een zielstevreden David borstvoeding tot hij bijna een was. Terwijl ik weigerde te lopen, zindelijk te worden, of 's nachts door te slapen, benaderde David elke ontwikkelingsfase zoals hij in zijn latere leven zou doen: met gemak, zelfvertrouwen en bekwaamheid. Hij was altijd zo 'ontspannen', dat was hoe hij in onze familie werd gezien en, als tegenstelling, was ik altijd zo moeilijk.

Dat is althans hoe ik het me herinner. Ik ben echter professioneel genoeg om te weten dat een herinnering een grillig, geobsedeerd beest is. Het licht wat het wil uit het verleden op en kneedt het naar zijn eigen narcistische belang. Tegenwoordig heb ik met niemand meer contact wiens eigen herinneringen die van mij zouden kunnen weerspreken. Ik vouw Davids brief weer op en als ik Shakespeare open om hem weer terug te stoppen, valt er een kerstkaart uit.

Alleen al de blik op het handschrift verkilt me, maar ik kan mezelf er niet van weerhouden hem op te rapen en te openen. Op de voorkant staat een vlekkerig plaatje van een roodborstje, waarschijnlijk geschilderd door iemand met een bepaalde handicap. Het is een soort liefdadigheidskaart die mijn moeder in het groot inkocht en achter in haar bureaula bewaarde. *Vrolijk Kerstfeest!* Onder de opgewekte groet heeft ze in kleine kriebelletters geschreven: 'Ik hoop dat je dit in goede gezondheid ontvangt. Stuur me alsjeblieft je nieuwe adres als je verhuisd bent. Liefs van mam.'

Hoe had ze verwacht dat die kaart me zou bereiken als ik verhuisd was? Of wist ze van David dat ik nog op de universiteit van Londen werkte en schreef ze dit als een gecodeerd verwijt? Ik lees de tekst opnieuw en begraaf hem vervolgens in zijn literaire mausoleum. Daar liggen andere langere brieven bij, voornamelijk met nieuws over David. Een beschrijft tot in detail de begrafenis van een nicht van haar die ik volgens mij nooit ontmoet heb, een andere beschrijft een tuin in de West Country waar ze was geweest. Haar brieven zijn onpersoonlijk en neutraal, en vertellen me vrijwel niets over haarzelf. Later, ongeveer twee jaar geleden, kwamen ze niet meer.

Na een tijd vond pa een andere baan, waarschijnlijk met een lager salaris dan de vorige, omdat er nog steeds geen vakanties waren en mam bleef werken. Ik stapte over van de dorpsschool waar ik de naam van elke leerling kende en voornamelijk 'projecten' over paarden deed, naar een grote, ruige middelbare school in de stad, waar we naar leerprestaties werden ingedeeld, echte les kregen in scheikunde en aardrijkskunde en huiswerk op kregen. In het begin had ik een hekel aan school, niet omdat het werk te zwaar was, maar omdat het me angst aanjoeg, bevolkt als hij was met tieners op plateauzolen en kapsels in laagjes geknipt die op de toiletten rookten en de eersteklassers beentje lichtten. Het was de begintijd van punk en sommige oudere meisjes trokken dikke kohlstrepen om hun ogen, als adolescente Cleopatra's, en droegen veiligheidsspelden in hun oren. Ik was nog een aantal jaren verwijderd van mijn eigen transformatie van te dikke dorpssnob naar rebelse derdeklasser, dus mijn voornaamste herinnering van het eerste jaar is het me klein maken van angst. Het voornaamste waar ik op moest letten was niet op te vallen, maar iemand had al 'Dikzak' op mijn schooltas geschreven, dus het zag er niet goed uit.

Tijdens dat jaar begonnen de ruzies met mijn moeder serieuze vormen aan te nemen. Pa was teruggezogen in de mannenwereld van werk en kwam pas laat thuis. Plotseling waren het alleen mam,

David en ik die tijdens het avondeten zaten te kibbelen, of liever, David zat rustig aan tafel te eten en mam en ik krijsten tegen elkaar. Het twistpunt dat steeds meer tussen ons in stond was haar wens dat ik af zou vallen. Maar nadat ik de lunch had overgeslagen uit angst de pestkoppen van de vierde op weg naar de kantine tegen te komen, was ik uitgehongerd bij het avondeten. Daarom buffelde ik thuis zoveel ik kon. Toen ik twaalf was woog ik meer dan vijfenzestig kilo en mam had een dieet op de koelkast gehangen. Geen friet, geen boter, geen ijs, geen cake en geen chocola. Het gaf niet dat ik het geld voor schoollunches spendeerde aan Marsrepen en chips van de ijscokar die zich als een drugsdealer buiten de schoolpoorten ophield. Het maakte niet uit of ik net als mam van nature lang was met wat zij zware botten noemde. Het was nu eenmaal zo dat ze wilde dat ik anders werd dan ik was.

Er was één moment in het bijzonder waar ik nog steeds aan terugdenk. Om de een of andere reden die ik niet meer weet, was ik eerder thuisgekomen dan gewoonlijk, misschien had ik een lift gekregen van iemands moeder zodat ik niet op de bus had hoeven wachten. Hoe dan ook, mam en David verwachtten me duidelijk niet, want toen ik mijn tassen bij de deur liet vallen en de keuken in stampte zag ik een feestmaal van verboden voedsel uitgespreid voor mijn broer liggen als offerandes aan een god. Hij at chocolade eclairs, geglaceerde taartjes en donuts. En het allergemeenste was dat hij aanviel op een bord friet, die mijn moeder duidelijk net had gebakken.

Dus de appels en sandwiches met magere kwark waren een farce! Achter mijn rug om at mijn broertje als een koning terwijl ik werd uitgehongerd. Ik bleef op de drempel van de keuken staan en staarde naar ze als het meisje met de zwavelstokjes. David en mam keken schaapachtig op, maar niet schuldbewust genoeg. Ik voelde me alsof ik ze betrapt had op het beramen van een moord in plaats van een vroege avondmaaltijd. Uiteindelijk fluisterde ik hees: 'Mag ik ook wat?'

Mijn moeder was echter al opgesprongen en ontdeed de tafel van zijn verboden waar en veegde de cakes in de plastic dozen (dus dat bewaarde ze in die dozen!).

'Wees niet zo dwaas, Cassandra,' antwoordde ze. 'Je weet dat dat niet mag.'

'Maar ik heb hónger!'

'Er is meer dan genoeg brood en ik heb lekkere appels voor je gekocht.'

'Maar David eet het wel!'

Toen ik zijn naam noemde fronste mijn broer en stopte nog wat friet in zijn mond. Er was een klodder ketchup op zijn trui beland en zijn mond zat onder het vet, dat hij nu met de achterkant van zijn mouw afveegde. Hij was zes en geobsedeerd door Briotreinen die hij de hele middag ingewikkelde botsingen liet maken. Op die leeftijd spraken we nauwelijks met elkaar, laat staan dat we samen speelden. Onze communicatie bestond voornamelijk uit korte heftige gevechten met kussens of vuisten die er altijd mee eindigden dat ik naar mijn kamer werd gestuurd terwijl David geknuffeld werd door mam. Ik was bijna twaalf, dus ik neem aan dat ik had moeten weten dat ik mijn kleine broertje niet mocht slaan.

Wat mijn moeder vervolgens zei ben ik nooit vergeten. Zelfs nu, als ik me probeer in haar situatie te verplaatsen en me voorstel wat ik met een dikke en gepeste twaalfjarige dochter zou doen, halen die woorden me onderuit. 'David,' zei ze heel langzaam en duidelijk gearticuleerd, 'is anders dan jij. En daarom mag hij dingen eten die jij niet mag.'

Ik zou die kinderemoties ontgroeid moeten zijn. Ik zou niet zo'n hete steek van jaloezie moeten voelen om een bord friet. Ik zou erom moeten kunnen lachen, het in perspectief plaatsen. Waarom is dat niet mogelijk?

Brighton, 20 november

Lieve mam,

Hier zijn wat feiten uit mijn leven (waar ik overigens niet mee te koop loop).

Nadat je me in de trein had achtergelaten, hebben ze me bij pleeggezinnen ondergebracht en uiteindelijk geregeld dat ik in een tehuis zou worden geplaatst. Ik was toen geen lieve kleine baby meer, maar een weerspannige vierjarige, niet iets waar veel adoptieouders naar op zoek waren. Blijkbaar was ik een onrustig kind, altijd krijsen, druk en 's nachts wakker worden. De verschillende mensen die voor me zorgden deden wat ze konden, maar ik heb nooit een thuis gehad, niet zoals echte gezinnen hebben.

Ik hoop dat je je niet voor me zou schamen. Ondanks mijn wankele start heb ik altijd gedaan wat er van me gevraagd werd. Ik was een gehoorzaam kind, haalde mijn examens en zocht geen narigheid op. Ik vind het moeilijk om mensen te vertrouwen of me te hechten, dat is waar. Ook word ik soms overvallen door zo'n woede dat ik wil uithalen, iemand anders die pijn wil aandoen. En als die somberte me overvalt, kan ik alleen maar denken: wat heb ik gedaan dat je me hebt verstoten?

En, het is mijn verjaardag vandaag! Maar dat weet je al, toch?

12

Het is week vijf, de diepe vaargeul van het trimester, waarin de woelige wateren die in de haven van week één klotsen zich hebben teruggetrokken, en de kalme lagune van de kerstvakantie nog niet in zicht is. Hoe woelig de reis ook is, je kunt slechts de houtjes in de touwtjes van je oliejas steken, het roer stevig vastgrijpen en vooruit koersen.

Ik ben natuurlijk geen Ellen MacArthur, maar gewoon een overbelaste universiteitsdocent met te veel werk en te veel studenten, die vermoeid naar week tien sjokt. Dan vertrekken de studenten die in hun kielzog een neerslag van papierwerk achterlaten: verslagen die geschreven moeten worden, na te kijken tentamens, allerlei in te vullen bureaucratische formulieren, tot het eldorado van de vakantie aanbreekt. Dat is echter nog een groot aantal weken verder. Het is half november, ik ben pas op de helft met Historische Methoden en zit momenteel vast in een faculteitsvergadering, die, hoewel hij al de halve ochtend aan de gang is, nog vijf belangrijke agendapunten heeft: kale kliffen die beklommen moeten worden voor de bergafwaartse run naar het verlossende 'zijn er nog vragen?'

Ik doe alsof ik er niet ben. In Londen zou ik er niet over gedacht hebben me zo op te stellen. Daar mengde ik me luidkeels in debatten over de universiteitspolitiek, bestookte de sprekers met scherpe vragen tijdens wetenschappelijke seminars en richtte zelfs subcomités voor tentamenprocedures op. Maar om de een of andere reden zijn, sinds ik hier ben, mijn weloverwogen meningen verdampt, en is mijn zelfvertrouwen verschrompeld.

Ik leun naar voren en begin een nieuwe krabbel op de hoek van de agenda. Een cartoonmonster bedekt het grootste deel van agendapunt een, zijn uitpuilende ogen strekken zich over de absentenlijst, zijn bobbelige knieën bedekken de aantekening voor felicitaties aan dr. Ruth Brown, die onlangs van een zoontje is bevallen. De kantlijn is bedekt met slordige spiralen en een rij schoenen versiert de onderkant. Het is kinderachtig gedrag, en ik hoop dat niemand het heeft gezien. Ik kijk op en probeer me te concentreren. De voorzitter van de vergadering is Bob Stennings, de decaan van sociale wetenschappen. Hij is een grote opgewekte man, geograaf, die, voor hij decaan werd, als specialisme de ontwikkeling van waterbronnen in het Saharagebied van Afrika had. Vandaag heeft hij zich in een geruit hemd, ribfluwelen broek en gebreide das geperst. Als hij opstaat en uitgebreid over de bibliotheek begint, stel ik me hem voor als een koloniale intellectueel in wijde kaki shorts, kniekousen en wandelschoenen. Mijn geest dwaalt af en ik raak in een soort dromerige trance terwijl mijn collega's doorneuzelen. Als het allemaal dieren waren, vraag ik me af, wat zouden ze dan zijn? Jenny Montgomery, de jonge ster van de geschiedenisfaculteit, in de twintig, scherp, die net iets geestigs heeft gezegd over studenten, is makkelijk: een Siamese kat, die zelfgenoegzaam haar poten likt. John Stanley, het vermoeide hoofd van postdoctorale studies, is ongetwijfeld een krab, die met zijn uitpuilende ogen en o-benen van hot naar her rent. Bob Stennings is duidelijk een labrador. En Julian? Ik kijk in zijn richting en besef dat hij al die tijd stiekem naar me heeft zitten kijken. Een fractie van een seconde ontmoeten onze ogen elkaar, dan wendt hij zijn blik af. Wat voor dier zou híj zijn?

Mijn strategie om niet op te vallen is er een van afnemende meeropbrengsten. Steeds als Stennings vraagt om een vrijwilliger sla ik mijn armen over elkaar en staar resoluut naar mijn brede schoot. Nu probeert hij echter zeer opvallend mijn blik te vangen en ik kan hem niet langer negeren. 'Wat vind jij, Cass?'

Ik ga rechtop zitten en ontmoet zijn vragende blik met, naar ik hoop, een opgewekte en professionele glimlach. Ik begrijp niet waarom ik me zo opstel. Ik ben misschien chronisch slordig, neigend naar chaos, maar tot de afgelopen paar weken ben ik steeds een enthousiaste en actieve collega geweest.

'Dat is moeilijk te zeggen,' kraai ik, terwijl ik me probeer te herinneren waar hij het in hemelsnaam over had, 'maar ik denk dat het in principe wel een goed idee is.'

Dat vindt hij blijkbaar een bevredigend antwoord. Om de tafel knikken mensen, en de vergadering gaat over naar het volgende punt. Ik draai de pagina van de agenda om, vastbesloten om niet langer te krabbelen. We zijn bij agendapunt zes, een uitgebreid document over veiligheid op de campus, geproduceerd door het universiteitsbestuur. De strekking is blijkbaar dat vanwege verschillende incidenten op andere universiteiten – een meisje verkracht in Oxford, een docent aangevallen in Leeds – studenten en docenten identiteitskaarten zouden moeten hebben.

'Laten we gewoon rigoureus doen en voor de colleges iedereen visiteren,' zegt Julian. 'Ik bedoel, de eerstejaars zijn misschien van plan "Hedendaagse Theorie en de Ander" te kidnappen en op de bestuursraad los te laten.'

Gelach kabbelt door de zaal, gevolgd door een nors geklik van afkeuring van Madge Wernski, de beangstigend humorloze Amerikaanse secretaris van Sociale Politiek, die haar wangen inzuigt en haar armen over haar enorme boezem slaat. Aan de afkeurende blikken die ze Julian vanaf het begin van de vergadering heeft toegeworpen te oordelen, moet ze weinig hebben van zijn laconieke, niet politiek correcte standpunten. Julian is echter op dreef: 'En wat dachten jullie van het laten doorlichten van alle faculteiten? Om te bevestigen dat niemand van ons eerder veroordeeld is voor drugshandel of kinderporno. De hemel beware ons, misschien zouden we de studenten wel op hun tere zieltjes trappen.'

'Jullie steken er de draak mee, maar het is echt geen pretje om verkracht te worden,' snauwt Madge Wernski. Hierop slikken alle aanwezigen, die als één man nog meer onderuit waren gezakt en grinnikten om Julians flauwe opmerkingen, en gaan recht zitten, terwijl ze hun gezicht in de plooi trekken.

'Ik bedoel, er is een meisje gewelddadig aangevallen, niet ergens anders, maar híér, en nog maar het afgelopen trimester,' sist Madge. Haar nek is bedekt met donkerrode vlekken, zie ik, en terwijl ze kwaad naar Julian kijkt, flitsen haar ogen vervaarlijk. 'Identiteitskaarten zijn wel degelijk belangrijk. Het is van vitaal belang dat we de vrouwen in ons instituut beschermen.'

Om de tafel beginnen mensen te knikken.

'Zullen we de motie dan goedkeuren?' vraagt Bob Stennings.

Iedereen steekt zijn hand op en de vergadering gaat over naar het volgende punt. Ik leun nu met mijn ellebogen op tafel en leg mijn kin op mijn knokkels, terwijl ik naar mijn collega's glimlach alsof ik er met mijn aandacht bij ben, maar ben nog steeds niet in staat mijn gedachten te richten op wat er wordt besproken. De herinnering aan het meisje dat is aangevallen heeft een akelige en onwelkome snaar geraakt en nu heb ik nerveuze hartkloppingen. Kon ik me maar ontspannen, maar mijn gedachten dwalen alle kanten op. Ik draai de pagina om, en staar nietsziend naar een lang memo met als kop: PERIODIEK OVERZICHT DOCTORAALSTUDIES: VOORGESTELDE VERNIEUWINGEN.

Ik zou er even tussenuit moeten, denk ik, naar Londen gaan en Matt zien. Onze communicatie is echter steeds afstandelijker en gespannener geworden. Mijn bezoek aan Londen is uitgesteld en een reis van hem naar Brighton afgezegd omdat hij griep had, zei hij. En nu, steeds wanneer ik zijn – ons – nummer wil draaien, weerhoudt iets me. Hij luistert nooit, dat is het probleem. Als ik hem zou vertellen over de verschillende voorvallen die de afgelopen paar weken hebben plaatsgevonden, zou het zijn voornaamste doel zijn om te bewijzen dat ik ongelijk had, een dom klein meisje dat zich van alles in haar hoofd haalt. De telefoontjes, die nu een regelmatig patroon volgen, beginnend om zes uur 's avonds en eindigend om halfnegen, zou hij afdoen als lastig, de verdwijning van mijn sleutels en mobiel als onbeduidend, en wat me het meest angst aanjoeg, die maffe Cass die zich 'weer van alles in haar hoofd haalt'.

Het gebeurde afgelopen woensdag. Ik kwam laat thuis na het afdelingsseminar en toen ik de trap naar mijn flat op klom zag ik met een schok dat mijn voordeur openstond. Ik wist zeker dat ik hem had afgesloten toen ik 's morgens was vertrokken. Sterker nog, toen ik hem openduwde en naar binnen stapte, herinnerde ik me helder dat ik hem had dichtgeslagen toen ik me naar buiten haastte.

Mijn eerste gedachte was dat er was ingebroken. Toen ik de flat echter nerveus doorzocht, kon ik niet ontdekken dat er iets ontvreemd was. Mijn cd-speler stond nog in de zitkamer, mijn tas, waarin al mijn creditcards zaten, lag op de schoorsteenmantel. En de verzamelde werken van Shakespeare – die ik plotseling wanhopig zocht – lag nog onder het ondergoed in de la in mijn slaapkamer. Het enige dat anders was, en als ik eraan denk word ik nog wee in mijn buik, was mijn laptop. Ik had er de avond tevoren niet op gewerkt, dat weet ik zeker. In een zeldzame aanval van opruimwoede had ik hem in zijn koffer bij de deur gezet. Terwijl ik op mijn tenen de keuken in liep, zag ik dat hij op tafel stond, met het scherm omhoog en aangezet, terwijl de screensaver in verschillende vormen spiraalde.

Ik had de moed niet om te kijken wat er achter die spiralen lag. Misschien was het dwaas, maar ik sprong op de keukentrap, trok de stekker uit het stopcontact en zette het rotding af. Sindsdien heb ik hem niet meer kunnen openen.

Heb ík hem daar laten staan? Ik weet zeker dat Matt dat zou beweren. Wat voor andere verklaring zou er kunnen zijn? Toch, hoewel ik hem niets van dit alles heb verteld, en hij geen kans heeft gekregen om te reageren, raak ik, besef ik nu, steeds meer geërgerd door zijn onvermogen mijn angsten serieus te nemen. Ik weet dat ik niet eerlijk ben, toch blijft die onoverkomelijke kwaadheid, het gevoel dat ik eruit moet breken.

Eindelijk was de vergadering afgelopen. Ik ben naar mijn kamer teruggegaan en zit tussen de groeiende stapels papier op mijn bureau. Sinds vanmorgen zijn er vier nieuwe e-mails bij gekomen. Afgemat en traag open ik ze.

> Hai, Cass, is het oké als ik je vanmiddag heel even zie in verband met de werkgroeppresentatie van vanmiddag? Ik beloof dat ik zo weinig mogelijk van je tijd in beslag zal nemen! Liefs, Beth

Ik druk op 'beantwoorden' en denk aan de werkgroep van vorige week. Behalve Alec, wiens norse uitleg van de opgegeven teksten in elk geval bondig was, was Beth de enige die iets had gelezen. De anderen bloosden en schuifelden met hun voeten toen hun gevraagd werd wat ze hadden gedaan. Natalie had een boek gelezen, 'heel dik met een groene kaft', waar ze zich vreemd genoeg de inhoud niet van kon herinneren. Andy beweerde dat hij griep had gehad, de anderen hadden het over een reeks essays, die ze af moesten hebben voor hun cursus literatuurverbanden. In een andere bui zou ik hun de les hebben gelezen, of zelfs geweigerd hebben het college voort te zetten, maar hun apathie was aanstekelijk. Achteroverleunend in mijn stoel staarde ik met een oog naar hen. ‘Laten we in groepjes opsplitsen en discussiëren over het college.’

Bij dat voorstel gingen ze nog verder over hun lessenaars hangen, een paar kreunden er zelfs. Alec tuitte afkeurend zijn lippen en draaide zich met hooghartige berusting naar degenen die naast hem zaten.

Daardoor voelde ik een steek van schaamte, want tot kort geleden was ik trots geweest op mijn colleges, maar nu leek alleen Beth enthousiast bij het vooruitzicht van zo’n discussie. Ze moest mijn gezichtsuitdrukking hebben gezien, want toen ze mijn blik opving, knipoogde ze meelevend naar me. Veertig minuten later, nadat de studenten twintig minuten lang in vrijwel doodse stilte in hun groepjes hadden gezeten, en we ons door een deprimerende plenaire sessie hadden geworsteld, waarin ik een deel van het college herhaalde, liepen de studenten duf naar buiten en was zij de enige die achterbleef.

‘Niet te geloven dat ze niks gedaan hebben!’ mompelde ze, terwijl ze me hielp de stoelen en lessenaars recht te zetten. ‘Het is vast een nachtmerrie als iedereen zo lui is. En daarna wilden ze niet eens iets zeggen over het college!’ Verwijtend schudde ze haar hoofd.

Vermoeid grijnsde ik naar haar. Ik had de hele morgen college gegeven en had hoofdpijn. ‘Nou, niet iedereen. Jij en Alec zijn tenminste harde werkers.’

Daarop giechelde ze slechts, pakte haar tas en boeken en liep met lichte pas naar de deur. ‘Kan ik je later even zien, om vier uur zeg maar?’

Dat was ik vergeten! Nu ik me het briefje herinner dat ik op mijn deur had gevonden (O jee, ik ben je kennelijk misgelopen, geeft niet, liefs en kussen, Beth) typ ik ‘Prima!’ druk op ‘verzenden’ en beweeg mijn cursor omlaag.

Aan: de hele faculteit
Van: centrale administratie
Onderwerp: veiligheid op de campus
Zoals vanmorgen al door de pers is vermeld, is er gisteravond een studente aangevallen in het bos bij de parkeerplaats van het gebouw van de kunstacademie. Met het oog daarop en op vorige in-

cidenten dringt de universiteit er bij de studenten en staf op aan om extra waakzaam te zijn...

Mijn hart slaat over. Ik druk op 'verwijderen' en ga haastig naar de volgende boodschap.

Cass,
We moeten de cijfers bespreken van de tweedejaars methodologie essays. Zoals je weet was de deadline vorige week.
Bev Cope

Shit! Ik had niet beseft dat ik zo achterliep. En mijn co-examinator is Bev, professor in kritische studie, die ik nog moet ontmoeten en die beroemd is om haar fanatieke efficiëntie. Ik kijk de kamer rond, probeer de essays te lokaliseren en ontdek dat de meeste achter mijn bureau zijn gevallen. Ik zal ze nu moeten nakijken, vóór de werkgroep van vanmiddag. Ik kijk weer naar het scherm en open de volgende e-mail.

Beste dr. Bainbridge,
Ik vroeg me af of u mijn essay al had nagekeken? Het is nu meer dan vier weken geleden dat ik het aan u heb gegeven. Zoals u weet is dat de maximumtijd die docenten voor het nakijken kunnen nemen (zoals in het studentenhandboek staat).
Vriendelijke groet,
Alec Watkins

Dit laatste bericht geeft me een onaangenaam gevoel in mijn buik. Het lijkt wel of Alec de docent is die de ongezeglijke student op haar nummer zet. Mijn keel knijpt zich samen. Goed, ik ben over de deadline, maar hoe durft hij zo naar me te schrijven? Zonder na te denken druk ik op 'antwoorden'.

Ik zal je essay nakijken als ik daar tijd voor heb. Ik wil eraan toevoegen dat de toon van je e-mail me niet bevalt!
Cass Bainbridge

Met trillende handen druk ik op 'verzenden'. Nooit eerder heb ik zo kortaf naar een student gemaild. Vriendelijk en benaderbaar, dat zijn mijn voornaamste eigenschappen. Ik mag dan geen wereldberoemde wetenschapper zijn, maar ik heb er altijd een punt van gemaakt studenten met menselijk invoelingsvermogen te behandelen, in plaats van met de hooghartige arrogantie van veel van mijn succesvollere collega's. Toch is er iets aan Alec waardoor ik ijzig en ongeduldig word. Van de manier waarop hij, bijvoorbeeld, achterin zit en verwaand uit het raam staart, of geïrriteerd met zijn voet wiebelt als anderen iets proberen te zeggen, gaan mijn haren rechtovereind staan. Hij stelt zich altijd zo kritisch op. Het is alsof hij naar mijn werkgroepen en colleges is gekomen, mijn waren heeft uitgeprobeerd, weet dat ik niet goed genoeg ben, en gewoon zit te wachten op het juiste moment voor de aanval.

Kalmeer, zeg ik tegen mezelf. Alec is alleen maar een onhandige jongeman die feedback nodig heeft. Wat ik moet doen is die verdomde essays nakijken en Alec en Bev Cope allebei tevredenstellen. Terwijl ik de cursor over de laatste drie e-mails sleep druk ik op 'verwijderen', en plotseling flitst er een vierde bericht over het scherm. Het heeft geen onderwerp, alleen de naam van de afzender: loveankisses@juniper. Zonder na te denken zet ik de cursor erop.

Het bericht opent onmiddellijk.

Ik ben in je gedachten
Ik ben in je dromen
Als je me roept zal ik niet zijn waar je DENKT

Wat is dat voor nonsens? Een rondschrijven? Terwijl ik er perplex naar staar zie ik dat het alleen aan mij is geadresseerd. En er is ook een aanhangsel bij. Hoewel ik weet dat ik het niet zou moeten openen, dat het een virus kan bevatten en mijn onverantwoordelijk gedrag de hele campus kan platleggen, kan ik me niet inhouden. Ik klik op 'openen' en kijk afwachtend naar het scherm. Het is vast een grap, of iets wat Matt heeft gestuurd, een manier om een eind te maken aan de afstandelijkheid.

De computer zoemt en neuriet terwijl hij de nieuwe informatie verwerkt. Als er een vierkant verschijnt over de tekst van het bericht, volgt er een beeld. Ik verwacht een cartoon of misschien grappige porno, met hoofden van politieke leiders op een neukend paar geplakt, van het soort dat vaak rondging op mijn vorige werkplek. Waar ik echter naar kijk is een close-up van een gezicht. Het voorhoofd verschijnt als eerste, omlijst door wat krullerig donker haar. Dan zijn er ogen, en... Christus! Mijn handen vliegen in shock naar mijn mond. Het is een foto van mij.

Wel tien seconden lang kijk ik met bonkend hart scherp naar het beeld. De foto is alleen van mijn gezicht, geen achtergrond of andere aanwijzing waar ik zou kunnen zijn, of zelfs wat ik aanheb. Hij moet echter pas zijn genomen, want die rimpels om mijn ogen zijn pas van de laatste paar maanden. Ik glimlach en kijk enigszins zelfgenoegzaam, als een gemoderniseerde versie van een middelbare Mona Lisa. Moeizaam slikkend druk ik op 'verwijderen'. Ik wil er niet aan denken wie de afzender zou kunnen zijn.

Ik draai me van de computer af en, knielend op de stoffige acryl vloerbedekking, krabbel ik over de grond om de essays achter mijn bureau op te rapen. De e-mail was vast een studentengrap. Waarschijnlijk hebben al mijn collega's hetzelfde ontvangen. Als ik echter eindelijk in mijn stoel zak en aan de openingsparagraaf van het eerste essay begin, kan ik het misselijkmakende gevoel alsof ik zink niet van me afzetten.

Stik maar, ik ga hier niet langer over nadenken. Er liggen ongeveer vijftien essays voor me opgestapeld. Bijna alle studenten hebben de eerste opdracht op mijn lijst gekozen: *Bespreek de relatie tussen de methoden van geschiedschrijving en historische inhoud.*

Ik begin het eerste met plichtsgetrouwe aandacht te lezen. Als ik het blad omsla kijk ik naar het ronde, enigszins kinderlijke handschrift. Zoals ik altijd heb beweerd, wij, het nederig academisch proletariaat, die niet voldoende onderzoekssubsidies kunnen krijgen om ons te behoeden voor de ellende van het lesgeven, zouden enorm veel tijd kunnen besparen als we de essays van onze studenten eenvoudigweg beoordeelden op hun handschrift. Waarom zou je alle vijf à zes pagina's moeten doorploeteren als alles wat je moet weten op de eerste pagina staat? Netjes en priegelig, met korte alinea's betekent meestal een zeven. Grote letters met veel lussen en veel doorhalingen is vaak een zes; chaotisch gekrabbel is misleidender, want die zijn óf heel slecht óf heel goed. De raad voor hoger onderwijs zal mijn methoden misschien niet goedkeuren, maar na dit kort te hebben doorgelezen, zit het tussen de zes en de zeven. Ik ben bij het eind van het essay, schrijf wat bemoedigend commentaar en wat nuttige wenken onderaan en ga verder.

Als ik bij het tiende essay ben, is het twee uur later en draait het me voor de ogen. Eindelijk ben ik bij Alecs stuk. Dit geeft typerend genoeg niets prijs, want het is uitgetikt. Met mijn rode pen als een mes in mijn hand geklemd hou ik hem kritisch boven de openingsalinea. Eerlijk gezegd hoop ik dat het vreselijk zal zijn. Maar als ik het lees voel ik een ambivalente mengeling van professionele waardering en kinderlijke jaloezie. Ik had gehoopt dat Alec zo'n student zou blijken te zijn die Matt, immer charmant, bestempelt als: 'niet meer dan opgeklopte lucht'; het soort dat in werkgroepen het hoogste woord heeft, maar op papier geen argument uiteen kan zetten. Dat is echter duidelijk niet het geval. Terwijl ik de pagina's omsla, zie ik dat dit een van de beste studentenessays is die ik ooit heb gelezen. Hij heeft duidelijk alles van mijn literatuurlijst gelezen, plus enkele erudiete artikelen en boeken die ik niet kende. In feite ligt zijn niveau van argumenteren zo hoog, en is zijn historische en filosofische kennis zo uitgebreid, dat de gedachte dat hij mijn colleges moet uitzitten en moet deelnemen aan mijn voornamelijk klungelige werkgroepen me ineen doet krimpen.

Mijn trots inslikkend kom ik bij de prachtig uitgewerkte slotalinea en krabbel: 'Tien. Dit is werkelijk briljant. Je hebt duidelijk zeer nauwkeurig nagedacht over de onderwerpen die we tot nu toe hebben behandeld en hebt je eigen originele bijdrage aan de discussie toegevoegd. Ik ben zeer onder de indruk.'

Ik haal diep adem, leg zijn essay neer en pak het volgende. Ik hoop dat Alec niet zal klagen over mijn summiere commentaar, maar zijn essay was zo af dat ik geen verbeteringen kan bedenken. Misschien zullen mijn complimenten zijn veren gladstrijken en zal hij zich wat positiever in mijn werkgroepen opstellen. Het is mogelijk, maar niet waarschijnlijk. Met een blik op de pagina's die ik nu in mijn hand heb, zie ik Beths ronde meisjesachtige handschrift. Wat is er feministisch aan mondeling overgedragen geschiedenis? lees ik. In tegenstelling tot Alecs essay wil ik dat dit goed is. Het essay stelt niet teleur. Beth schrijft vloeiend en met enige verve, en hoewel haar argumentatie me zeer bekend is, giechel ik om de manier waarom ze de argumenten van historici die de gangbare meningen hanteren omdraait: 'In plaats van mondeling overgedragen geschiedenis af te zetten tegen "gevestigde geschiedenis" om het waarheidsgehalte te bepalen, waarom het proces niet omkeren en het laatste tegenover het eerste plaatsen? Dit zou zeker de machtsverhoudingen die zo diep verankerd liggen in de gangbare geschiedschrijving ondermijnen.'

Een zeer goed punt, goed neergezet, maar iets eraan zit me dwars. Ik zet een kriebel in de kantlijn, me afvragend wat het is. Voor ik echter de gedachte kan uitwerken gaat de telefoon.

'Met Bev Cope,' blaft de stem aan de andere kant van de lijn. 'Luister, ik ren van het ene college naar het andere en ga morgen naar de VS. Kunnen we die cijfers telefonisch afhandelen?'

Ik voel de kleur uit mijn gezicht wegtrekken. 'Ik rond net een afspraak met een student af,' lieg ik. 'Ik bel je over vijf minuten terug.'

Tien minuten later, nadat ik de rest van Beths essay vluchtig heb doorgelezen, plus dat van Andy dat gelukkig maar twee pagina's besloeg, ben ik twaalf cijfers met Bev overeengekomen. Tot mijn opluchting had ze niet de behoefte om de inhoud van de essays te bespreken en onze cijfers waren bijna identiek. Ik zet ze op een formulier van het examenbureau, onderteken het en gooi het dan in het postvakje van het faculteitskantoor. Ik had meer tijd moeten besteden aan het nakijken, maar hopelijk zal het niemand opvallen. Ik las een moment van ontspanning in na deze onverwachte uitbarsting van activiteit en spoor mezelf aan om Matt te bellen, als er op mijn deur wordt geklopt en Beth naar binnen loopt.

Ik heb haar sinds de werkgroep van vorige week niet gezien en ze ziet er magerder uit, haar gezicht heeft een gekwelde gespannen uitdrukking. Even denk ik dat er iets mis is, als ik me schuldbewust het briefje herinner dat ze op mijn deur had geprikt, maar zodra ze me ziet, klaart haar gezicht op. 'Hallo!'

'Ha, Beth. Ik heb net je bericht beantwoord.'

Ze knippert met haar ogen alsof ze zich probeert te herinneren waarover ik het heb, dan haalt ze haar schouders op. 'O hemel, maak je geen zorgen! Ik weet dat je het vast razend druk hebt.'

'En, wat is er?'

Ze draalt in de deuropening met haar tas over haar borst geslingerd. Ze maakt een meer verlegen indruk dan in de werkgroepen, haar gezicht is onzeker en nerveus, alsof ze uit haar evenwicht is gebracht nu ze me in een andere context ziet. 'Ik vroeg me af of je misschien een kop koffie met me wilt drinken of iets dergelijks,' mompelt ze. 'Ik bedoel, als je tijd hebt...'

Ik kijk naar de essays en dan uit het raam naar de gouden herfstmiddag en snak er plotseling naar om buiten te zijn, waar de zon mijn gezicht verwarmt, in het gezelschap van een lief en makkelijk iemand.

'Oké, dat lijkt me prima.'

Buiten vinden we een lege bank en gaan we zitten met de thermoskan die Beth te voorschijn heeft getoverd. Er is ook een wortelcake die ze zelf heeft gemaakt. Gretig schrok ik de verse oranje plakken naar binnen, terwijl ik met mijn hand de tailleband van mijn harembroek losser trek om meer ruimte te maken. Al dit sublimatieeten heeft mijn middel minstens vijf centimeter breder gemaakt.

Het is een mooie dag. Boven ons zijn de bomen geel geworden en de lucht is vinnig koud, een glimp van de aanstaande winter. Toch zou ik hier graag de hele dag zitten zonnen in de zwakke novemberstralen. Om ons heen zwerven studenten opgewekt naar hun colleges; ik hoor de campuskraaien krassen en in de verte het maaien van gras. Dat geluid herinnert me aan de zomers van mijn jeugd: pa met de maaimachine, David en ik die in en uit de sproeistraal renden.

'Ik hoop dat je dit allemaal niet voor mij hebt gedaan,' zeg ik terwijl ik de kruimels van mijn vingers lik. Naast me knabbelt Beth als een muisje aan een piepklein plakje.

'O, ik ben dol op koken. Ik doe het heel vaak. Het is helemaal geen moeite.'

'Nou, het is zalig.'

Ze verkruimelt de cake tussen haar vingers en veegt de stukjes van haar spijkerbroek op het gras. Ze heeft ermee gespeeld alsof ze at, zonder werkelijk een hap door te slikken. 'Hou ik je van je werk af?'

Ik schud mijn hoofd. 'Om je de waarheid te vertellen, het is een opluchting om even pauze te nemen. Ik heb essays nagekeken en ik werd er een beetje scheel van. Je studiegenoot Alec Watkins nam de moeite om me eraan te herinneren dat het tijd werd dat ze terugkwamen.'

Ik ben onredelijk, weet ik, want het was Bev Cope die me de aanzet gaf om met nakijken te beginnen, maar ik heb de totaal onprofessionele drang om mijn irritatie over Alec met iemand te delen. Beths hand zweeft over de laatste kruimels, ze kijkt nog steeds omlaag, maar haar lippen krullen zich in een voldaan lachje. 'Hij kan nogal lastig zijn, hè?' zegt ze, naar me opkijkend. Haar ogen glinsteren.

'O, hij is oké,' zeg ik, meteen gas terugnemend. 'Alleen lijkt hij altijd zo krítisch...'

Ik zou meer willen zeggen, maar hou me in. Ik had geen blijk moeten geven van mijn persoonlijke antipathie jegens Alec. Beth is tenslotte ook student, niet een van mijn collega's. Ik wil op een ander onderwerp overgaan als ze vervolgt: 'Hij is eigenlijk een beetje vreemd. Ik bedoel, hij zit de godganse dag in de computerruimte te pielen.'

Ik trek mijn wenkbrauwen hoog op. 'Te pielen?'

Ze barst in lachen uit waarbij ze thee over haar schoot sproeit. 'Zo bedoel ik het niet!' Ze port me met haar elleboog in de ribben en slaat haar hand voor haar mond als een klein meisje dat betrapt is op vieze woorden zeggen.

'Wat bedoel je dan met pielen?'

'Hij zit altijd te e-mailen. En als je dan langs hem loopt om bij de printer te kunnen schreeuwt hij naar je dat je weg moet, alsof hij losgeldbriefjes schrijft, of naar een kinderpornosite kijkt waarvan hij niet wil dat je het ziet.' Ze veegt met haar handen over de theevlekken en kijkt plotseling ernstig. 'Hij geeft me echt de griezels.'

Ik trek een gezicht omdat ik daar niets op weet te zeggen.

Maar ze is nog niet uitgesproken. 'Het is eigenlijk heel gênant. Ik bedoel, het is niet alleen hoe hij zich in de computerruimte gedraagt. Het is, zeg maar, ook wat hij over je cursus zegt.'

Ik omklem mijn plastic beker vaster en ben ineens een en al aandacht. Misschien moet ik snel op iets anders overgaan, want ik weet zeker dat ik het niet prettig zal vinden wat ik te horen krijg, maar in plaats daarvan slik ik en zeg: 'Zoals wat?'

Beth grijnst. Natuurlijk heeft ze geen idee hoe paranoïde ik me voel.

'O, je weet wel,' zegt ze luchtig. 'Alles wat hij over je zegt over jou en de cursus. Ik heb erg mijn best gedaan de anderen over te halen niet naar hem te luisteren, maar hij kan zijn standpunten heel goed overbrengen.'

Die woorden zijn net pijlen in mijn huid. Ik krijg het eerst koud en dan warm. 'Hoe bedoel je?' Ik probeer een vaste stem te houden, maar tot mijn vernedering klinkt hij heel beverig. 'Wat voor dingen zegt hij over me?'

'Van alles. Dom geklets eigenlijk.' Ze lacht minachtend. Misschien was ze er liever niet over begonnen. Ze kan in elk geval geen benul hebben hoe meelijwekkend onzeker ik me voel. Uiteindelijk zegt ze: 'Alleen maar dat het heel slecht is uitgedacht en saai. Hij schijnt te denken dat hij het veel beter zou kunnen.'

Haar luchtige, bijna spottende toon maakt duidelijk dat ze hem niet serieus neemt, maar dat biedt weinig troost. Het is precies zoals ik dacht, pieker ik, terwijl ik van diepe wanhoop vervuld word. De beste derdejaars heeft me doorzien en verkondigt het nu rond: Cass Bainbridge bakt er niets van. Het is alsof ik in mijn gezicht ben gestompt; verdoofd door de schok van de gewelddadige verrassingsaanval, de blauwe plekken beginnen al pijn te doen. Ik probeer te slikken, maar er zit een enorme brok in mijn keel. Ik zou me Alecs mening niet zo aan moeten trekken, en toch doe ik dat, heel erg.

'Maak je niet druk om hem,' zegt Beth koel. 'Neem me niet kwalijk, maar het is een lul.'

'En wat vinden de anderen?'

Ik kijk in haar onbezorgde gezicht. Voor haar is niets van dit alles belangrijk.

'O god,' zegt ze giechelend. 'Wat maakt het uit? Luister, Cass, jouw cursus is geweldig, maak je maar geen zorgen. Alec is gewoon een hufter. Hij denkt gewoon dat hij beter is dan iedereen.'

Ik knabbel op mijn onderlip. 'Hij kan waarschijnlijk wat irritant zijn...' mompel ik.

'Hij werkt iedereen op de zenuwen! Weet je hoe ik hem noem? Robo Alec!'

Ondanks mezelf grinnik in mijn plastic beker. Beth heeft gelijk, denk ik, terwijl de vernedering van het horen van kritiek uit de tweede hand al afneemt. Hij is gewoon een misselijk jochie. 'Niet Wiekse Alec?' zeg ik flauw.

Het is absoluut niet grappig, maar de puberale opmerking beurt me bijzonder op, vooral als Beth het uitproest.

'Nou,' zeg ik terwijl ik eindelijk mijn gekwetste gevoelens voorrang geef boven mijn professionele oordeel, 'ik heb tenminste een paar aardige studenten in mijn groep.' Ik geef Beth een klopje op haar knie en sta op. Er stromen steeds meer studenten naar Blok D, de eb en vloed van de dag worden geleid door de magnetische aantrekkingskracht van de collegezalen. Beth gaat ook staan. We hebben hier maar een minuut of tien gezeten, maar in die korte tijd ben ik onbedoeld haar bondgenoot geworden: wij tweeën tegen de betweters van deze wereld.

'Ja,' zegt ze met een knipoog. 'En je hoeft je nooit zorgen te maken over wat ík denk.'

Ik werp haar een scherpe blik toe. Goed, juffie, ik ben even niet op mijn hoede geweest. Forceer het niet. Maar aan de brede glimlach die ze me schenkt, zie ik dat die subtiliteiten haar ontgaan. Als we naar de trap lopen verwacht ik half dat ze mijn hand pakt om naast me te huppelen.

Kijk, iedereen! Cass is míjn vriendin! Maar natuurlijk doet ze niets in die geest, ze zegt alleen zangerig: 'Toedeloe,' en slentert weg over het gras.

13

Nu is het kwart over drie en ondanks mijn goede bedoelingen ben ik tien minuten te laat voor de werkgroep. Ik heb mijn aantekeningen, ik heb de stapel nagekeken essays, ik heb wat uitgeprint materiaal over feministische methodologie. In één hand hou ik een snel afkoelende plastic beker koffie, en mijn papieren, tas en kantoorsleutels in de andere. Ik voel me ontzettend nerveus, mijn ingewanden wringen zich in kronkels terwijl ik de trap met twee treden tegelijk neem. Ik wist dat de cursus niet briljant verliep, maar Beths opmerkingen hebben mijn ergste vermoedens bevestigd. Nu bestaat er een echte kans op studentenrevolte met Alec – hooivork in één hand, revolutionaire verhandeling in de andere – voorop. Ik zou een of andere drastische actie moeten ondernemen, maar voel me zo somber na Beths onplezierige nieuws dat mijn brein alleen maar defensieve tegenaanvallen spuit. Toen ik studeerde las ik altijd wat er op de lijst stond. Dit stel doet nooit enig werk, ze klagen alleen maar. Nu, als ik de zaal nader, hoor ik een laag geroezemoes. Hebben ze het over mijn tekortkomingen? Ik zet de gedachte resoluut van me af, duw de deur open waarbij ik mijn stapel papieren op de grond laat vallen en de rest van mijn bagage op de tafel plof. Dit doe ik al jaren, het is zo dwaas je te laten ondermijnen door een enkele student.

'Sorry dat ik te laat ben, mensen… Ja, bedankt voor het oprapen, Beth, deel ze maar uit.'

Met een plof ga ik zitten en kijk door de zaal, die meteen stil is. Tien gezichten staren terug naar me. Tot mijn verrassing zijn ze niet vervuld van kritische minachting, maar aandachtig respect. Misschien overdreef Beth, denk ik met een klein vleugje hoop, misschien is er niets aan de hand.

'We zullen even wachten tot Beth weer zit, en dan beginnen we…'

Ik kijk rond. Ik ken inmiddels al hun namen uit mijn hoofd en krijg een steeds beter beeld van hun persoonlijkheden, van wie elkaar wel en niet mogen. Nicola en Emma bijvoorbeeld zijn boezemvriendinnen, maar mogen Andy Dubow niet, die hen steeds onderbreekt met zijn onhandige opmerkingen. De verpleegsters zitten altijd bij elkaar, maar zeggen weinig tenzij hun rechtstreeks iets gevraagd wordt. Ook zij werpen elkaar nogal eens veelzeggende blikken toe als Andy aan het woord is. Alec praat met niemand. Momenteel hangt hij in zijn stoel achter in de zaal terwijl het ongenoegen uit al zijn norse poriën lijkt te sijpelen. Als Beth langs hem heen naar een lege stoel loopt, kijkt hij op en fronst. Ze doet alsof ze het niet ziet, gooit haar hoofd achterover. Als ze neerploft, haar boeken uitspreidt en in haar tas graait, werpt ze hem echter een blik toe die bijna triomfantelijk lijkt. Als hun ogen elkaar ontmoeten, wendt hij stuurs zijn blik af en mompelt iets en ik word getroffen door iets wat ik niet eerder had gemerkt: er is iets gaande tussen hen.

Die gedachte is op een vreemde manier geruststellend. Achteroverleunend neem ik de zaal in me op. Ondanks het ongewoon warme weer voor de tijd van het jaar staat de verwarming hoog, waardoor het warm en muf is, als een auto in de zomer waarin honden opgesloten zitten. Overbodige jassen en truien hangen over de ruggen van stoelen; bibliotheekboeken liggen in stapels op de tafel. Ik schraap mijn keel en strijk mijn aantekeningen glad.

'Zo,' zeg ik. 'Allereerst, hier zijn jullie nagekeken essays. Sorry dat het zo lang duurde.'

Ik schuif de essays over de tafel naar hun eigenaars. Als ik bij dat van Alec ben, geef ik het aan Natalie om het aan hem door te geven, maar ze geeft het aan Beth, die het gretig aanpakt. Al omdraaiend laat ze haar ogen dwalen over wat ik achterop heb gekrabbeld, en schuift het langzaam naar Alec. *Briljant! Dit is uitstekend...* Terwijl hij op zijn essay wacht heeft hij kennelijk dat van Beth in handen. Op zijn onderlip kauwend bekijkt hij het minachtend en werpt het terug op tafel. Ik forceer een flauw glimlachje. 'Alec, dat was fantastisch. Een van de beste studie-essays die ik ooit gelezen heb.'

Zijn schouders trekken en er verschijnt iets op zijn gezicht dat ik daar nog niet eerder heb gezien: opluchting, misschien, zelfs blijdschap. Dan sluit hij zich weer af en trekt het essay uit Beths handen, draait het om en bestudeert mijn commentaar. Misschien zullen mijn vleiende opmerkingen hem wat milder stemmen, denk ik ongelukkig. Beth buigt zich inmiddels over haar eigen werk, dat ze nu van de tafel heeft gepakt. Ik dacht dat ze blij zou zijn met mijn bemoedigende commentaar en de negen min die ze heeft gekregen, maar haar wangen en hals zijn bedekt met paarse vlekken.

'Gaat het wel?'

Ze draait zich om en kijkt op met een van haar stralende glimlachen. 'Prima, dank je, Cass.'

'Goed zo, dan kunnen we beginnen.'

Ik kijk naar mijn aantekeningen en herinner me dat zij deze week de presentatie moet geven. Goddank is het niet Alecs beurt, die ongetwijfeld de gelegenheid te baat zou nemen om de hele cursus te saboteren met een felle aanval op alles wat vooraf is gegaan. Terwijl ik het beeld van Alec op het podium, wijzend naar een overhead projectie getiteld: *Historische Methoden: de huichelachtige praktijken en elementaire fouten van dr. C. Bainbridge*, uit mijn gedachten schrap, richt ik me tot Beth.

'Zo, wil je de spits afbijten, Beth? Je zou een voorlopig verslag van je project geven, nietwaar?'

Schaapachtig glimlachend staat ze op. De anderen stoppen met het bestuderen van hun gecorrigeerde essays en openen hun notitieblokken met hun blikken verwachtingsvol op Beth gericht. Uit de zaal naast ons klinkt een lachsalvo. Het is een klas van Julian Leigh, en, te horen aan wat er door de dunne scheidingswand sijpelt, hebben ze reuze plezier.

'Vandaag wil ik mijn project "feministische stemmen van generatie op generatie" bespreken,' kondigt Beth voor de klas aan. 'Of, misschien moet ik zeggen: "Haarstorie".'

Ze giechelt, duidelijk in haar sas met het woordgrapje. Het is echter een van de meest afgezaagde clichés uit de feministische geschiedenis, maar in haar onervaren ogen zal het wel spitsvondig lijken. Met mijn armen over elkaar leun ik achterover in mijn stoel. Het is belangrijk dat ik me concentreer.

'Cass en ik zijn allebei enthousiast over wat ik van plan ben te doen, wat er in principe op neerkomt dat ik alle generaties vrouwen in mijn familie ga ondervragen over hoe ze tegenover het feminisme staan en de verschillende posities van vrouwen in de maatschappij.' Met een zwierig gebaar pakt ze haar aantekeningen en vervolgt: 'Maar eerst wil ik iets zeggen over methoden. Bij het vergaren van mondeling overgeleverde geschiedenis is het heel belangrijk om het verband tussen narratief en identiteitsstructuur te begrijpen.'

Deze laatste zinnen spreekt ze langzaam uit om haar medestudenten de tijd te geven het op te schrijven. Ik laat mijn oogleden een fractie zakken en pieker over Alec. Waar precies maakt hij bezwaar tegen in mijn cursus? Ik dacht zelf dat het een redelijk solide en interessant resumé was. In Londen heb ik nooit klachten over die cursus gehad. Trouwens, wie denkt hij verdomme wel dat hij is? Naast me is Beth nog steeds aan het woord. 'Zoals collegae historici al enige tijd hebben opgemerkt, we moeten niet alleen scherp luisteren naar wat mensen zeggen, maar ook naar wat ze ongezegd laten...'

Achter in de zaal snuift Alec minachtend, ongetwijfeld vanwege het pompeuze 'collegae historici'. Misschien is Beths gewichtige taalgebruik wat dwaas, maar niettemin werp ik hem een geïrriteerde blik toe.

'Het zijn de hiaten en stiltes die veelzeggend zijn, evenzeer als de inhoud en overheersende stijlfiguren in de dialoog met degene die vertelt.'

Net als de studenten zou ik korte aantekeningen moeten maken en moeten nadenken over commentaar op de presentatie, maar het is zo warm in de zaal dat ik mijn ogen voel dichtvallen. Misschien zou ik Alec moeten vragen na te blijven om zich nader te verklaren, denk ik chagrijnig. Of misschien moet ik dapper zijn en de groep vragen me een spontane evaluatie te geven van mijn functioneren tot dusver. Ik zou kunnen zeggen dat ik een 'troubelshooting sessie' wil houden om eventuele tekortkomingen op te sporen. Dan zou ik hun klachten rechtstreeks het hoofd kunnen bieden. Ik zou een samenwerkingsverband tussen studenten en docent kunnen opzetten en we zouden de cursus opnieuw gestalte kunnen geven, volgens hun specificaties. Zou de raad voor hoger onderwijs dat niet toejuichen?

Het idee alleen al maakt me nog vermoeider. Met een wazige blik staar ik naar Beth, terwijl ik me afvraag of ik me niet moet omscholen tot specialiste in aromatherapie of iets met voedsel, een biologische boerin, misschien? Ik zou geiten kunnen houden, mijn eigen brood bakken...

'... in veel maatschappijen, bijvoorbeeld, vinden vrouwen misschien dat bepaalde onderwerpen, zoals politiek of religie een mannendomein is...'

'Sorry? Mag ik even onderbreken?'

Mijn ogen schieten open: achter in de zaal prikt Alec met zijn pen in de lucht. Hij heeft vast ook last van de warmte want zijn voorhoofd glimt. Naast hem is Beth opgehouden met spreken en kijkt hem met kille minachting aan. Goed zo, meisje, denk ik, laat je door hem niet uit het veld slaan.

'Kun je je vragen bewaren tot na de presentatie?' zeg ik ijzig.

Hij fronst humeurig. 'Nou, ja...'

'Goed. Aan het eind hebben we tijd voor vragen.'

Ik knik naar Beth dat ze moet doorgaan, maar Alec onderbreekt me. 'Het gaat hierom,' zegt hij half opstaand alsof hij door energie wordt gestuwd, een menselijke raket gericht op mijn cursus. 'Wat ik wilde zeggen was dat ik dacht dat jullie allemaal zouden willen weten dat jullie in plaats van aantekeningen te maken bij wat Beth zegt, net zo goed *Maatschappij en geschiedenis* kunnen raadplegen, deel eenentwintig, juli 1999. Ze citeert de inleiding, bijna woord voor woord.'

Hij zwijgt met een gezicht vol rode vlekken. Het is zo stil in de zaal geworden dat ik door de scheidswand Julian duidelijk kan horen zeggen: 'Dat is precies de tegenstelling die ik jullie voorleg, die Derrida zo bloemrijk heeft weergegeven.'

Naast Alec is Beth bewegingsloos verstijfd als een kind dat de stoelendans speelt. De andere studenten zijn gestopt met schrijven en leunen achterover terwijl ze haar met hernieuwde aandacht aankijken. Ik schraap mijn keel. Ik moet snel iets zeggen om te laten zien dat ik de boel nog onder controle heb, maar ik weet niet wat. Een van de voornaamste problemen is dat ik de inleiding bij *Maatschappij en geschiedenis*, deel eenentwintig – essentiële literatuur voor de cursus – niet gelezen heb. Ik sta op en kijk naar ik hoop verrast naar Alec. 'Wat maakt je daar zo zeker van?' vraag ik scherp.

Hij is nu gaan zitten en tikt met afkeurende getuite lippen op een stapel papier voor hem op tafel. 'Ik heb hier een kopie recht voor me liggen. Ik heb de punten een voor een gevolgd. Ze heeft het stukje over vergelijkend onderzoek overgeslagen, maar we zijn momenteel op pagina vier, alinea twee.'

Achter in de zaal fluistert Andy iets en zijn buurman, een onopvallende gemiddeld intelligente jongen in legerbroek en sportschoenen, barst in lachen uit.

'Goed, bedankt.' Ik kijk Alec koel aan. 'Het is prettig om te weten dat er iemand oplet. Beth moet dus wat duidelijker zijn over haar bronnen.'

'Zeg dat wel.'

Deze keer lachen er verschillende studenten, maar Alec glimlacht niet. Ik vouw mijn armen over mijn borst en knik naar Beth om door te gaan. 'Vermeld volgende keer je bronnen, Beth,' zeg ik rustig. Ik wil iedereen duidelijk maken dat ze zich alleen schuldig heeft gemaakt aan slordigheid, niet de vreselijke academische misdaad van plagiaat, waar iedere eerstejaarsstudent tijdens de eerste weken op de universiteit voor wordt gewaarschuwd en waarop als ultieme straf zakken voor de cursus staat. Toch hindert me iets, een gedachte die achter in mijn hoofd zoemt, als een gevangen bromvlieg. 'Wil je misschien meteen doorgaan met de bespreking van je project?'

Maar Beth antwoordt niet. In plaats daarvan blijft ze bij de tafel staan en staart Alec woedend aan. Haar handen fladderen langs haar zijden alsof ze een denkbeeldig zwaard wil grijpen om haar aanvaller mee te vellen. Iedereen houdt zijn adem in, er heerst een onnatuurlijke stilte, die elke seconde zwaarder en zwaarder wordt, een enorme zwarte wolk, op het punt open te barsten.

'Beth?'

Bij het horen van haar naam draait ze zich om en ontmoet mijn blik.

'Ja?'

Ik sta op het punt te herhalen dat ze moet verdergaan, als de bromvlieg ontsnapt. Ik krijg letterlijk een schok, mijn vingers beginnen te tintelen. Dát was er zo vreemd aan haar essay! Ik wíst dat het me bekend voorkwam, maar wat ik niet opmerkte was dat met uitzondering van een paar verfraaiingen, de originele auteur niet

Beth was, maar ík! Onnozel staar ik haar aan terwijl ik elke alinea voor de geest probeer te halen: *In plaats van mondeling overgeleverde geschiedenis af te zetten tegen 'gevestigde geschiedenis' om het waarheidsgehalte te bepalen, waarom het proces niet omkeren, en het laatste tegenover het eerste plaatsen?* Geen wonder dat ik het slim vond! Ik heb het geschreven in de inleiding van mijn eigen proefschrift! Hoe kon ik zo'n ongelooflijke domkop zijn?

'Waarom ga je niet meteen door met de bespreking van je project?' mompel ik zwakjes. Ik voel me zo vernederd en nederig dat ik wel onder de tafel wil kruipen en janken als een gewond dier. Ik heb de essays veel te snel gelezen en wilde Beth te graag een goed cijfer geven, begrijp ik nu, innerlijk jammerend van zelfverwijt. Ik zal de gevreesde Bev Cope moeten bellen om mijn fout uit te leggen en te bespreken wat voor disciplinaire maatregelen er genomen moeten worden. Zoals iedereen die het te horen krijgt – en het zal het sappigste verhaal van het trimester worden – zal ze me voor een complete imbeciel houden. Want terwijl het niet opmerken van plagiaat in sommige gevallen vergeeflijk is, bijvoorbeeld bij het nakijken van het werk van studenten die een andere cursus volgen, zoals Bev Cope pas heeft gedaan, het niet opmerken van plagiaat van eigen werk is vergelijkbaar met een arts die niet opmerkt dat zijn patiënt is overleden.

Beth haalt diep adem en kijkt de zaal rond. De kleur keert terug op haar gezicht, de crisis is voorbij. 'Het spijt me,' zegt ze neutraal. 'Ik weet dat ik mijn inleiding op dat artikel heb gebaseerd. Ik was alleen niet zeker over het geven van referenties. Ik wist niet dat het allemaal zo belangrijk was.'

Ik staar haar aan. Het lijkt wel of mijn mond vol klei zit. 'Dat is oké,' zeg ik. 'Maar kun je na dit uur even naar me toe komen? Ik wil nog iets anders met je bespreken.'

Weer een brede stralende glimlach. 'Ja natuurlijk, Cass. Met plezier.'

Een uur later staat ze voor mijn kantoor te wachten, opgewekt neuriënd tegen de muur geleund, alsof er geen vuiltje aan de lucht is. Als ik naar haar toe loop zwaait ze onbekommerd. Ik glimlach ongemakkelijk naar haar. Het lijkt alsof iets groots en giftigs mijn luchtpijp blokkeert. Omdat ik haar niet recht aan wil kijken frutsel ik onnodig met mijn sleutels, duw uiteindelijk de deur open en struikel naar binnen. Het overige halfuur van het seminar voelde ik alleen maar slecht verhulde paniek om – zo probeerde ik mezelf wijs te maken – mijn simpele nalatigheid, die me echter zonder twijfel tot de risee van de faculteit zal maken. Gelukkig waren de andere studenten zo onder de indruk van Alecs aanval op Beth, dat ze niet opmerkten hoe somber en afwezig ik was. We besteedden een kwartier aan het bespreken van Beths plannen, nog tien minuten met vragen die ik opgaf voor de volgende week en ik besloot de werkgroep tien minuten te vroeg. Zodra ik de deur uit was beende ik naar mijn kantoor, in de vage hoop dat de puntenlijsten voor de nagekeken essays nog niet naar de examencommissie waren gegaan. Maar natuurlijk was het postbakje UIT leeg en mijn plan voor een snelle herziening van Beths cijfer ging niet door.

'Zo,' zeg ik als Beth op het puntje van de stoel tegenover me zit, 'ik denk dat het tijd is voor een gesprek.'

Ze kijkt me stralend aan en heeft nog steeds niet in de gaten hoe van streek ik ben. 'Dat zou ik echt geweldig vinden.'

Ik kijk naar mijn broek en trek verstrooid aan een los draadje bij een van de naden. 'Het gaat over je essay,' flap ik eruit. Ik voel mijn hart sneller gaan. Het is belachelijk, maar ik heb het gevoel dat ik Beth teleurstel in plaats van andersom. Tot de werkgroep was ik bijna vergeten dat ze maar een student was. Niet alleen had ze me in vertrouwen genomen, ik op mijn beurt had haar ook dingen toevertrouwd. En nu zal dat allemaal teniet worden gedaan met wat ik op het punt sta te zeggen.

'Ik ben zo blij dat je het goed vond,' antwoordt Beth. 'Ik was eigenlijk ontzettend zenuwachtig voor je beoordeling.'

Ik kijk haar aan. Ik zou waarschijnlijk kwaad moeten zijn, maar ze glimlacht zo onschuldig naar me dat ze zich kennelijk niet bewust is van haar vergrijp. 'Eigenlijk heb ik je een verkeerd cijfer gegeven,' zeg ik langzaam. 'Ik ben bang dat ik je moet vragen het terug te geven zodat ik het kan veranderen.'

Als ik dat zeg leunt ze naar voren met een verbaasd gezicht. 'Hoezo?'

Ik haal adem en probeer mijn stem in bedwang te houden. 'Omdat, zoals je vast wel weet, je het volledig hebt overgeschreven uit mijn proefschrift. Het kwam me bekend voor, maar je moet je secundaire bronnen vermelden, anders wordt het gezien als plagiaat. Dus ben ik nu bang dat ik het moet afkeuren.'

Ik verwachtte opluchting nu ik dat gezegd had, maar de uitdrukking op Beths gezicht maakt dat ik me slechter voel, in plaats van beter. Ze lijkt diep gekrenkt, haar ogen zijn groot van schrik, haar onderlip trilt. Ze is zo bleek dat ik bang ben dat ze flauw zal vallen.

'O!'

'Dat wist je toch zeker wel?' zeg ik. Het was niet mijn bedoeling, maar mijn stem klinkt scherp van afkeuring. Allemachtig, wil ik sissen, denk je echt dat ik zit te slapen? 'Misschien weet je nog steeds niet hoe je met secundaire bronnen moet omgaan,' vervolg ik. 'Hoewel ik dat vreemd vind voor een derdejaars. Je hebt toch wel enig idee hoe slecht dat eruitziet?'

'Natuurlijk,' fluistert Beth. 'Ik weet het.' Tot mijn ontsteltenis laat ze haar hoofd in haar handen vallen.

'Waarom heb je het gedaan?' zeg ik op mildere toon.

Nu is ze in tranen uitgebarsten en verbergt met diepe, schokkende snikken haar gezicht achter haar handen. Een deel van me wil haar geruststellend tegen me aan drukken, maar iets anders houdt me tegen. Woede misschien, omdat ze me zo voor schut heeft gezet. Als ze opkijkt, is haar gezicht nat en er hangt een snotbel aan haar neus. Als ze hem met de achterkant van haar mouw afveegt fluistert ze: 'Het is gewoon een stomme toestand. Ik zweer het je, Cass, het was een vergissing.'

'Maar hoe dan? Je weet toch wat er van je verwacht wordt?'

'Ik denk dat ik het klad van mijn essay heb ingeleverd,' zegt ze. 'Zo had ik het opgeschreven, zonder bronvermelding en zo, om het alvast in mijn hoofd te krijgen. Toen heb ik het herschreven, en die versie had ik moeten inleveren.'

Ze zwijgt, schudt nog steeds haar hoofd en snikt. Ik staar naar haar, terwijl ze daar zo klein en kwetsbaar zit in mijn versleten kantoorstoel. Ik wil haar geloven, maar weet niet of ik het kan.

'Echt waar,' zegt ze. 'Ik verzin het echt niet...'

'En waar is nu dan die andere versie?'

Nu begint ze weer te snikken, haar schouders schokkend van

wanhoop. 'Ik dacht dat dat essay het klad was! Ik heb het weggegooid! Ik kan bijna niet geloven dat ik zo stom heb kunnen zijn!'

Ik wilde zeggen: ik ook niet, maar na mijn eigen bepaald niet slimme gedrag komt me dat wat hypocriet voor. In plaats daarvan kijk ik naar haar terwijl ik probeer te besluiten wat ik moet doen.

'Wat gaat er met me gebeuren?' vraagt ze.

'Ik weet het niet,' zeg ik langzaam. 'Het probleem is dat dit essay meetelt voor je algehele prestatie in deze cursus, en die wordt, zoals je weet, weer meegenomen in de eindbeoordeling bij je afstuderen. En nu moet ik het terug zien te krijgen en je cijfer veranderen.'

'Kom ik nu in de problemen?'

'Ik moet het in elk geval aan de decaan melden.'

Er heeft zich een belletje tussen haar lippen gevormd. Als ze uitademt, klapt het en laat een glinsterend straaltje speeksel op haar kin achter. Haar schouders schokken nogmaals en ze zucht, zo zwaar dat het lijkt alsof de lucht uit een gesprongen band stroomt. 'O god!'

'Luister, waarschijnlijk hoef je alleen maar het essay opnieuw te schrijven. Zo erg zal het niet zijn.'

'Maar krijg ik wel een aantekening?'

'Dat weet ik niet. Ik denk van niet, als we kunnen aantonen dat het werkelijk een vergissing was. Het hangt waarschijnlijk deels af van wat de andere examinator denkt. Misschien moeten we het naar de onafhankelijke commissie sturen.'

Even denk ik dat ze opnieuw gaat huilen, maar in plaats daarvan beheerst ze zich, gaat rechtop zitten en kijkt me aan. 'Alsjeblieft, Cass,' fluistert ze. 'Ik weet dat ik er een zootje van heb gemaakt, maar ik was vorige week in alle staten, ik had het gewoon helemaal gehad. Ik bedoel, ik wil je niet vervelen met wat er gaande was, maar ik heb dat essay als eerste klad geschreven, en toen, zoals ik zei, heb ik de verkeerde versie ingeleverd. Er was van alles mis en ik kon me niet echt concentreren. Het was niet mijn bedoeling het zo in te leveren. Het was gewoon een stomme fout.'

Ik kijk naar haar groezelige gezicht. Haar mascara loopt in donkere strepen over haar gezicht waardoor ze eruitziet als een surrealistische clown. Buiten is de zwakke herfstzon ondergegaan en de duisternis valt over de campus. Ik voel een steeds diepere, overweldigende vermoeidheid over me neerdalen.

'Je moet het herschrijven...' begin ik, maar Beth laat me niet uitspreken.

'Eerlijk gezegd, Cass, kan ik me nu nergens op concentreren. Daarom zit ik nu zo in de nesten. Het komt door al dat andere, en als ik hier in de problemen kom, is dat de laatste druppel, dat weet ik gewoon...' Ze stokt en haar stem stijgt onheilspellend.

Ik leun naar haar over en pak haar hand. Smekend kijkt ze naar me op.

'Wat is er aan de hand?'

'Het gaat om mijn zogenaamde ouders. Die kunnen alleen nog maar schelden. Er komt allerlei ellende los en volgens mij gebruiken ze mij als excuus, als de pispaal, of wat ook? En vorige week, toen dat allemaal gebeurde, kon ik gewoon nergens anders aan denken.'

'Ik begrijp het.'

'Alsjeblieft, Cass, zie het voor deze ene keer door de vingers. Ik zweer je dat ik nooit meer zoiets stoms zal doen.'

Ik kijk naar haar smalle besmeurde gezicht, haar rode ogen en verwarde haar, en denk aan hoe ik Bev Cope en de examencommissie moet bellen, hoe ik de puntenlijst moet terugvragen en mijn fout aan de decaan moet rapporteren. Ik bedenk me dat ik pas vijf weken hier werk en een van de meest getalenteerde studenten al actie tegen me voert. Ik denk aan mijn belachelijke houding in de vergadering van deze ochtend en de stapel onaangeroerde administratie die zich van mijn kamer meester maakt, als onkruid. Ik denk aan het feit dat mijn positie hier op voorlopige basis is en hoe Matt zich zou verkneukelen als ik het hier niet red. En dan doe ik iets dat ik in Londen nooit ook maar zou hebben overwogen: ik steek mijn hand uit, leg hem op Beths elleboog, en hoor mezelf zeggen: 'Oké dan, Beth. Voor deze ene keer zal ik het door de vingers zien.'

14

Nog is de dag niet voorbij, want er is de werkgroep Postkoloniale Narratieven, die om vijf uur vanmiddag begint. Vorige week heb ik die overgeslagen onder voorwendsel van verkoudheid en aangezien ik vanmorgen zichtbaar gezond en wel was, kan ik er niet onderuit. Ik knoop mijn jas dicht en haast me over de campus naar de collegezaal waar de voordracht wordt gehouden. Professor Maurice Salsberg is de spreker, een historicus van aanzien met een leerstoel in Californië, en ik ben aan de late kant. Als ik de trap af ren die naar Blok A leidt kraken de bladeren onder mijn voeten. Vijf uur eerder genoot ik van de warme zon, maar nu die weg is verdampt mijn adem in witte wolkjes. Het is minder druk op de campus, in plaats van naar de colleges te stromen lopen de studenten die ik passeer in de tegenovergestelde richting, verlangend om te ontsnappen.

Als ik bij de deur van de collegezaal ben, trek ik hem open en nadat ik hem zacht achter me heb dichtgedaan, sluip ik langs de achterste rij. Het is afgeladen, de voordracht is al begonnen. Op de voorste rij zie ik de achterhoofden van Jenny Montgomery en Julian. Iets verderop zit Madge Wernski ingeklemd tussen een voornaam uitziende Zuid-Aziatische man met een bril en geitensik. Het is een goede opkomst. Er zijn hier wel meer dan veertig postdoctoraal studenten, bereken ik en nog zo'n twintig docenten. Hoewel ik mijn methodologiegroep aan het begin van het trimester op de hoogte heb gesteld van deze werkgroep, is alleen Alec regelmatig aanwezig. Nu ik ga zitten zie ik dat hij twee rijen voor me zit.

Fronsend kijk ik naar de overhead projectie waarnaar professor Salsberg gebaart. Ik kan me de titel van de voordracht van vandaag niet herinneren, maar tijdens mijn onderzoeksperiode heb ik me sterk laten leiden door zijn internationaal befaamde monografie:

Ondergeschikte stemmen: en het thema van uitsluiting in de nieuwe wereldorde, dus ben ik erop gespitst hem in levenden lijve te zien. Het is een intense, kleine man van achter in de veertig met een kort baardje, diepblauwe ogen en een huid die gebruind is door de Californische zon. Hij draagt een spijkerbroek en button-down overhemd, het uniform van de academische mannelijke veertiger, en heeft net een flauwe grap gemaakt over de Britse spoorwegen waarop het publiek reageert met beleefd gelach.

Ik schroef de dop van mijn vulpen en schrijf zijn naam en de datum op het notitieblok dat ik bij me heb. Salsberg zegt iets gezaghebbends over de theoretische achtergrond van zijn werk: Bromisch klassieke analyse van laat-kapitalistische familieverbanden. Foucaults werk over psychiatrische inrichtingen, uiteráárd, en dan de enorme lijst poststructuralistische theorieën, die ons natúúrlijk bekend is. Mijn collega's knikken als kenners. Links van mij is de deur net opengegaan en een schuldig kijkende Beth is naar binnen geschuifeld.

Ze gaat naast me zitten en trekt haar jas verlegen uit. De enige die verwijtend omkijkt, is Alec. Ik verwacht half dat hij zijn vinger op zijn lippen zal leggen en 'Sst' zal zeggen, als een vrome gelovige in een kerk vol ondeugende kinderen, maar als hij zijn blik op Beth richt, fronst hij alleen. Als ik zie hoe hij zich weer naar Maurice Salsberg omdraait, herinner ik me iets waar ik koud van word. Hij heeft Beths essay gezien. Daar had ik eerder niet aan gedacht, maar nu herinner ik me hoe hij haar werk oppakte, de dicht beschreven vellen vluchtig doorkeek en het met zichtbare afkeer op tafel terugsmeet. Hij is zo belezen en zo achterdochtig dat het heel goed mogelijk is dat hij doorhad dat ze mijn werk had gekopieerd. En zeker heeft hij ook gezien wat voor cijfer ik haar had gegeven.

Huiverend klem ik mijn pen in mijn hand en schrijf automatisch over wat Maurice Salsberg op de projector heeft geflitst: *Verloren levens en gestolen stemmen: de Indische kinderen van de Oost-Indische Compagnie, 1750-'80*. En ondanks mijn façade van ijverige aandacht hoor ik geen woord, want mijn gedachten zijn in een spiraal van ongerustheid en spijt terechtgekomen. Ik had nooit moeten toestemmen om Beths essay te laten passeren, dat besef ik nu. Ze was weliswaar vreselijk overstuur en het is waarschijnlijk ook waar dat ze zich echt vergist heeft, want wat zou ze winnen bij zo'n makkelijk te ontdekken en eclatante fraude? Maar nu ze niet meer voor me in mijn kantoor zit te snikken, kan ik me niet meer herinneren waarom ik zo meegaand was.

Stel dat Alec inderdaad heeft gezien dat het essay een kopie was van mijn werk? Hij zou naar de decaan kunnen gaan, of zelfs naar de rector magnificus, en hoe zou het er dan uitzien? Als ik het zou moeten uitleggen zou ik de keuze tussen twee opties hebben, allebei even onwenselijk. De eerste: toegeven dat ik niet gezien heb dat ze mijn eigen werk had gekopieerd zou me voor schut zetten. De tweede: dat ik het wel had gezien, maar had laten passeren, wat mij zou betrekken in haar bedrog, een ongehoorde schending van mijn rol als docent. Met een misselijk gevoel staar ik wazig naar Salsberg. Hij staat voor de projector zodat zijn schaduw op het scherm wordt vergroot, en zegt iets met vrome stem over een verhaal wat hij hoopt te mogen vertellen. Het is een verhaal over verloren jeugd, over racisme en genadeloze wreedheid. Het is van groot belang, tenminste wat de nederige spreker betreft – hij slaat zijn armen over elkaar en zwijgt een ogenblik alsof hij een motivatiespreker is in plaats van een gerespecteerd geleerde op het gebied van Brits kolonialisme – dat het een casus *par excellence* betreft van hoe de staat de geschiedenis van de beroofden in de doofpot heeft gestopt, of liever, volledig heeft gewist. Naast me zucht Beth en laat haar kin op haar handen rusten.

Oké. Wat ik gedaan heb is nogal ongebruikelijk, maar op moreel humaan niveau was het de juiste handelwijze. Beth houdt zich dapper, maar het kind heeft het heel moeilijk. Is het echt zo erg dat ze haar bronnen is vergeten te vermelden? Het essay dat ze heeft weggegooid zou waarschijnlijk maar zo'n tien punten minder hebben gehad dan dat wat ik heb nagekeken, wat maar een fractie is van haar eindresultaat. En als Alec aan de bel trekt, zal ik terugvallen op beschamende onwetendheid. Vastbesloten om de hele zaak van me af te zetten, dwing ik mijn aandacht terug naar de voordracht.

'Ik baseer dit op een serie essays die ik in de British Library heb opgevist als onderdeel van een ander project over Anglo-Indiërs,' zegt Salsberg lijzig. 'Natuurlijk horen we niets van de kinderen zelf. Ze worden niet eens bij name genoemd, slechts geregistreerd als afhankelijken onder hun vaders naam. Wat we echter kunnen opmaken is dat tijdens die cruciale tien jaar verrassend veel Anglo-Indische afstammelingen van het imperialistische bestuur systematisch in de steek zijn gelaten, hetzij in India, hetzij in de straten van Londen, nadat ze bij hun moeders waren weggehaald en naar Engeland verscheept, waar ze vervolgens weer in de steek werden gelaten door hun zogenaamde Engelse familie.'

Ik zweet. Deze nadruk op kinderen is nieuw in het werk van de prof. Zijn bekendste boek ging over de relatie tussen koloniaal bestuur en de weergave van de geschiedenis, dus dit is niet wat ik verwachtte. In de muisstille collegezaal heeft zijn stem een theatrale, dramatische klank: de man is er duidelijk aan gewend totale aandacht te krijgen. 'Vrijwel niets is bekend over de omstandigheden waarin deze kinderen naar Engeland werden gestuurd,' vertelt hij ons, terwijl hij bedachtzaam over zijn baardje strijkt, alsof hij nadenkt over een schaakzet. 'Wat we uit náúwgezet onderzoek weten, waarbij ondergetekende zorgvuldig fragmenten van brieven, verslagen van bepaalde liefdadigheidsinstellingen in Oost-Londen heeft gereconstrueerd, evenals een werkelijk ontzagwekkend verhaal van John Taylor, een tachtigjarige Anglo-Indiër die in de laatnegentiende eeuw in Hackney woonde, is dat veel kinderen door hun vaders naar Engeland werden gestuurd, waarschijnlijk om maatschappelijke redenen. Bij aankomst merkten ze dan dat ze door hun Engelse half-familie bepaald niet enthousiast werden ontvangen. In de steek gelaten rond de havens van Londen en Liverpool kwamen velen eenvoudigweg om. Anderen werden opgevangen door liefdadigheidsinstellingen, en zoals John Taylor leidden ze dan een leven als bedienden, bedelaars en zwervers. Toch laat onderzoek van de papieren van betreffende families zien' – en hij heeft enkele kinderen die als passagier op de boten uit Calcutta geregistreerd waren kunnen traceren – 'dat die kinderen vrijwel uit hun collectieve geheugen zijn gebannen.'

Hij zwijgt, kijkt dramatisch om zich heen, beent naar het spreekgestoelte, dat iets te hoog voor hem is, en legt zijn handen erop. 'We komen terug op dit detail van wissen,' zegt hij, 'maar laten we intussen terugkeren naar John Taylor. Wat we hier hebben is een oude, Anglo-Indische man, van onbekende ouders, die in de archieven van het armenhuis staat geregistreerd als zwerver. Toch werd zijn levensgeschiedenis, ongelooflijk genoeg, opgetekend door ene Mary Dunbury, waarschijnlijk als missiezuster werkzaam bij de armen in Londen...'

Hij draait zich om van het spreekgestoelte en laat zijn stem enthousiast stijgen. 'Wat ik gered heb is een uitgebreid verslag van de herinneringen van de oude man aan een verpauperde jeugd waarin hij op straat in Oost-Londen leefde. Hij heeft het ook over vroege herinneringen aan wat, afgeleid uit de namen, Bengalees blijkt te zijn. Natúúrlijk is het een probleem om vast te stellen hoeveel we uit zulke herinneringen kunnen afleiden.'

Natúúrlijk. Ik sluit mijn ogen en laat de woorden over me heen kabbelen.

'Laten we dit idee van herinnering als denkbeeldig 'ns uitbouwen. Hoe ver kan dat gaan? Is een van de problemen niet dat geschiedenis in gebroken richting naar ons wordt teruggekaatst, als een reeks vervormingen in lachspiegels?'

Om me heen mompelen mensen instemmend; sommigen luisteren alleen maar, terwijl anderen aantekeningen maken. Ik draai mijn pen in mijn vingers rond. Als herinnering denkbeeldig is, wie ben ik dan om deze gedachten te hebben? Het is per slot van rekening deel van wat ik het hele trimester doceer, maar nu lijkt het bedrieglijke academische arrogantie. Het is makkelijk genoeg om in een voordracht te verklaren dat alles wat we over het verleden weten vervormd is, maar als dat werkelijk zo is, hoe weten we dan wie we zijn? En wat zou de eminente Californische voorzitter van culturele studies afleiden uit mijn herinneringen?

Nadat hij dit punt duidelijk heeft gemaakt, beschrijft Salsberg in detail de herinneringen van de oude John Taylor. Ik kan echter niet meer luisteren. Dus onze verhalen zijn een web dat we weven om onszelf in te verstrikken. En toch zijn de beelden vaak zo sterk dat het is alsof ik ze kan aanraken. Zou het kunnen dat ze slechts door mijzelf zijn geweven? David en ik, zittend op de vloer van de badkamer met handdoeken om onze schouders terwijl mam ons haar op luizen doorzocht? Het avondeten op onze schoot terwijl we naar Blue Peter keken, het brood en de melk met suiker die ze ons gaf als we ziek waren. En later haar gehandschoende handen bonkend op het stuur. 'Ik heb er genoeg van!' En hoe haar ogen rood waren terwijl ze niet huilde. En de aanjagers, die me terug slingeren, als een steen die in het water plonst. En de ziekelijk zoete geur van de bruine pillen bijvoorbeeld, die maanden in huis bleef hangen. Gemorst bier, gebarsten plastic bekers en de bruine velours gordijnen die de nacht buitensloten. En al die maanden later 'Love Will Tear Us Apart' en de ondraaglijke stank van gedroogde vis.

En dan die andere gedachte, die ene waartegen ik vecht sinds de nederige Salsberg zijn verhaal over wreedheid, racisme en beroving is begonnen. Kunnen mensen werkelijk uit het verleden worden gewist? Of duiken hun sporen altijd weer op? Bij die gedachte hap ik naar adem en ga staan. Plotseling en heel dwingend moet ik hier weg, omdat ik geen adem meer krijg. Terwijl ik naar mijn jas graai helt de zaal en mijn blik wordt wazig. Misschien is het de benauwde collegezaal, ik snak naar de koude novemberlucht. Maar als ik overeind sta, stopt Salsberg midden in zijn zin en ik voel zo'n vijftig paar verwachtingsvolle ogen op me gericht.

'Ja, mevrouw?' zegt Salsberg luid. 'Hebt u een vraag?'

Ik staar hem aan. Mijn adem komt in horten en stoten, mijn oren lijken zich te vullen met het geluid van harde golven. Het collectieve publiek staart naar me en wacht op een slimme opmerking of doordachte vraag. 'Nee,' antwoord ik ten slotte. Mijn stem klinkt zwak en hulpeloos. Ik kan nauwelijks ademhalen. 'Excuseert u me alstublieft.'

Dan loop ik langs Beth en bevrijd mezelf van de smalle banken en wankel door de deur.

15

Zo gauw ik buiten sta voel ik me beter. Ik leun even tegen het koele beton van Blok A en zwelg in de stilte. Als mijn ademhaling gekalmeerd is, doe ik mijn jas dicht en begin naar de parkeerplaats te lopen. Het lijkt wel of ik griep krijg. Dat zou verklaren waarom ik zo koud en rillerig werd.

Snel loop ik over de lege campus. Een deel van de recente discussie over de veiligheid concentreerde zich op de armzalige verlichting rond het universiteitsterrein, en nu zie ik waarom. Vanaf de gebouwen en de hoofddoorgangen leiden de smallere paden op deze maanloze avond naar een diepe duisternis. Wensend dat het hier niet zo verlaten was, sla ik linksaf en haast me over de betonnen promenade die naar het grote parkeerterrein voert. De beveiligingsmensen die zich hier verdekt opstellen en bestraffende stickers op de ruit van fout geparkeerde auto's plakken zijn naar huis, de studenten die ik een uur geleden passeerde, verdwenen. Het zou wel middernacht kunnen zijn in plaats van net na zessen. Aan de andere kant van de bomen hoor ik het geraas van de vierbaansweg. Ik knerp door hopen gevallen bladeren en versnel mijn pas. Ik kan nauwelijks zien waar ik loop.

Mijn toenemende angst negerend kom ik aan het eind van de promenade en sla rechtsaf de trap af die naar het parkeerterrein voert. Iemand loopt achter me aan. Ik hoor het zachte gepiep van rubberzolen op het asfalt en instinctief draai ik me om, maar kennelijk is de persoon nog ver weg, want ik zie alleen de contour van de promenademuren en een meter of driehonderd verderop de Blokken A en B oplichtend in het donker, als oceaanschepen. Het is natuurlijk volkomen redelijk dat iemand anders ook naar het parkeerterrein loopt. Daar is niets beangstigends aan. Luid neuriënd loop ik langs de vakken die vanmorgen vol auto's stonden, maar die nu voornamelijk leeg zijn, als een mond waar de tanden uit zijn geslagen. Te horen aan de voetstappen achter me, lopen ze in dezelfde richting. Ik kijk steeds over mijn schouder, maar zie nog altijd niets. Met mijn autosleutels tussen mijn vingers geklemd been ik steeds sneller naar het eind van het parkeerterrein, waar ik de Kever op een smalle strook gras naast een rij bosjes heb neergezet. Ik had vanmorgen eerder moeten zijn en de beste plek bij de goed verlichte weg moeten inpikken.

Liep de persoon achter me maar de andere richting uit. Hoe dichterbij de voetstappen komen, hoe angstiger ik word, maar nu ben ik te bang om me om te draaien en te kijken wie het is, dus kan ik alleen maar zo snel mogelijk naar de geborgenheid van mijn auto lopen. Mijn hart springt bijna uit mijn borstkas, in de duisternis zoek ik wild waar hij staat. Het klinkt alsof iemand vlak achter me is. Ik weet zeker dat ik ademhalen hoor en dan heel duidelijk het schrapen van een schoen op het asfalt. Ik dwing mezelf niet in paniek te raken, maar een schreeuw van angst zit in mijn keel, wachtend om bij de minste uitdaging uit mijn mond te barsten.

Eindelijk zie ik de Kever. Ik spring erheen, en ram de sleutel in het slot. Zodra het portier openklikt duik ik naar binnen en druk alle slotknopjes omlaag. Als ik het sleuteltje in het contact steek en mijn voet hard op het gaspedaal druk, glijdt de auto halverwege de grasstrook. Modder spat op de ramen en de wielen tollen.

'Verdomme!'

Ik gooi de auto in zijn achteruit, draai hem met een ruk terug op het asfalt en denk er nu pas aan de koplampen aan te doen. Eindelijk ben ik in de juiste positie. Ik zet hem in zijn een en dwing mezelf te kalmeren. Als de koplampen van de Kever over het verlaten parkeerterrein zwaaien huil ik bijna. Maar, natuurlijk, precies zoals ik verwachtte: er is niemand.

Als ik thuiskom loop ik rechtstreeks naar de keuken, plof mijn billen neer op de trap en werk een hele zak donuts naar binnen, die sinds het weekend verleidelijk in de broodtrommel hebben liggen wachten. Ik eet zo snel dat ik het zachte, besuikerde deeg nauwelijks proef, en prop ze met trillende vingers in mijn mond. Als de zak eenmaal leeg is, loopt er jam over mijn kin en zijn mijn handen helemaal vettig. Dan, alsof de twee kwaden elkaar zouden opheffen, rook ik drie sigaretten achter elkaar, nog steeds ineengedoken op de trap terwijl ik mezelf weer onder controle probeer te krijgen.

Ik begin een neurotisch wrak te worden. Ook word ik te dik. Ik maak de bovenste knoop van mijn broek los, duw de laatste peuk uit op mijn bord en sta resoluut op. Ik ga doen wat ik elke avond op dit tijdstip doe. Ik ga naar de berichten op mijn antwoordapparaat luisteren.

Het apparaat staat in de gang en knipoogt onheilspellend naar me. Terwijl ik op de afluisterknop druk slik in ongemakkelijk. Er zijn de laatste weken zoveel vreemde telefoontjes geweest dat ik niet aan het gevoel kan ontsnappen dat, alsof er een net op de bodem van de donkere oceanen is geworpen, het apparaat iets griezeligs heeft gevangen.

Bericht nummer een is niet, zoals ik verwachtte, van mijn spook, maar van Sarah.

'Met mij,' zegt ze met een vreemde stem. 'Luister, gaat het wel goed met je? Ik heb net je sms ontvangen, en ik maak me een beetje ongerust. Kun je me bellen?'

Ze klinkt vreemd: bezorgd, maar ook formeel en enigszins kleinerend alsof ik een beginneling op het werk ben of haar au pair. Ik kan me niet herinneren dat ik haar een sms'je heb gestuurd, dus moet ze het mis hebben, maar ik voel me niet sterk genoeg om te bellen en te vragen wat ze bedoelt.

Bij de volgende twee berichten is er alleen de gebruikelijke stilte, ademhaling en dan een klik. Bij bericht zes klinkt er nog iets, een laag gemompel. Het gaat ongeveer een minuut door en breekt dan af. Misschien gebruikt de beller een mobiel dat geen goed bereik heeft, of heeft Poppy op de knoppen van Sarahs telefoon gedrukt zonder dat ze het merkte. Hoe dan ook, het geluid bezorgt me de rillingen. Berichten zeven, acht en negen zijn slechts klikken, als opnieuw de hoorn wordt neergelegd.

Bliep. De berichten zijn beëindigd. Ik sta op en loop nerveus naar mijn slaapkamer. Ik wil er niet bij stilstaan dat de telefoon nog steeds af en toe overgaat gedurende de avond. Misschien moet ik gewoon de stekker eruit trekken. Als ik bij de deur ben, tuur ik somber naar binnen. Ik heb het huis de laatste paar weken steeds meer verwaarloosd. Ik neem mijn onopgemaakte bed in me op, de rommel van theekoppen, tijdschriften, half gelezen boeken en lege pizzadozen, het resultaat van een week lang 's avonds alleen. Overal liggen vuile kleren, elk kledingstuk markeert mijn chaotische gang naar bed: mijn harembroek ligt nog steeds bij de deur zoals ik hem heb laten vallen, een blouse plus een bonte verzameling vesten en topjes zijn over de stoel gedrapeerd. Het bed is omgeven door gedragen onderbroekjes en beha's van een week, neergeworpen langs de rand van het kussen, als zwemmerskleren op het strand. Zelfs ik moet toegeven dat het er walgelijk uitziet.

Ik sluit de deur. Ik zou moeten opruimen, maar zonder Matt om me aan te sporen met zijn eigen huiselijke ijver kan ik me er niet toe zetten. Ik schuifel terug door de gang en raap een stapel oude kranten op die tegen de muur ligt. De logeerkamer is de volgende deur. Daar zal ik ze in leggen.

Ik open de deur, stap de kleine ruimte in en staar door het donker naar de verhuisdozen die Matt en ik daar aan het eind van de zomer hebben neergezet. Terwijl ik de kranten op een van die dozen laat vallen, loop ik verder de kamer in. Achterin is een ingebouwde kast, zie ik. Hier kom ik zo zelden en die kast is me niet opgevallen bij mijn eerdere invallen.

Met mijn hand over de muur strijkend loop ik door de kamer. Misschien kan ik hier wat boeken opslaan, of hem zelfs als kantoor inrichten. Nu zie ik nog iets anders: boven aan de muren boven het lichtroze behang, is een verbleekte sierstrip met springende konijnen. Het ziet eruit alsof het met de hand is gesjabloond, een rommelige doe-het-zelfklus die nu stof en spinnenwebben aantrekt. Ik zal eroverheen moeten schilderen, denk ik, en sla de kastdeuren open.

Het duurt ongeveer een seconde voor ik duidelijk zie wat daarbinnen ligt. Op het eerste gezicht lijkt het een stapel houten spijlen, als tralies in een gevangeniscel. Erdoorheen aan de andere kant steekt een hoofd zonder lichaam. Vluchtig geschokt knipper ik met mijn ogen voor ik besef dat het niet meer is dan een babyledikantje dat zijdelings is neergelegd. Als ik mijn hand door de spijlen steek, trek ik er een grote lappenpop uit, mijn afgehakte hoofd. Het glimlacht schaapachtig in de schemerige kamer: geel wollen haar en roodgeverfde wangen gevangen in het schijnsel van de ganglamp. De pop voelt wat vochtig aan. Ik laat hem terug in de kast vallen, waar hij naast een nachtlampje terechtkomt dat versierd is met plaatjes van Humpty Dumpty. Dus dit was een kinderkamer. Doug en Jenny moeten een kind gehad hebben. Ik sluit de deuren met een onredelijk gevoel van ergernis. Ze hadden verdomme hun rotzooi mee moeten nemen.

En dan gaat de telefoon weer. Ik heb het werkelijk gehad. Ik ren de gang in en grijp de hoorn vast. 'Ja?'

Het is stil, dan zegt een vrouwenstem, nauwelijks hoorbaar: 'Cass?'

'Daar spreek je mee.'

'Met Beth.'

Ik zucht van opluchting. Het klinkt alsof ze in een kroeg is, want ik hoor geroezemoes en muziek op de achtergrond. Wel een beetje verrekte laat om nu te bellen, juffie, denk ik, ik hoop dat het belangrijk is.

'Beth! Wat is er?'

Weer volgt er een langdurige stilte waarin ik het gerinkel van glazen hoor en nu en dan gelach. Er is iets aan de hand, denk ik, er is iets gebeurd.

'Het is oké,' zegt ze. 'Ik bel vanaf mijn werk.'

'Vanaf je werk?'

'Deze stomme kroeg.'

En nu weet ik zeker dat ze huilt, want ik hoor haar snotteren, het moeizame ademen. Ik heb zo'n lange dag achter de rug, maar als ik me ons gesprek van vanmiddag herinner, valt de uitputting van me af en ben ik opnieuw de Cass die ik mag: zorgzaam en aardig, de docent bij wie studenten hun toevlucht zoeken. 'Ben je er nog?' vraag ik zacht.

'Cass,' fluistert ze.

'Wat is er?'

'Het spijt me zo dat ik je lastigval. Ik kon niet eerder bellen want ik moest mijn werk afmaken, en nu is het zo laat...'

'Geeft niet. Vertel me gewoon wat er is.'

'Alsjeblieft, Cass, kan ik je zien?'

'Natuurlijk, maar wat is er gebeurd?'

'Ik...' En nu breekt haar stem en worden de tranen haar de baas. 'O god, Cass, ze hebben me het huis uitgegooid.'

16

De bar waar Beth werkt is een grote naar bier ruikende gelegenheid aan de boulevard, verscholen onder de met meeuwenpoep bedekte bogen. Dit is niet het trendy deel van de stad, waar de boulevard een aaneenschakeling is van clubs en hippe boetieks. Dit is de verkeerde kant van de pier: een rij dichtgespijkerde cafés, het trottoir onder de hondenpoep en druipende bemoste zuilen tegenover een verlaten minigolfbaan en een rij met zeildoek afgedekte kermisattracties. Iets verderop is de plek waar ik Beth op de eerste dag van het trimester mee naartoe nam om thee te drinken.

Als ik dichterbij kom, hoor ik het gebonk van *dance*-muziek en stel me de zwetende deinende massa binnen voor. Het lijkt wel een levend organisme, een pulserend dier dat zijn hete dampende adem uitstoot in de nachtlucht. Misschien was het ooit een Edwardian theehuis, maar nu zijn de chique grote vensters dichtgespijkerd en bedekt met aanplakbiljetten voor optredens en dj's, en de met staal versterkte deuren worden bewaakt door uitsmijters in zwarte jassen met headsets. Ze staren me kauwgom kauwend en emotieloos aan als ik me naar hen toe haast.

Beth zei dat ze buiten zou staan, maar ze is nergens te bekennen. Het is bijna sluitingstijd en groepjes jonge mensen zwermen het trottoir op en over de brede boulevard van de weg langs zee. De novembernachtlucht is ijzig, de feestvierders lopen dicht tegen elkaar aan en trekken hun jassen strak om zich heen. Ik kijk nauwlettend naar hun gezichten, en tuur in het donker in de hoop Beth te ontwaren. Ze kijken laatdunkend terug terwijl ze me in zich opnemen met een snelle oogopslag: te oud, niet iemand die erbij hoort. Ook ben ik niet gekleed op zo'n koude avond. Ik ren de weg over, ik moet zo snel mogelijk terug naar de beschutting van mijn auto. Eigenlijk zou ik hier helemaal niet moeten zijn. Ik zou in bed moeten liggen, niet hierbuiten op reddingsmissie. Ik kijk op naar de perfecte zilveren cirkel van de maan, de rode gloed van de stadshemel. De waarheid is dat ik blij was met een excuus om mijn flat te ontvluchten.

Dan zie ik haar, gehurkt op het trottoir, met haar hoofd in haar armen alsof ze slaapt, haar haar valt over haar knieën. Ze moet het ijskoud hebben, ze heeft alleen een wijde spijkerbroek en een kort T-shirt aan, studentenkledij bij uitstek. Ze zit recht onder een grote versierde straatlantaarn en in het onnatuurlijke licht ziet haar huid er gevlekt en blauw uit. Als ik de straat oversteek, kijkt ze op. Haar ogen zijn rood en gezwollen, haar wangen opgezet. Als ze me ziet, glimlacht ze opgelucht en staat beverig op. Ze moet erg eenzaam zijn, besef ik als ze uit het licht stapt. Waarom zou ze anders gedwongen zijn haar universiteitsdocent om hulp te vragen in een noodsituatie, in plaats van vrienden? De gedachte overspoelt me met medelijden en ik loop vaster terwijl mijn keel zich samentrekt.

Als ik bij haar ben sla ik mijn arm om haar schouders en neem haar mee naar de overkant. 'Sorry dat ik zo laat ben. De auto wilde niet starten. Gaat het?'

Ze knikt. 'Ik had je niet op deze manier moeten lastigvallen, maar ik kon niemand anders bedenken die ik kon bellen... Ik was net klaar met werken en toen drong het plotseling tot me door.'

'Maak je geen zorgen.'

Ze heeft het heel koud, haar huid is kil en doods. Als mijn vingers haar arm aanraken, merk ik hoe mager ze is. Op de universiteit verbergt ze dat onder haar wijde kleren, maar vanavond voel ik de breekbare contour van haar ribben, als die van een klein gewond vogeltje. Ze heeft bijvoeding nodig, lepels vol voeding in haar mond, zoals Sarah Poppy voedt. Als ze tegen me aan leunt, schokt ze van de diepe hevige rillingen.

'Je hebt me niet verteld dat je in een bar werkt,' zeg ik in een poging haar aan het praten te krijgen.

'Het is een shitbaan.'

'Het is vast heel moeilijk om dat naast je studie te doen.'

'Hoe kom ik anders aan geld?'

Ik neem haar mee naar de auto en bedenk hoe het studentenleven is veranderd sinds mijn tijd toen zelfs de types van rijke komaf, die op hazenjacht gingen en met strohoeden op de cocktailparty's in May Week verschenen, een beurs kregen. Beth zwijgt en staart voor zich uit naar de maanverlichte zee en de fonkelende neonlichten van de pier. Na een tijdje hou ik op met kletsen, laat mijn zware leren jack van me afglijden en leg hem om haar schouders. Ik wil haar in dekens wikkelen en warme whisky met honing voeren.

Als we bij de Kever zijn, glijdt ze zonder een woord te zeggen op de voorbank.

'Weten je pleegouders waar je bent?' vraag ik, over haar schoot leunend om haar portier dicht te trekken. Het is misschien niet de meest tactvolle vraag, maar ik wil zeker weten of ze echt de deur uit is gezet of is weggelopen. Ze draait zich om en kijkt me geschokt aan. Eindelijk hebben haar wangen wat kleur gekregen. 'Het zijn mijn ouders niet!' sist ze. 'Dat hebben ze vanavond maar al te duidelijk gemaakt!'

Met haar vuist tegen haar mond gedrukt schudt ze heftig met haar hoofd en wendt haar blik af van mijn onderzoekende ogen. Ik start de motor en rij weg langs de donkere boulevard. Ik zou geïrriteerd kunnen zijn omdat ze weigert me te vertellen wat er gebeurd is nadat ik zo vriendelijk ben geweest haar op te halen, maar ik heb de laatste maand zoveel tijd alleen doorgebracht dat mijn voornaamste emotie opluchting is. Dit is een rol waar ik me in thuis voel, aardige, zorgzame Cass, niet de paranoïde persoon die al de bibbers krijgt als ze over een parkeerterrein loopt. En als er iemand steun nodig heeft, is het Beth. Ze blijft ineengedoken op de voorbank zitten, haar gezicht strak van ellende, haar vingers op haar spijkerbroek geklemd. Als ik voor mijn flat stop, werpt ze me een sombere blik toe en fluistert: 'Je kunt me ook gewoon bij het station afzetten. Ik bedoel, ik wil je niet tot last zijn.'

'Maar waar zou je dan heen gaan?'

'Dat weet ik niet.'

Haar stem klinkt meelijwekkend, alsof ze eraan gewend is om in de steek gelaten te worden.

'Hemel, meisje,' roep ik terwijl ik haar een bemoedigend kneepje in de arm geef, 'doe niet zo belachelijk! Blijf vannacht bij mij en morgen regelen we iets anders, oké?'

Als we binnen zijn, redder ik rond, zet koffie, haal mijn warmste trui uit de nog onuitgepakte koffers die ik in de hoek van de slaapkamer heb geschoven en probeer de nep kolenhaard aan te krijgen. Beth zit in kleermakerszit op de vloer in de woonkamer en houdt een beker in haar witte handen. Verdrinkend in mijn trui met haar ingevallen gezicht en trillende schouders ziet ze er zo'n tien jaar jonger uit dan de levendige jonge vrouw aan wie ik gewend ben geraakt: een klein verdwaald meisje.

'En,' zeg ik terwijl ik naast haar ga zitten, 'wil je erover praten?'

Ze trekt een gezicht en nipt van haar koffie. 'Het is zo laat,' mompelt ze. 'Je wilt vast naar bed.'

'Dat geeft niet. Ik kan toch nooit slapen.'

Even raak ik met mijn hand haar schouder aan. Wat ik echt wil doen is mijn armen om haar heen slaan en haar stevig omhelzen. Maar op het moment dat ik haar aanraak krimpt ze ineen. Even later mompelt ze: 'Ik had nooit moeten geloven dat ze mijn familie waren.'

Ik zwijg even en vraag dan zacht: 'Wat is er gebeurd?'

'O, je weet wel, de gebruikelijke shit. Natuurlijk kan ik nooit op tegen hun echte dochter, dat is onmogelijk.'

'Wat wilden ze dat je deed?'

Ze haalt onverschillig haar schouders op, alsof het niet langer belangrijk is. 'Gewoon minder mezelf zijn en meer zoals zij. Een engel. Altijd de beste van de klas, briljant in alles, bla bla bla.'

'Dat moet heel moeilijk voor je zijn.'

Ze snuift verachtelijk. Plotseling lijkt ze veel ouder, op haar gezicht verschijnt een woede die ik nog niet eerder heb gezien. 'Ach ja, het zijn mijn ouders niet. Dat zijn ze nooit geweest en zullen ze ook nooit worden. Ik ben net als jij, Cass, ik ben helemaal alleen.'

Ze stokt, laat haar hoofd in haar handen vallen en verbergt haar vingers in haar warrige haar. Als de trui van haar armen glijdt, zie ik met een schok dat ze bedekt zijn met rode en paarse vlekken, opkomende blauwe plekken. Als ze opkijkt is haar gezicht uitdrukkingsloos. 'Het is mijn schuld,' zegt ze en haar stem is toonloos, alsof ze een routebeschrijving leest of een boodschappenlijstje. 'Ik maak altijd dezelfde fout, mijn hele stomme leven al.'

Er volgt een lang zwijgen, resoluut pak ik haar hand en neem hem in de mijne. Ze kijkt op en onze ogen ontmoeten elkaar weer.

'Luister,' zeg ik, 'weet je zeker dat ze je niet meer in huis willen hebben? Misschien moet je het alleen maar met hen uitpraten.'

Het klinkt zo lam, zo gedachteloos, dat wat iemand die andermans problemen onder het tapijt probeert te vegen zou zeggen. Meteen schaam ik me, maar Beth geeft me niet het felle antwoord dat ik verdien. 'Het is te laat om te praten,' zegt ze zacht.

Ik hou haar koude vingers tussen mijn handen en concentreer me uit alle macht. Net als toen we ontbeten aan het begin van het trimester bezorgt haar verhaal me een schuldgevoel. Ik had tenminste een goede start, een eigen moeder en vader en broer. Er was nooit sprake van dat ik bij niemand hoorde. Nee, het ging pas veel later mis.

'Er spelen ook andere dingen,' zegt Beth. 'Ik had jaren geleden de hint moeten opvangen en moeten vertrekken. Het is net als met al die andere keren.'

'Andere keren?'

'Ja, de andere pleeggezinnen. Hier was ik het langst, daarom ben ik gebleven, omdat ik hoop had, snap je?'

Ze zwijgt. Als ik naar haar gladde huid, lichte ogen en ongewassen haar kijk, word ik vervuld van zo'n droefheid dat ik me overweldigd voel door de enorme last en bijna op de vloer word vastgepind van verdriet. 'In de hoop dat ze meer van je zouden houden?' vraag ik zacht.

Ze ziet het in mijn ogen, dat weet ik zeker, dat grote verlangen dat ik meestal verberg. Waarom zou het altijd zo belangrijk zijn? Waarom kan ik nooit ontsnappen?

'Ja,' zegt ze langzaam. 'Dat is het precies.' Ze staart naar mijn gezicht, zo geconcentreerd en ernstig alsof ze probeert te ontdekken wat erachter ligt. Dan wend ik plotseling mijn blik af en ga onhandig staan. Ik voel me zonder aanwijsbare reden in de war. Ze heeft iets gezien waarvan ik niet wist dat het zo makkelijk naar buiten kwam.

'Ik zal schoon beddengoed voor je pakken,' zeg ik, naar de deur sjokkend, je kunt in mijn kamer slapen.'

Een uur later ben ik weer alleen en sta doelloos bij de ramen. Beth is in bad geweest, heeft thee gedronken en ligt in de slaapkamer onder mijn dekbed. Het is de bedoeling dat ik hier slaap, maar ik hoef het niet eens te proberen, dus dwaal ik rond in de flat, zonder te weten wat te doen. Ik voel me als een te bol opgeblazen ballon, op het punt te springen met een oorverdovende knal. Beths aanwezigheid haalt iets in me naar boven wat ik al heel lang verborgen heb proberen te houden. Is het haar intensiteit? Of gewoonweg dat ze me aan mezelf doet denken? Ik ijsbeer rond in de flat en probeer me te ontspannen. Als ik terugkijk naar de afgelopen paar weken lijkt dat nu onvermijdelijk, alsof ik een onwillige actrice ben in iemand anders verhaal. Toch ben ik niet in staat te zeggen van wie het is, of waar het heen voert.

Ik dwaal terug naar de slaapkamer. Weggekropen onder mijn dekbed ligt Beth te slapen. Zacht trippel ik naar de zijkant van de futon en hurk zodat mijn gezicht bijna op gelijke hoogte als het hare is. Haar hoofd rust op haar gevouwen handen, haar gezicht heeft een kalme uitdrukking. Met haar blonde haar, lange wimpers en bleke huid lijkt ze op een van de Victoriaanse engelen die de doden op Highgate Cemetery bewaken, met hun afbrokkelende stenen harpen en hangende klimop. Ik zou het niet moeten doen, maar nu leg ik mijn vingers op haar wang en laat ze over de gladde huid naar haar roze lippen glijden. Wat zou er gebeuren als ik mijn gezicht nog dichter naar haar toe bracht en ze licht met de mijne bedekte?

Vol afgrijzen spring ik op. Waar kwam dat in godsnaam vandaan? Even blijf ik stokstijf midden in de kamer staan, met gesloten ogen, terwijl ik mezelf onder controle probeer te krijgen. Dit meisje is een student van je, meer niet. Er gebeurt hier niets dat met jou te maken heeft en er zal niets veranderen. Het verleden is voorbij. Draai je om en loop de deur uit.

Het is echter te laat. Ik ben in deze trein gestapt, met zijn versleten stoelen en onbegrijpelijke graffiti, en of ik erheen wil of niet, hij zal me naar mijn bestemming brengen.

'Alsjeblieft, laat me met rust...' jammer ik zacht als ik me omdraai en naar de keuken ren op zoek naar chocola. Maar zelfs als ik mijn voorraad Marsrepen vind, de wikkel eraf scheur en er een in mijn mond prop, stort ik omlaag door de dikke neerslag van al die jaren zonder kans om lucht te happen.

17

11 november 1979. De Dreadheads hadden net de tweede song van hun optreden gespeeld en ik was ladderzat. Dit was niet de bedwelming van een ervaren iemand die op de hoogte is van de symptomen, maar de roekeloze vrije val van een onschuldige. Dus, zo ver heen als ik was, zette ik mijn blik bier aan de lippen, en ondanks de duizeligheid die zo in misselijkheid kon omslaan, bleef ik dansen. Als ik mijn ogen sluit en vergeet waar en wie ik nu ben, kan ik mezelf kristalhelder voor de geest halen: Cass, als vijftienjarige, in haar paarse hippie franjejurk en cowboylaarzen, zware eyeliner om haar ogen in haar ronde gezicht. Kleine Miss Piggy, noemde mijn moeder me in die tijd. Ze vatte mijn gewicht persoonlijk op, kon niet tegen het gebrek aan wilskracht dat het inhield. Ik, op mijn beurt, gebruikte het als wapen waarmee ik haar tot de confrontaties kon dwingen die onze relatie steeds meer bepaalden. Inmiddels was het kleine meisje dat zandkastelen bouwde op het strand verdwenen. Waarschijnlijk wist ik het toen al, maar in de tussenliggende jaren was het bevestigd: mijn moeder zou me nooit geven wat ik wilde. En nu, liever dan wat aandacht van haar proberen los te peuteren, wat leek op een vastgezogen klit van een rots trekken, waren mijn tactieken agressiever.

Daarom was ik misschien bevriend met Billie, aan wie ze een bloedhekel had; misschien was ik daarom bij dat optreden, omdat ze me verboden had erheen te gaan; misschien was ik daarom dronken. Het zou zeker goed uitkomen als ik haar de schuld kon geven. Ook zouden de tussenliggende jaren makkelijker te verdragen zijn geweest als ik me werkelijk niets kon herinneren van wat er die nacht gebeurde. De waarheid is echter dat het allemaal begint terug te komen.

De Dreadheads waren net weer begonnen met spelen, maar inmiddels was ik zo van de wereld dat ik, als er in plaats van een heavymetalband een kudde koeien op het podium op hun gitaren tekeer was gegaan, het waarschijnlijk niet zou hebben opgemerkt. Ik was Billie en haar entourage al een uur kwijt, maar dat kon me niets schelen. Ik stond achter in de zaal, waar meer ruimte was om flink uit de bol te gaan en wild te dansen. Nu vervult de herinnering me met schaamte, maar mijn voornaamste emotie was er een van extreme voldoening om hoe cool ik me naar mijn overtuiging gedroeg: een rock-'n-rollmeid, die vrij en sexy danste. Ik moet nogal uitbundig hebben rondgesprongen, omdat mensen zich omdraaiden, waarschijnlijk niet om in verwondering naar het prachtige wilde kind te kijken van wie ik dacht dat ik het was, maar om te lachen om dat dikke meisje dat zo duidelijk de weg kwijt was.

Er was met name een jongen die steeds naar me lachte met wat ik aanzag voor bewondering. Ik grinnikte terug en wenkte hem om mee te dansen. Het voelde goed om ook eens het middelpunt van de aandacht te zijn, om mijn tot nog toe onbeproefde sensuele veroveringskunst uit te proberen. Draaiend met mijn heupen heb ik hem misschien wel een wulpse glimlach toegeworpen, denk ik. Lachend verliet hij zijn vrienden en stapte voor me. Hij was geen jongen, zoals de jongens met hun vlasbaardjes en acne aan wie ik gewend was, maar een volwassen man, misschien achter in de twintig of begin dertig. Zijn lange haar hing slap op zijn schouders en hij droeg een Motorhead T-shirt dat met vochtplekken aan zijn borst kleefde. Even swingden we opgeruimd samen. De Dreadheads hadden net 'Hot Rod Chick' beëindigd, het publiek schreeuwde om meer en ik hoorde de openingsakkoorden van 'Lady of the Night', hun enige poging tot iets van melodie. Om ons heen staken mensen hun aanstekers aan en deinden sentimenteel mee met de synthesizer. Ik stopte met dansen terwijl ik mezelf in evenwicht probeerde te krijgen en even boven water kwam. Ik moest Billie vinden, dacht ik. Ik zou me door de mensenmassa een weg terug naar voren moeten banen.

Als een schip in de storm wankelde ik naar het neon uitgangsbordje, dat achter in de zaal flitste. Ik had ontzettend behoefte aan lucht. Ik moest eigenlijk overgeven. Ik laveerde langs de portiers bij de deur en strompelde de koude avondlucht in, terwijl het trottoir gevaarlijk naar me toe helde. Ik proefde gal in mijn mond, mijn benen begaven het. Aan de andere kant van de deuren was een steeg. Met mijn hand tegen mijn mond gedrukt struikelde ik erheen.

Die avond moest ik vaker kotsen dan ik ooit gedaan heb, ervoor of erna. Buiten het Odeon, daarna in de damestoiletten, terwijl Billie – tegen wie ik letterlijk aan was gebotst op de trap – water in mijn gezicht plensde, op de terugweg in de trein terwijl de rest van de groep me uitlachte om de staat van mijn kleren, en thuis, in de zalige stilte van mijn slaapkamer. Het was mijn verdiende loon, zei mijn moeder toen ze de volgende ochtend bij mijn apathische lichaam stond. Ze had me verboden te gaan, me gewaarschuwd tegen te veel drinken, en nu had ik de vloerbedekking in mijn slaapkamer ondergekotst en zij vertikte het om hem schoon te maken. Ze trok de gordijnen open zodat het felle zonlicht mijn ogen bestookte, en ging toen met haar handen in haar zij hardvochtig bij mijn bed staan. Had ze al niet genoeg aan haar hoofd? zei ze. Hoe kon ik zo egoïstisch zijn?

Beneden hoorde ik pa haar roepen. Hij zou nooit meer bovenkomen.

Nadat mam de trap af was gestampt lag ik op mijn bed naar het plafond te staren. Ik wilde wanhopig de gebeurtenissen van de vorige avond uit mijn hoofd bannen. Het enige wat ik mezelf toeliet te denken was dat het tijd was voor een rigoureuze verandering. Ik had ze zo cool gevonden, maar nu voelde ik alleen maar minachting voor Billie en haar vrienden, met hun zielige voorkeur voor headbanging bands die niemand behalve ongeschoolde mensen serieus kon nemen. Misschien geloofden ze wel dat ze er in hun leren jasjes en bandana's stoer uitzagen, maar in werkelijkheid waren het zielenpoten. Gisteravond, bijvoorbeeld, had Billies vriendje een spijkerbroek aangehad met werkelijk wijde pijpen; het vlasbaardje dat van zijn pukkelige kin sproot was een aanfluiting. Ik had hem voor het zwijgzame, bedachtzame type aangezien, maar nu ik me de enige conversatie die ik ooit met hem had herinnerde, waarin hij me had gezegd dat Motorhead 'een stel halvegaren, weet je wel' waren, wat waarschijnlijk als compliment was bedoeld, zag ik in dat hij in werkelijkheid het zwijgzame, stomme type was.

Ze hadden me uitgelachen toen ik weer bij het Odeon was, hoewel ik zo rilde dat ik nauwelijks een woord kon uitbrengen. De pesterijen hadden de hele weg naar huis geduurd, terwijl ze hamburgers en open blikjes Special Brew onder mijn neus hielden om me te laten kokhalzen. En nu haatte ik hen en alles waar ze voor stonden. Ik wilde niet meer zijn zoals die stommelingen, dacht ik, terwijl ik apathisch naar mijn posters van Led Zeppelin en Black Sabbath staarde. Billie had al een voorwaardelijke veroordeling gekregen omdat ze een fles cider uit de Co-op had gestolen en was, toen ze zo oud was als ik, van school gegaan. Eigenlijk, als je het jatten uit winkels en drinken – activiteiten die ik steeds leger begon te vinden – wegdacht, begon haar gezelschap alle aantrekkingskracht te verliezen. Ze deed alsof ze bijzonder scherp was, maar dat kwam slechts neer op snieren of sarcastische opmerkingen en veel vloeken. Steeds als ik iets slims zei, keek ze me met een nietszeggende blik aan en beschuldigde me van snobisme. Ze verveelde me, besefte ik.

Dus dat was dat, besloot ik toen ik van mijn doodsbed oprees en de posters van de muur trok. Geen heavy metal en geen Billie meer.

Ik dacht dat het allemaal voorbij was, zie je, dat ik het gewoon uit mijn hoofd kon zetten. Wat ik nog moest inzien was dat het nog maar net was begonnen.

Als ik mijn ogen weer open, is de woonkamer verlicht door een bewolkte schemering. Ik ga rechtop zitten, mijn ogen knipperend tegen de ongewone somberheid. De glinsterende herfstzon van de afgelopen tijd is niet meer. Deze ochtend is de hemel grijs en stormachtig, ik hoor de wind tegen de ramen slaan en voel de gehavende muren trillen. Mijn horloge zegt me dat het vijf voor acht is.

Er is iets naars gebeurd gisteravond. Ik wrijf over mijn rug en probeer me te herinneren wat. Ik heb het koud, mijn schouders zijn stijf en pijnlijk van een nacht op de bank. Plotseling herinner ik me Beth. Haar plagiaat zonder opzet, hoe ze voor de bar op me wachtte en de vreemde emoties die dat bij me opriep. En nu is ze hier, slapend in mijn bed. Ik heb haar wang aangeraakt, herinner ik me vol gêne, haar bijna op de lippen gezoend. Christus!

Stijf sta ik op en slof naar de deur, met de gedachte dat ik moet plassen en me aankleden. Vandaag gaat alles anders worden: geen slonzige warboel, heldere zakelijkheid op de werkplek en bovenal, geen gewroet in het verleden. Om te beginnen, maan ik mezelf schoolfrikkerig, moet ik iets aan mijn verschijning doen. Als ik omlaag kijk zie ik dat ik heb geslapen in de verkreukte kleren die ik heb aangetrokken om Beth op te halen, en mijn haar is een verwarde bos klitten. Als ik met wazige blik mijn hand naar de deurknop uitsteek, besluit ik te douchen en andere kleren aan te trekken en dan een gezonde, energierijke kom muesli naar binnen te werken, niet dat er zoiets trouwens in de flat aanwezig is. Mijn hand wil zich net om de knop sluiten als ik een kreet van schrik slaak. Met mijn duffe hoofd zie ik nu pas een in elkaar gedoken gestalte bij de muur.

'Jezus christus!'

Het is Beth maar. Ze zit in kleermakerszit, met mijn dekbed over haar schouders gedrapeerd en haar handen in haar schoot. De hemel weet hoe lang ze daar al naar me heeft zitten kijken.

'Hallo, Cass,' fluistert ze. 'Ik wilde je niet wakker maken.'

Ik haal diep adem. Mijn hart bonst in mijn keel. 'Je liet me schrikken,' zeg ik, terwijl ik probeer te lachen, wat niet lukt en in plaats daarvan produceer ik een schor gegorgel. Ze lacht verlegen en kijkt me recht aan.

'Hoe gaat het met je?' breng ik hees uit.

'Gaat wel, geloof ik. Ik heb net Alec aan de lijn gehad.'

'O ja?'

'Hij zei dat hij me ging aangeven om wat er gisteren tijdens de werkgroep is gebeurd.'

Ik kijk haar verbijsterd aan. Wat is er mis met die jongen? Of heeft hij het over het essay?

'Dat is belachelijk,' zeg ik. 'Hij weet niet waar hij het over heeft.'

Ze glimlacht aarzelend. Ik wil niet dat ze ziet hoe woedend dit nieuws me maakt.

'Je hoeft je over Alec geen zorgen te maken,' zeg ik rustig. 'Ik handel het wel met hem af.'

Ze haalt haar schouders op. 'Eerlijk gezegd maakt het niet echt uit wat hij doet. Niet nu ik geen familie meer heb.' Haar onderlip trilt.

'Wat dacht je van een kamer in de stad?' zeg ik, mezelf vermannend. 'Of misschien heeft de universiteit wel woonruimte voor noodgevallen. Ik weet zeker dat we iets voor je kunnen regelen.'

Ze wendt haar blik af en balt het dekbed samen tussen haar handen. 'Jij denkt waarschijnlijk dat het zielig is dat ik nog thuis woon, hè? Ik weet dat ik in staat moet zijn om op mezelf te wonen, maar ik kan het gewoon niet...'

'Beth, ik vind je niet zielig.' Ik glimlach haar bemoedigend toe. Ze knippert met haar ogen, die groot en rond zijn als van een klein verdwaald katje. 'Ik kan jou vertrouwen, Cass, ja toch?' De manier waarop ze dat zegt klinkt alsof er nog iets is dat ze me niet verteld heeft.

'Natuurlijk kun je dat,' zeg ik. 'Je kunt volledig op me rekenen.'

Ze zwijgt en laat dat bezinken. Hoeveel anderen kan ze vertrouwen?

'Het is alleen dat ik niet wil dat je iemand van de andere docenten over mijn familie en zo vertelt. Ik hou het liever privé.'

Ik hurk naast haar neer en neem haar hand in de mijne. 'Ik zal niet over je roddelen, Beth, dat beloof ik, maar je hoeft je heus niet te schamen voor je situatie. Ik bedoel, het is niet jouw schuld, wel?'

'O nee?' zegt ze met een klein stemmetje terwijl ze in wanhoop naar haar broodmagere handen kijkt. 'Soms denk ik dat het allemaal door mij komt. Dat ze niet van me houden, bedoel ik.'

Ik moet een bewuste poging doen om niet te zuchten van ongeduld. Hoe kan ze in hemelsnaam zichzelf de schuld geven? Wat er ook gebeurd is in haar jeugd, haar schuld kan het echt niet zijn. Nee, denk ik, met een steek van zelfhaat, het is nooit de schuld van de kinderen.

'Het is gewoon afschuwelijke pech,' zeg ik vriendelijk. 'Ik bedoel, ik ken natuurlijk niet de exacte omstandigheden, maar waarschijnlijk kun jij weinig doen waardoor ze jou zouden verkiezen boven een dochter die overleden is.'

Ze slaat haar armen om haar middel.

'Misschien moeten we iemand voor je regelen met wie je kunt praten,' vervolg ik. 'We hebben decanen op de universiteit, weet je. Volgens mij zou je daar echt iets aan hebben. Het zijn ervaren mensen die eraan gewend zijn mensen te helpen die met dezelfde problemen te maken hebben als jij. Misschien is dat net wat je nodig hebt.'

Ze antwoordt niet. Ik wil haar helpen, maar voel me machteloos. 'Beth, luister.'

Ik leg mijn handen om haar gezicht en draai het resoluut naar me toe, zodat ze mijn blik niet kan ontwijken. Even zijn we stil en staren elkaar aan met een intimiteit waarop ik niet was voorbereid. Wat weet zij van mijn verleden? Voor haar ben ik slechts een oudere vrouw met een verantwoordelijke positie van wie ze steun nodig heeft. Als ze de waarheid kende, hoe zou ze dan over me denken?

'Wat er ook gebeurt,' zeg ik langzaam, 'ik zal er voor je zijn. Dus vertrouw me, oké?'

Ze knikt terwijl ze me ernstig aankijkt. 'Natuurlijk vertrouw ik je, Cass,' fluistert ze. 'Ik zal doen wat je maar wilt.'

18

Er is storm op komst, de lucht is zwaar en dreigend. Als ik langs de rotsen naar mijn werk rij is de loodgrijze hemel vol donkere veelkoppige wolken die met grote snelheid over de zee hierheen jagen. De wind heeft mijn eerdere besluiten weggewaaid. Ik voel me belast en bezwaard, niet in staat om ook daadwerkelijk de taken die ik mezelf deze ochtend gesteld had tot uitvoering te brengen. Ik sla af naar de campus en parkeer de Kever; het sluiten van het portier is een gevecht met de zwiepende wind. Deze keer laat ik hem vlak bij de hoofdweg achter.

Ik steek het parkeerterrein over en loop snel over de betonnen promenade. De paden die naar Blok D lopen zijn zompig van bladeren en de windvlagen blazen nat papier tegen mijn benen. Iedereen die ik passeer heeft zijn kraag opgetrokken en de handen diep in de zakken, lichaam gebogen tegen de wind. De dagen van rondhangen op de grasvelden van de campus in de zachte herfstzon lijken ver weg.

Ik haast me de trap op. Ik heb twee bekers koffie gedronken, wat toast gegeten, heb zelfs gedoucht en andere kleren aangetrokken, geheel volgens plan, maar ik voel me nog steeds allerellendigst. In mijn hoofd voelt het wazig en gedesoriënteerd, mijn buik speelt op; het lijkt wel alsof ik in dagen niet geslapen heb. Het is echter niet zozeer mijn fysieke staat waardoor het zo moeilijk is om mijn bonzende hoofd op te houden en vrolijk 'goeiemorgen' te roepen tegen Maggie, de secretaresse van onze faculteit, die net met een zwaai van haar hand voorbijsnelt. Nee, meer dan mijn uitputting is het de aanzwellende angst die de hele ochtend in intensiteit toeneemt. Het is alsof ik door drijfzand probeer te waden: de grond lijkt solide genoeg, maar elk ogenblik kan ik mijn voet verkeerd neerzetten en zal ik onherroepelijk omlaag worden gezogen. Het heeft voornamelijk te maken met Beth en haar stomme essay. Ondanks wat ik mezelf gisteren voorhield, ben ik vanochtend niet in staat goed te praten dat ik het heb laten passeren. Als het om iemand anders ging, Andy bijvoorbeeld, of de chaotische Natalie, zou ik niet geaarzeld hebben het vergrijp te melden bij de examencommissie. Maar met Beth lijkt het zoveel ingewikkelder. Ik zou mezelf niet moeten toestaan om persoonlijk betrokken te raken bij mijn studenten, dat weet ik, maar de gebeurtenissen van gisteravond hebben iets in me opgeroepen dat ik bijna vergeten was, alsof er zoutzuur door een lang verstopte afvoer werd gegoten.

Ik loop het gebouw in, richting de kantine. Daar ben in van plan snel een paar chocoladecakejes te verslinden voor de werkgroep begint, maar, zoals ik spoedig ontdek, is het er bomvol. De colleges van negen uur zijn net afgelopen en er staat een rij tot in de gang. Als ik erlangs been, kijk ik verstrooid om me heen. Waarom ben ik zo nerveus? Gaat het alleen maar om Beths essay of om nog iets anders? Als ik me de vreemde e-mails en telefoontjes herinner, gieren de zenuwen in mijn maag. Ik kijk de kantine door in de hoop een bekend gezicht te zien, maar zie alleen Julian, die aan een tafel hangt met een groep postdoctoraal studenten, en Bob Stennings, die in zijn eentje de *Guardian* zit te lezen. Wat ik nodig heb, besef ik met een vleugje zelfmedelijden, is Sarah, met haar stadse nuchterheid en neus voor onzin. Ik wil haar uitleggen wat er gebeurd is, terwijl mijn woorden de gebeurtenissen reduceren tot de som van hun onderdelen: een rare e-mail, een reeks geschifte telefoontjes, twee studenten, een die ik totaal niet mag en een die ik te graag mag. Dan zou ik haar geruststellende hilarische gesnuif horen bij de suggestie dat dat alles op de een of andere manier met elkaar verband houdt, haar resolute advies dat ik er vaker uit zou moeten.

Laat die cakejes maar zitten, besluit ik. Ik ga haar meteen bellen. Zelfs als ze met Poppy bezig is, kunnen we een andere tijd afspreken. Als ik echter terug de gang in loop naar mijn kantoor en de telefoon stapt er plotseling iemand uit de rij op me af. 'Dr. Bainbridge?'

Mijn gezicht vertrekt van ongenoegen want het is Alec. Hij heeft een stapel boeken tegen zijn borst geklemd en glimlacht zo onschuldig alsof hij geen vlieg kwaad zou kunnen doen.

'Ja?' zeg ik kortaf, terwijl zich in mijn hoofd een woedende tirade vormt. Waarom heb je het op Beth en mij gemunt? wil ik schreeuwen. Wat is er in godsnaam aan de hand?

Hij doet alsof hij in de war is door mijn onaardige reactie, slikt en strijkt onhandig zijn hand door zijn haar. 'Ik...'

'Wat is er?'

'Ik wilde met u over de werkgroep van gisteren praten...' Zijn stem sterft weg.

Ik kijk hem kwaad aan, herinner me zijn zelfvoldane gezicht toen hij aan het artikel uit *Maatschappij en geschiedenis* friemelde, zijn onmiskenbare plezier te scoren. Laat me met rust, jochie, wil ik roepen, ik ben niet in de stemming voor je geklaag. In plaats daarvan zuig ik mijn lippen naar binnen. 'Ik ben blij dat je erover begint,' zeg ik, 'want ik vind dat je je tegen Beth moet verontschuldigen vanwege je gedrag.'

Hij wordt bleek en kijkt me met open mond aan. Langzaam kleurt zijn gezicht dieprood tot aan zijn haarwortels. In de rij zijn de studenten stilgevallen omdat ze mijn afkeurende toon hebben opgepikt, als een zwerm vogels die uit de boom een duik gaan maken naar ver onder hen uitgestrooide zaadjes. Ik voel dat ze zich omdraaien om te kijken, in de verwachtingsvolle stilte van een menigte die uit is op schandaal. 'Zo zie ik het niet,' zegt hij kil.

'O nee?'

'Ik heb alleen maar gezegd dat ze haar bron niet had vermeld,' vervolgt hij met zo'n lichte snier – een licht trekken van de bovenlip – dat het me bijna ontgaat.

'Alleen maar?' fulmineer ik. 'Dat en al je dreigementen. Ik vind dat je eens moet nadenken over de uitwerking van je daden op anderen.' Ik zou meer kunnen zeggen, maar ik kan beter zwijgen. Met een strak gezicht slaakt Alec een zachte gekrenkte kreet. Ik draai me van hem om, omdat ik er genoeg van heb. Overal om ons heen rekken mensen zich uit om het te kunnen horen. 'Waar kijk je naar?' roep ik tegen een willekeurige jonge vrouw met een lichtbruine huid en piekjes blauw haar. 'Bemoei je met je eigen zaken.'

Ze staart me verbijsterd aan en wendt dan snel haar blik af, zich dichter tegen haar verschrikte vrienden aandrukkend. Alecs gezicht is wit van woede. Met de boeken nog in zijn slanke jongemannenhanden geklemd baant hij zich een weg door het gedrang en beent de kantine uit.

In plaats van dat ik me beter voel, sta ik na deze confrontatie te trillen van emotie. Ik wil me zo snel mogelijk uit de voeten maken, maar de rij is nu zo lang dat hij zich heeft verdubbeld en om te ontsnappen moet ik me door een menigte studenten wringen die allemaal getuige zijn geweest van mijn uitbarsting. Ik heb dit niet goed gedaan, denk ik, terwijl bittere spijt me overspoelt. Professioneel en tactvol tegenover studenten? Op de een of andere manier denk ik van niet. De enig mogelijke actie is doen alsof er niets bijzonders is voorgevallen. Als ik wanhopig de kantine rondkijk om een zitplaats te ontdekken, zie ik dat Julian uitbundig naar me gebaart en ik kan hem onmogelijk negeren.

'Wat was daar allemaal aan de hand?' vraagt hij glunderend. 'Het leek alsof je iedereen eens goed op z'n nummer zette.'

Ik voel zijn ogen op me rusten, net een seconde te lang, en ben me plotseling bewust van mijn verschijning. Ik heb me vanmorgen zo snel aangekleed dat het eindresultaat ietwat slordig is, op z'n zachtst gezegd. Toen Beth zich in de badkamer opsloot trok ik de eerste kledingstukken aan die voor het grijpen lagen: een oude ribfluwelen rok die te strak zit bij de taille en een wijde bobbelige trui die eeuwen geleden al in de zak van Max had moeten zitten. Toen ik in de spiegel keek was mijn voornaamste indruk een excentrieke, te zware vrouw wier garderobe op de eerste de beste rommelmarkt bijeengegaard was.

'Alleen een onbeduidend geval van studentenzorg,' zeg ik geforceerd opgewekt en ga naast hem zitten. Ik wil daar niet zijn, maar het is kennelijk mijn enige optie. Ik hoop dat niemand ziet hoe mijn handen trillen.

'Je bent behoorlijk angstaanjagend soms, weet je,' zegt Julian.

'O ja?'

'Je komt heel vriendelijk en warm en zo over, maar onder dat aardige uiterlijk ben je gevaarlijk.' Met een speelse blik kijkt hij me aan.

Verbijsterd staar ik terug. Het enige wat in me opkomt is hoe weinig ik hem vertrouw. 'Wat zei je tegen die beste Alec?' vervolgt hij. 'Hij zag eruit alsof hij zo in tranen kon uitbarsten.'

'Dat is dan zijn probleem.' Ik probeer te grinniken, maar het is meer een ontbloten van mijn tanden.

'Waarom?' Een van de postdoctoraal studenten fronst naar me, leunt achterover in zijn stoel en rolt een shagje. Het is een harig type, met volle rode bakkebaarden en een leren jack met de woorden 'Fuck Capitalism' op de rug.

'Gewoon,' zeg ik, terwijl ik nog steeds probeer te glimlachen. Ik ken zijn type, het soort dat in alle faculteits- en studentencomités zit die er zijn en naar elke vergadering gaat, gewapend met een lange lijst klachten. Als hij denkt dat ik het met hem over Alec ga hebben, heeft hij het mis.

'Heeft hij je voor schut gezet in de klas, Cass?' vraagt Julian, me ondeugend aanstotend. 'Hij heeft de reputatie slimmer te zijn dan de meeste docenten, weet je.'

Ik kijk hem beduusd aan. Heeft Alec tegen hem geklaagd over mijn kwaliteiten als docent? Spelen ze op de een of andere manier onder een hoedje?

'Nee, dat doet-ie niet,' zegt Fuck Capitalism schouderophalend. 'Hij woont in de kamer boven mijn vriendin. Het is een toffe peer.'

'Wat is dan het probleem?' vraagt Julian.

Ongemakkelijk ga ik verzitten. Ik zou bijna alles doen om ergens anders te zijn, maar ik zit op mijn stoel gepind vanwege mijn weerzin terug langs die rij te moeten lopen. 'Er is helemaal geen probleem. We kunnen gewoon niet met elkaar opschieten, dat is alles.'

Er volgt een lange, geladen stilte. De studenten kijken me afwachtend aan. Ik kijk naar mijn handen en draai mijn ringen om en om. Ik voel dat Julian me probeert in te schatten. Zijn joviale stemming lijkt te zijn verdwenen, want als ik opkijk wendt hij fronsend zijn blik af. Even verdwijnt mijn achterdocht: hij probeert alleen maar aardig te zijn. Maar dan neemt hij me van top tot teen in zich op en vraagt: 'Gaat het wel?'

Dat is als kritiek bedoeld, ik weet het zeker. 'Natuurlijk wel,' zeg ik geïrriteerd. 'Waarom zou dat niet zo zijn?'

'Nou, je lijkt me wat gespannen.'

'Er is niets aan de hand.'

Hij trekt die blonde wenkbrauwen van hem op, duidelijk aangevend dat hij me niet gelooft. Dan wendt hij zijn blik af.

Alleen in mijn kantoor doe ik alsof ik de bovenste laag papieren op mij bureau doorneem. Ik heb de hele middag college gegeven en voel me leeg, zonder enige vreugde of motivatie. Het seminar van vandaag ging niet goed, de studenten waren terughoudend en keken me achterdochtig aan. Ik vulde de stilte met grotendeels onzinnig gebrabbel en snaterde over rijksarchieven, terwijl zij oogcontact vermeden. Toen ik iemand toesnauwde omdat die de opgegeven literatuur niet had gelezen, werden er veelbetekenende blikken gewisseld. Inmiddels hebben ze vast allemaal over mijn uitbarsting gehoord; waarschijnlijk hebben ze het zelf in de kantine gezien. De hele faculteit zal over me roddelen, denk ik mismoedig. Misschien heeft Julian gelijk. Ik raak de weg kwijt en iedereen heeft het gezien.

Ik voel me zo eenzaam. Ik dacht dat ik behoefte had aan alleen zijn, maar kennelijk ben ik niet in staat te functioneren zonder de geruststellende buffers van het gezelschap van anderen. En ik ben duidelijk afhankelijker van Matt dan ik dacht. Ik stel me hem voor, zittend aan de keukentafel thuis, de krant voor hem uitgespreid terwijl hij grinnikt om een of ander belachelijk verhaal dat hij op de binnenpagina heeft ontdekt. Ondanks zijn enorme intellect is hij dol op sensatieverhalen, de schat. Ik zou daar nu moeten zijn, denk ik. Ik zou in onze knusse keuken in Londen moeten drentelen en de lunch klaarmaken. Dan later, als we genoeg hadden van ons werk, zou hij achter me komen staan, zijn grote armen om me heen slaan en dan zouden we naar boven gaan.

Wat is er gaande? De afgelopen tien jaar hebben we zo'n intieme band gehad dat ik zijn gewoonten net zo goed ken als de mijne. Maar nu we niet bij elkaar zijn kunnen we zelfs niet eens met elkaar praten zonder dat we meteen aan het kibbelen en beschuldigen slaan. Ik sluit mijn ogen, stel me zijn gezicht voor, zijn hand om de mijne als we op de Heath wandelen, en ga rechtop zitten. Dát was waardoor het is begonnen. Ik heb me net de wandeling herinnerd die we maakten met Josh en zijn baby. Ja, ik weet zeker dat ik het bij het rechte eind heb. Het begon mis te gaan toen Josh' nieuwe vriendin zwanger werd. Hij was Matts wilde vriend van de studietijd in Manchester, met wie hij de hele nacht kon doorhalen en drinken, een hedonist met een smaak van een oudere jongere voor uitgaan en drugs. Maar toen was hij verliefd geworden op een lief jong hippiemeisje, Miranda, en veranderde alles. De maanden daarna was het verliefde stel veranderd in zwangerschapsfanaten. Haar dieet, haar afkeer van medische interventie, haar frambozenbladthee, we hoorden het tot in detail. Maar terwijl ik geestelijk kokhalsde elke keer dat ze langskwamen, en vlak naast elkaar zaten zodat Josh trots zijn hand op Miranda's dikke buik kon leggen, luisterde Matt met verlangende glinsterende ogen naar hun verslagen van het vruchtbaarheidsfront.

'God, wat zijn ze saai,' verzuchtte ik toen ze na een bijzonder vreselijke avond vertrokken. 'Stel je voor hoe het wordt als de baby er is.'

Maar in plaats van instemmend te lachen, zoals hij eens zou hebben gedaan, keerde Matt zich tegen me met een kracht waar ik stil van werd, en met bleke lippen. 'Allemachtig, Cass,' siste hij, 'je hebt er de hele avond met een zuur gezicht bij gezeten. Wat is er in vredesnaam met je aan de hand?'

Of heb ik het mis? Misschien deed Matt maar alsof hij gefascineerd was door Miranda's uiteindelijk drie dagen durende bevalling. Misschien was zijn enthousiasme voor het gerimpelde buitenaardse wezen, dat het resultaat was, geveinsd. Misschien had hij er alleen maar uit beleefdheid op gestaan dat hij de baby zou dragen tijdens onze wandeling op de Heath. Misschien was hij niet echt veranderd. Met hernieuwde vastbeslotenheid om alles weer goed te krijgen pak ik de telefoon en kies met ingehouden adem het nummer van ons huis in Stoke Newington. Als hij opneemt, zal ik meteen zeggen dat ik terugkom naar Londen en heen en weer zal reizen. Vervolgens zal ik hem vertellen over de enge telefoontjes en de e-mail. Zijn oprechte scepsis zal het allemaal wegblazen als wind door een spinnenweb.

Maar ik krijg het antwoordapparaat. Ik laat geen bericht achter, leg gewoon neer. Ik laat mijn hoofd in mijn handen vallen, zucht en wrijf over mijn hoofdhuid alsof dat mijn somberheid zou kunnen wegnemen. Zo ben ik normaal niet, ik ben Cass Bainbridge, een opgewekte, kalme vrouw die altijd uitgaat van het goede in iedereen. Waarom voel ik me dan steeds meer gedrenkt in vervreemding, zo verbitterd en kwaad?

Misschien moet ik gewoon een nacht goed slapen. Ik schuif de papieren op de grond en leg mijn hoofd op het bureau, het hout schaaft mijn oor. De computer zoemt en neuriet. Buiten hoor ik het roepen en lachen van studenten die de collegezalen uitstromen. Het is steeds harder gaan waaien. De boom voor mijn raam slaat zijn takken tegen mijn ruit. Door mijn halfgesloten ogen zie ik de donkere wolken door de lucht snellen.

Ik dwing mezelf rechtop te gaan zitten, leun met een elleboog op het bureau en staar naar de computer. Ik zou Sarah moeten bellen, maar heb er de energie niet voor. Ik klik het e-mailprogramma aan en wacht op de lijst ongeopende mail. Ik kan tenminste proberen mijn binnengekomen berichten af te handelen. Toen ik deze ochtend keek had ik twintig ongelezen berichten; inmiddels zal ik er minstens tien bij hebben. Even is het scherm leeg terwijl het programma downloadt. Dan, als de berichten verschijnen, lees ik: u heeft 115 nieuwe berichten. Jezus, over IT-overbelasting gesproken! Met getuite lippen kijk ik naar het scherm terwijl de flitsende iconen zich opstapelen.

Het eerste wat me opvalt is dat de nieuwe berichten allemaal identiek zijn. Dat gebeurt wel eens als de afzender per ongeluk twee keer op 'verzenden' drukt. Maar om zoveel herhaalde berichten te laten verschijnen is opzet nodig. Dan zie ik het adres van de afzender en het onderwerp, en ik verstijf: loveankisses@juniper. Onderwerp: Jij.

Mijn maag draait om. Als ik naar de lange rij berichten kijk, herhaal ik bij mezelf dat het niets met elkaar te maken heeft, weer een willekeurige stunt. Toch kan ik het beeld van Alecs woedende gezicht niet van me afzetten. Zou hij hierachter kunnen zitten? De eerste e-mail was om 10.09 verzonden, even na onze confrontatie in de kantine. De volgende dertig seconden later, snel gevolgd door een nieuwe, en nog een en nog een en nog een. Als ik me herinner wat Beth me vertelde over zijn vreemde gedrag in de computerruimte van de universiteit lijkt die verklaring me steeds waarschijnlijker. Misschien gebruikt hij eenvoudigweg een ander adres als hij iets onaangenaams wil verzenden. Daar zou een computerfreak van genieten.

En nu moet ik onder ogen zien wat hij me gestuurd heeft. Ik klik op 'openen' en wacht ineengekrompen tot het bericht verschijnt. Ik verwacht half dat er een monster uit de computer zal komen dat me bij de keel zal grijpen, maar wat ik zie is een enkele regel.

Ik weet het.

Als gehypnotiseerd staar ik naar het scherm. Wat bedoelt hij? Hoe kan hij het weten? Met toenemende wanhoop klik ik op 'lezen'. Ik loop de berichten langs, in de hoop meer aanwijzingen te vinden. Maar het is hetzelfde bericht: ik weet het, almaar weer. Dan herinner ik me het plotseling. Jezus! Het is precies waar ik bang voor was. Hij heeft het over Beths essay! Hij zag dat ze het had gekopieerd en straft me er nu voor dat ik hem in de kantine afblafte met dit slecht verhulde dreigement. Ik bedek mijn gloeiende wangen met mijn handen. Wat een ellende.

Ik kan me er niet toe brengen de rest van de berichten te openen. Met een ferme vinger druk ik op 'verwijderen' en wis ze een voor een. Als ik klaar ben voel ik me licht in het hoofd, mijn gedachten flitsen in alle richtingen, als een zwerm angstige vogels. Hij zou me kunnen rapporteren, denk ik maar steeds. Is dit een poging tot chantage? Plotseling moet ik het kantoor uit. Met een ruk schuif ik mijn stoel achteruit en sta op.

19

Beth heeft waarschijnlijk naar me uitgekeken: als ik de trap op ga staat ze bij de deur van de flat te wachten. Haar haar is geborsteld en in een vlecht achterover gebonden en ze heeft zich omgekleed van haar spijkerbroek en topje in een lange rode jurk, die – besef ik met een schok – van mij is. Ondanks de recente gebeurtenissen staat haar gezicht vrolijk.

'Welkom thuis!' Ze doet een pirouetje in mijn jurk, die haar veel te groot is, haar kleine gestalte verzwelgt en haar eruit doet zien als een klein meisje dat zich heeft verkleed.

'Je vindt het toch niet erg, hè? Ik kreeg het zo koud.'

Ik schud mijn hoofd. Hij was mij toch te klein en het is goed om haar blij te zien.

'En wacht tot je dit ziet!' Ze pakt me bij de arm en leidt me door de gang naar de woonkamer. Zwierig opent ze de deur en stapt opzij. 'Ta-da!'

Ik loop door de deur en kijk onthutst rond. De kamer is getransformeerd. Mijn boeken, die overal verspreid op de grond lagen, zijn keurig rechtop op alfabet langs de muren gezet. Alle andere rommel – de oude kranten, lege flessen en vuile kleren – is verdwenen. De ramen zijn gelapt, de vloerbedekking gestofzuigd. Er brandt een vuur in de haard en midden in de kamer ligt een felgekleurd lapjeskleed.

'Dat heb ik in de kast in de andere kamer gevonden,' zegt Beth als ze me ernaar ziet staren. 'Ik dacht dat het goed paste bij de andere kleuren. Nu heb je alleen nog wat voor aan de muur nodig.'

'Wat heb je met mijn vuile was gedaan?' vraag ik zwakjes. De waarheid is, zonder mijn rotzooi voel ik me eigenaardig onthand.

'Kom mee.' Grinnikend pakt ze me bij de arm en leidt me naar de slaapkamer. Tot mijn verbijstering zijn alle kleren van de vloer weg, en hangen ze gewassen en gestreken in de kast.

'Ik ben even naar de wasserette geweest,' zegt Beth. 'Ik bedoel, jij werkt zo hard en ik had de hele middag niets te doen, dus ik dacht je een handje te helpen.'

Ik kan niets positiefs bedenken om te zeggen. Ik zou blij moeten zijn, want ze heeft duidelijk haar best gedaan, maar ze heeft de situatie verkeerd beoordeeld. Ze heeft mijn vuile ondergoed gezien, denk ik, met een grimas van gêne, en in mijn spullen gerommeld. Nog steeds kijk ik om me heen terwijl ik mijn gezicht neutraal probeer te houden. Ik voel me een deelneemster in een tv-programma over wonen, wier geliefde interieur is vervangen door de vreselijke smaak van haar ergste vijanden. Op de schoorsteenmantel staat een bos margrieten in een melkfles en boven op het vers opgemaakte bed heeft ze de pop uit de logeerkamer gezet. In een opwelling buig ik voorover en pak hem op. 'Deze is niet van mij,' zeg ik vinnig. 'Hij is van de vorige bewoners. Hij hoort in de vuilnisbak.'

'Aah. Maar hij is zo leuk.'

'Nou, waarom hou jij hem dan niet?'

Ik duw de pop in haar handen en been de kamer uit. Ik moet alleen zijn, al is het maar voor een paar minuten. Ik stamp de gang door, met mijn voeten tegen het tapijt schoppend. Beth heeft me alleen maar willen helpen, prent ik mezelf in. Voor veel mensen, Matt bijvoorbeeld, zou het uitgesproken slechtgemanierd van haar zijn om de hele dag rond te hangen en niets te doen. In de keuken sta ik bij het blinkende fornuis, en kijk naar het serviesgoed dat keurig op het aanrecht is opgestapeld, de nog altijd vreselijke, maar glimmende bloementegels. Ze heeft zelfs de lege potten bij het raam in een geometrische lijn gezet. Als ik de koelkast open, zie ik dat aan mijn voorraad kant-en-klaarmaaltijden een doos tofu, verschillende bladerrijke en waarschijnlijk biologische groenten, een groot pak sojamelk en een pot walgelijk uitziende vegetarische worstjes zijn toegevoegd.

'Ik dacht dat ik dat veganistische feestmaal vanavond voor je kon koken,' zegt Beth zacht. Als ik me omdraai, staat ze achter me. 'Als je zin hebt, tenminste.'

Ik knik zwijgend, niet zeker hoe ik moet reageren. Ik had de indruk dat ik voor haar zorgde, maar onze rollen lijken te zijn omgedraaid. Objectief gesproken heeft ze gelijk, de flat had een poetsbeurt nodig, toch voel ik me overdonderd, alsof mijn ruimte in beslag is genomen.

'Dit alles,' Beth gebaart naar de keuken, 'is, zeg maar, mijn manier om dankjewel te zeggen. Ik bedoel, je bent midden in de nacht de straat op gegaan. Dat hoefde je niet te doen.'

Ik draai me om. Ze drentelt nerveus op de keukendrempel, en houdt haar hoofd weer vragend schuin als een vogel. In tegenstelling tot mij is ze een huiselijk type, het type jonge vrouw die het heerlijk vindt een nestje te bouwen. Waarschijnlijk deed het haar plezier om met mijn huiselijke chaos aan de slag te gaan, dus waarom zou ik haar dat kwalijk nemen?

'Het is oké,' zeg ik ten slotte glimlachend zonder mijn gezichtsspieren te overbelasten. 'Het is heel lief van je.'

'Het spijt me als ik te veel heb gedaan... Het is mijn manier om dingen onder controle te houden. Opruimen en zo?'

Ze slaat haar armen ongerust over elkaar en ik vervloek mezelf om mijn zure reactie op de pop en omdat ik haar niet genoeg bedankt heb. 'Nee, echt,' zeg ik diep ademhalend. 'Het is geweldig. Dank je.'

Ze straalt. 'Ik wist dat je het fijn zou vinden.'

Ik ga in de weer met de ketel en pak bekers en theezakjes.

'Die kruidenthee is van mij,' zegt ze als ik het keukenkastje open en erin kijk. In plaats van mijn oploskoffie staat er een doos kamillethee en een pot met twijfelachtig spul dat gerstkoffie heet. 'Al dat eten moet je een fortuin hebben gekost,' mompel ik. 'Ik zal je wat geld geven.'

'Nee, het stelde niets voor.'

'Maar hoe kun je je dat permitteren?'

Ze haalt haar schouders op. 'Ik heb die baan in de bar toch?'

'Dat verdient vast niet veel. Heb je ook een beurs?'

'O ja, al dat soort dingen.' Ze heeft zich omgedraaid en wrijft met een doek over de brandschone kranen terwijl ze zacht neuriet. Misschien heeft ze een alternatieve bron van inkomsten, iets waar ze zich voor schaamt. In Londen had ik een studente die 's avonds als paaldanseres werkte om haar minieme beurs te spekken.

'O, trouwens,' zegt ze plotseling. 'Ik heb je telefoon gevonden.'

'Mijn mobiel?'

'Onder een stapel kleren in je slaapkamer.'

Voor het eerst sinds ik thuis ben, ben ik werkelijk blij. 'O, je bent een engel! Ik heb hem overal gezocht. Ik dacht dat iemand hem had gejat.'

Ze laat de doek op het aanrecht vallen en draait zich naar me om. Zonder nadenken blaas ik haar een kus toe en ze straalt als een klein meisje dat geprezen wordt. Opnieuw raakt me haar eenzaamheid en wanhopig verlangen om aardig gevonden te worden. Op de richel achter haar staat de ketel woest te borrelen.

'En,' zeg ik, mijn best doend de juiste woorden te kiezen, 'hoe voel je je vandaag?'

'Beter.'

'Heb je al besloten wat je gaat doen?'

Ze fronst. 'Wat moet ik dan besluiten?'

'Nou,' zeg ik voorzichtig, 'je moet woonruimte vinden. Als je tenminste echt niet terug naar huis kunt.'

Even denk ik dat ze me misschien niet gehoord heeft; ze pakt de ketel, schenkt water in de bekers, lijkt met haar gedachten ergens anders. Dan, heel langzaam, draait ze zich om en ik zie iets dat ik niet had verwacht op haar gezicht: een spoor van kwaadheid. 'Ik dacht dat ik het gisteren had uitgelegd, Cass,' zegt ze kalm. 'Ik kan niet naar huis. Ze hebben me eruit gezet.'

'Dus moet je iets anders zien te vinden...'

Maar ze laat me niet uitspreken. Ze schudt haar hoofd heen en weer en staart me aan. Ik sla mijn armen over elkaar en voel hoe de moed me in de schoenen zinkt. Ik wil haar helpen, maar het wordt allemaal te gecompliceerd. Als Alec van plan is om me ervan te beschuldigen dat ik haar heb geholpen de boel te bedotten, zou het nog veel erger lijken als ze hier logeert. Maar haar gezicht is wit weggetrokken, haar ogen staan wanhopig.

'Alsjeblieft!' zegt ze smekend. 'Ik kan er niet meer over nadenken! Het enige wat ik wil is hier blijven bij jou, waar ik veilig ben.'

Ik kijk haar nadenkend aan, probeer een gepast antwoord te verzinnen. Waar heeft ze het over? Waarom zou ze niet veilig zijn? Ik begrijp niet langer waar dit over gaat. Het enige wat ik zeker weet is dat er iets veranderd is, en nu draaien mijn ingewanden zich in een knoop.

'Goed dan, blijf vannacht maar,' zeg ik langzaam. 'Dat is prima. Maar morgen moeten we een oplossing zien te vi...'

Ik word echter midden in mijn zin onderbroken. Ik stok en draai me om naar de voordeur. Ik heb net een sleutel in het slot gehoord.

20

Matt beent de gang in en laat zijn tassen met een bezittersair op de grond ploffen als de deur achter hem dichtslaat. Hij ziet er anders uit. In de weken sinds ik hem voor het laatst zag, is hij afgevallen en heeft hij zijn gewoonlijk slordige bruine haar laten knippen. Met zijn brede schouders en vierkante kaak ziet hij eruit als een militair. In één hand heeft hij zijn laptop, zijn eeuwig trouwe vriend, en in de andere een grote bos lelies. 'Cass?' roept hij en loopt al ongeduldig naar de woonkamer.

Ik kijk naar Beth en haast me snel de kamer uit naar hem toe. Zijn onverwachte komst heeft me uit het lood geslagen. Mijn hart gaat sneller slaan van de zenuwen en een onverklaarbaar schuldgevoel. Hij zál begrip hebben voor het feit dat Beth hier is, hou ik mezelf voor. Hij kan per slot van rekening niet zomaar onaangekondigd op de stoep staan en van mij verwachten dat ik alles laat vallen.

'Hai,' zeg ik, mijn best doend blij te klinken.

Als hij mijn stem hoort draait hij zich met een brede glimlach om. 'Cass! Schat van me!' Hij legt de lelies in mijn armen en doet een stap achteruit met een verwachtingsvolle blik op zijn gezicht. 'Hier, voor jou.'

Hij ziet er zo anders uit dat ik vreemd genoeg niet echt de warmte van herkenning voel, maar eerder een kille vlaag van vervreemding. Is dit werkelijk de man met wie ik bijna tien jaar heb samengewoond? 'Christus, wat zie jij eruit,' zegt hij joviaal. 'Jij bent toe aan een goede beurt, zeker weten. Kom hier, dan gaan we er even flink tegenaan.'

Dat kan hij niet menen. Het zou zijn alsof ik seks had met een vage kennis. Een frons onderdrukkend leg ik de bloemen voorzichtig op de grond en maak me los uit zijn omhelzing, geschokt door mijn gevoelens. Ik zou dolblij moeten zijn dat hij er is, niet alsof ik bruut ben onderbroken. 'Je had me moeten waarschuwen dat je zou komen.' Ik wilde dat dit klonk alsof ik hem een liefdevol standje gaf, maar mijn stem klinkt afgeknepen van irritatie. Kon ik hem maar gewoon omhelzen, maar als hij van me weg stapt lijkt het onmogelijk, alsof ik op straat een vreemde aan zou klampen en mijn armen om hem heen zou slaan.

'Ik dacht dat je het leuk zou vinden verrast te worden.' Hij kijkt me onderzoekend aan. Net als hij moet ik er vast ook anders uitzien. Ik ben behoorlijk aangekomen, om te beginnen, en daar zal hij zeker iets over zeggen. Maar in plaats van de kritische blik waar ik bang voor ben, kijkt hij me vol liefde aan.

'Je reageert maar niet op mijn berichten,' zegt hij zacht, 'dus ik dacht, ik pak de trein en ga naar je toe. Ik heb je echt gemist. Het is veel te lang geleden.'

'Ja.' Ik moet snel zeggen dat ik hem ook heb gemist. Maar het enige wat ik kan uitbrengen is: 'Je had het me moeten laten weten.'

En nu verandert zijn gezicht, zijn wenkbrauwen fronsen en zijn mondhoeken zakken omlaag. 'Jezus, Cass,' zegt hij kortaf, 'we hebben elkaar tijden niet gezien. Je zou op z'n minst kunnen doen alsof je blij bent.'

De gekwetste blik op zijn gezicht, die hij uit alle macht probeert te verbergen, maakt dat ik in tranen zou kunnen uitbarsten. Hij houdt van me, denk ik. En dan, voor ik de kans heb het te blokkeren, brandt zich een veel verontrustender zin in mijn hersens: ik ga hem pijn doen. 'Je hebt zo weinig van je laten horen...' fluister ik. Als ik me hard genoeg concentreer, kan ik die gedachten misschien uitbannen. 'Je hebt helemaal niet gebeld en zo.'

'Dat heb ik verdomme wel gedaan,' mompelt hij nors. 'Ik heb wel honderd berichten achtergelaten op je mobiel.'

'Die was ik kwijt.' Hij blijft me aanstaren, duidelijk in ongeloof. We zijn kennelijk aangeland op een punt waar het zinloos is om hem te proberen te overtuigen. Ik zwijg, de moed bijeenrapend om mijn stem warm en vriendelijk te laten klinken. 'Hoe dan ook, het is fijn dat je er bent...' Ik ga voor hem staan, sla mijn armen om zijn nek en probeer hem op zijn gladgeschoren wang te kussen, maar hij stapt met een strak gezicht opzij. Er zit een fles champagne in het zijvak van zijn tas, zie ik met een steek in mijn hart; kennelijk had hij erop gerekend samen iets te vieren. Even denk ik dat hij me zal vergeven, zijn gezicht verzacht zich en hij geeft mijn hand bijna een kneepje terug, maar dan worden zijn ogen groot van onmiskenbare afkeer en hij snauwt: 'Wie ben jíj in vredesnaam?'

Als ik me omdraai zie ik dat Beth me uit de keuken is gevolgd en nu in de gang naar ons staat te kijken. Ik weet niet hoe lang ze daar al is, of hoeveel ze heeft gehoord. 'Dit is een studente van me,' zeg ik rustig. Ik schakel over op de kalmeer-Matt-toon, moet zijn haren gladstrijken en hem uit de driftbui praten die ik op zijn gezicht zie aanzwellen als een opkomende storm. Met een glimlach vol valse opgewektheid stap ik achteruit. 'Beth, dit is mijn partner, dr. Matthew Hughes,' zeg ik luchtig. 'Matt, dit is Beth.'

Ik hoop dat ze elkaar de hand schudden, zodat de situatie naadloos zal overgaan van openlijke vijandigheid in vriendelijke beleefdheid, maar Matt steekt zijn handen in zijn zakken en geeft Beth een kort knikje. 'Ben je hier voor studiebegeleiding?' zegt hij geringschattend terwijl hij haar met zijn hand wegwuift, alsof hij een Victoriaanse patriarch is en zij een keukenmeid.

Ze kijkt hem kwaad aan en haar gezicht wordt rood. 'Ik woon hier,' zegt ze.

Matts wenkbrauwen schieten omhoog, Beth glimlacht zelfvoldaan en ik hap naar adem, zowel uit verbijstering om haar opmerking als uit afgrijzen om Matts voorspelbare reactie. Hij kijkt haar met open mond aan en draait zich dan met grote ogen naar mij. 'Heb je een flátgenote genomen?'

'Ze heeft hier alleen maar een nacht gelogeerd,' zeg ik haastig. 'Ze had dringend een plek nodig en...'

'Cass heeft me net uitgenodigd om vanavond ook te blijven,' onderbreekt Beth me weinig behulpzaam. Dan – of misschien verbeeld ik me dat – geeft ze me een discreet triomfantelijk knikje alsof ze wil zeggen: dat heeft hem op zijn plaats gezet.

'O, is dat zo?'

Met zijn armen over elkaar staat Matt me kwaad aan te kijken. Ik slik moeizaam. Had ik maar geweten dat hij vanavond zou komen, dan had ik mezelf kunnen voorbereiden en goed kunnen reageren.

'Zoiets, ja,' mompel ik. Dan zeg ik tegen Beth: 'Beth, kun je Matt en mij even alleen laten, alsjeblieft.'

Even verschijnt er iets op haar gezicht wat ik niet kan plaatsen. Dan zegt ze: 'Tuurlijk,' en draait zich om.

'Wat is hier aan de hand, verdomme?' grauwt Matt venijnig, als de deur achter haar dichtvalt.

Hij heeft een woedend gezicht en voor het eerst sinds hij hierbinnen is voel ik me verstijven van verontwaardiging. 'Rustig maar. Het is een studente die in de problemen zit, niet mijn minnares.' Als ik dat zeg herinner ik me de vreemde gevoelens die ik had toen ik haar zag slapen en ik voel dat ik bloos.

Maar het ontgaat Matt. In plaats daarvan knikt hij sarcastisch. 'Nou, dat is een opluchting. Voor de zoveelste maal moet alles wachten zodat jij een of ander zielig schepsel kunt helpen dat je ergens hebt opgevist.'

Nu word ik echt kwaad. Hij weet niets van wat er zich heeft afgespeeld, en toch gelooft hij kennelijk dat hij zomaar mijn flat kan binnenstormen wanneer hij maar wil en de boel kan domineren. Ik dacht dat we op hetzelfde spoor zaten, maar kennelijk is er maar een paar weken voor nodig geweest om van de rails te raken. 'Je weet niets van haar af,' sis ik. 'Ze zit diep in de nesten. Ze heeft ruzie met haar familie en kan nergens terecht.'

'Sinds wanneer run jij een vrouwenopvanghuis?'

'O lieve hemel!'

Ik wil door de kamer lopen, weg van hem, maar hij grijpt me bij de pols en trekt me naar zich toe. 'Loop niet van me weg, Cass!'

Ik maak zijn vingers van mijn pols los, haal diep adem en zeg, zo neutraal als ik kan: 'Ik loop niet van je weg, maar ik wil me niet laten toeschreeuwen. Vooral niet als iemand het kan horen.'

'Goed dan,' zegt hij, zijn jas van de vloer oprapend. 'Laten we naar buiten gaan.'

Matt steekt met grote stappen over en beent met een strak gezicht naar de gemeenschappelijke tuin. Terwijl ik achter hem aan ren voel ik me alsof ik op het punt sta te ontploffen van borrelende, kokende woede. Verwacht hij dat ik achter hem aan loop als een schoothond, smekend om vergeving? En wat heb ik zogenaamd misdaan? Hij zwaait het hek open en stampt over het gazon naar de tunnel die op de weg uitkomt waarachter het strand ligt. Ik ruik zout en de aardegeur van modderig gras. Zo'n honderd meter verderop dendert het verkeer meedogenloos voort. In het westen zie ik de glinsterende lichten van de pier en de uitgestrekte massa gebouwen van de stad. De wind is ijzig.

Eindelijk heb ik hem ingehaald en pak zijn hand beet in een laatste poging tot verzoening. Hij kijkt me aan, een klein jongetje met een driftbui, omdat zijn avond niet verlopen is zoals hij gepland had. Ik was vergeten dat hij zo kon zijn, maar nu, zonder dat ik er zelfs maar moeite voor doe, glij ik terug in de ingesleten groeven van onze relatie.

'Waar wil je heen?' vraag ik met een beheerste glimlach, alsof we slechts naar de zee slenteren voor een avondje uit. Het is het proberen waard: geef hem wat tijd om zijn woede te laten bekoelen en doe dan alsof er niets is gebeurd.

'Waar heb je het over?' gromt hij. 'Ik wil nergens heen.'

Ik negeer dat en dwing mezelf kalm te blijven. 'Laten we dan teruggaan naar de flat. Het is hier belachelijk koud.'

'Dat zou prima zijn. Alleen heb je de halve studentenpopulatie uitgenodigd om ons gezelschap te houden.'

'Kom nou.'

Hij kijkt me minachtend aan en wil net zijn lange mars naar zee voortzetten als hij zich plotseling weer naar me toe draait. 'Zeg me één ding,' sputtert hij. 'Heb je dit met opzet gedaan?'

'Wat bedoel je?'

'Iemand te logeren uitgenodigd zodat je niet alleen met me hoefde te zijn.'

Ik kijk hem met open mond aan. Is hij werkelijk zo paranoïde? 'Dat is absurd! Ik had geen idee dat je zou komen! En ze blijft maar een nacht!'

Ik verwacht dat hij nu tenminste zal aarzelen, maar hij weet van geen ophouden. 'Zeg dan dat ze ergens anders heen moet.'

'Ze kán nergens anders heen.'

'O nee? Sinds wanneer ben jij haar mammie?'

Ik weersta de verleiding om terug te snauwen: niet half zo lang als ik jouw mammie ben. In plaats daarvan schud ik droef mijn hoofd en probeer opnieuw zijn hand te pakken. Mijn haar slaat in mijn gezicht, ijskoude lucht giert door mijn dunne trui. 'Luister, liefje,' zeg ik in een poging hem te verzoenen. 'Laten we teruggaan naar de flat. Als je niet wilt dat ze er is, zal ik iets anders voor haar zoeken. Zo moeilijk is het niet.'

'Dit doe je altijd,' zegt hij nukkig. 'Net als het echt belangrijk is dat we samen zijn, vind jij een of andere zielenpoot om in de watten te leggen.'

Mokkend staat hij voor me. Ik zou hem in mijn armen moeten nemen en Beth naar de achtergrond van mijn gedachten moeten schuiven, maar ik kan maar niet uit mijn hoofd zetten dat in de korte tijd dat we niet bij elkaar zijn hij in een vreemde is veranderd die niet langer iets over me weet. Hoe kan dat zo snel gebeurd zijn? Dan pakt hij me onhandig om mijn middel en trekt me naar zich toe. Ik ben zo verrast dat ik bijna struikel, en tegen zijn warme ruwe duffeljas val voor ik mijn schouders recht en haastig achteruit stap. De gedachte is zo vreselijk dat ik die uit alle macht wil wegduwen maar nu heeft hij zich vastgezet, een krantenkop over een hele pagina: Raak me niet aan.

'Wat doe je?' stotter ik. 'Laat me los!'

Hij draait zich op zijn hielen om, en strompelt over de molshopen en het met distels bezaaide gras naar de zee. En in de seconde waarin ik zijn geschokte gezicht zie weet ik dat hij mijn gedachten heeft gelezen. 'Matt! Wacht!' roep ik en ren achter hem aan.

Als ik hem heb ingehaald is hij bij een bosje struikgewas en bomen net voor het hek aangekomen. Het is begonnen te regenen, een lichte glinstering die onze gezichten beroert en onze lippen natmaakt met een koude nevel. Matt ademt zwaar en veegt het vocht van zijn wangen. 'Wat is er aan de hand, Cass?' zegt hij zacht. 'Waar gaat dit allemaal om?'

Ik slik. De ernst in zijn stem, de intense blik in zijn ogen verontrusten me. Het verspreidt zich in mijn buik als een onverteerbare angst. 'Er is niets aan de hand. Dat weet je.'

'O ja?'

Ik haal geveinsd nonchalant mijn schouders op. Ik wil dit gesprek helemaal niet. Ik wil een onzichtbare knop omdraaien die het afgelopen uur uitwist en ons terugbrengt naar veilig gebied. Maar Matts ogen zijn rood en zijn voorhoofd is gegroefd met rimpels die ik niet eerder heb gezien. 'Kom terug naar Londen,' zegt hij. 'We kunnen trouwen...' Hij bijt op zijn lip en zijn stem daalt tot een fluistering. 'Een kind maken.'

Meteen als hij dat zegt weet ik zeker dat dát achter onze verwijdering steekt, dat nauwelijks zichtbare haarscheurtje, dat nu in een kloof uiteensplijt. Het was zoiets kleins, aanvankelijk, zijn onuitgesproken wens, een verrassende golf van afgunst toen hij Josh met zijn baby zag, een vluchtig gevoel van leegte als hij naar de buggy's in Clissold Park keek. Maar het is krachtiger geworden, en duwt ons onvermijdelijk uiteen, als klimop die zich in baksteen boort. En nu, terwijl ik terugstaar naar Matt, wiens ogen op mijn gezicht gefixeerd zijn met een intensiteit die hij normaliter reserveert voor zijn computerscherm, besef ik iets anders. Onze relatie is voorbij.

Droef schud ik mijn hoofd. 'Dat kan ik niet,' zeg ik. 'Het spijt me.'

'Je zou heen en weer kunnen reizen,' vervolgt hij vastbesloten. 'Het betekent niet dat je je baan hoeft op te geven. We zouden de zorg voor het kind kunnen delen. Luister alsjeblieft, Cass, zeg tenminste dat je erover zult nadenken. Ik bedoel, we worden er geen van beiden jonger op en je zou zo'n goede moeder zijn...'

Maar ik stap achteruit, niet in staat het nog langer aan te horen. Mijn sokken zijn te dun en in mijn ongeschikte instappers steken mijn voeten van de kou. Mijn gezicht is ook kletsnat; de regen drupt in mijn ogen en langs mijn nek, een doorwekende, ellendige douche.

'Ik moet terug,' mompel ik. 'Kijken hoe het met Beth is...'

Als ik dat zeg, verandert zijn gezicht, het enthousiasme vervangen door afkeer. 'Hoe het met Beth is!' schreeuwt hij. 'Jezus, mens, wat is er in godsnaam met je aan de hand? Ik ben helemaal uit Londen gekomen om je ten huwelijk te vragen en jij maakt je druk om een of ander stom studentje!'

Even weet ik niets te zeggen. Zijn reactie is tegelijkertijd terecht en ook totaal fout. Ik strijk mijn haar uit mijn gezicht en probeer mijn tegenstrijdige emoties onder controle te krijgen. Er is een alarmerende uitdrukking in zijn ogen. 'Ik wist niet dat je me ten huwelijk vroeg,' zeg ik, worstelend om mijn stem in bedwang te houden. Mijn ingewanden draaien zich in een knoop. Ik wil de hele scène terugdraaien, terug naar het moment waarop hij de flat binnenkwam, nog vol optimisme. Misschien had ik dit door middel van een reeks slimme afleidingsmanoeuvres kunnen voorkomen. Maar nu razen we af op een confrontatie waaraan niet langer te ontsnappen valt.

'Nou, dat is wel het geval.' Een smekende uitdrukking flitst over zijn gezicht.

Ik heb het vreselijke gevoel dat hij op een knie zal gaan en een fonkelende ring uit een klein zwart doosje te voorschijn zal toveren. En nu het zich voor mijn ogen ontvouwt, besef ik dat het een confrontatie is die ik tien jaar lang uit alle macht heb vermeden. Het moment waarop het serieus wordt en ik gedwongen word de waarheid te onthullen. 'Het spijt me,' zeg ik. 'Ik wil niet trouwen.'

Hij deinst terug, maar zijn blik laat mijn gezicht niet los. 'Waarom niet?'

'Ik wil het gewoon niet.'

De kalmte waarmee hij dit in zich opneemt verbaast me. Misschien heeft hij altijd geweten dat ik zou weigeren. Hij kijkt omlaag naar het donkere gras en schopt met zijn voet tegen de modder. Een waanzinnig moment denk ik dat alles goed zal komen. Als hij opkijkt, zegt hij zacht: 'Het heeft met je familie te maken, hè?'

Ik kan mijn ogen niet van de zijne losmaken. Ik slik. Te saai om over te praten, zei ik meestal toen hij er in het begin naar vroeg. Later, als hij erop stond dat ik hem meer vertelde, pakte ik de enige foto die ik bewaard heb, van ons thuis op de bank, de kerst voor pa overleed. Ik zit iets apart van de anderen, met een stuurs gezicht en roze haar; mam en pa houden elkaars hand vast, de huichelaars; David kijkt naar de vloer. Het is de laatste foto van ons samen. Zo is het nu eenmaal, zei ik dan, als hij me onder druk zette. Sommige families genieten van elkaars gezelschap en andere niet. Dus kunnen we er nu alsjeblieft over ophouden?

'Ik hou van je,' zegt Matt plotseling.

Die liefdesverklaring komt als zo'n verrassing dat mijn mond openvalt. Vanaf het moment dat we elkaar ontmoetten hebben we er een punt van gemaakt te vermijden wat we spottend kleffigheid noemden: geen Valentijnskaarten, sentimentele liedjes of liefdesverklaringen. In Matts ogen is echter geen spoortje ironie te vinden, dus heeft hij me al die tijd misschien naar de mond gepraat, en deed hij alsof hij niet van sentimentaliteit hield, terwijl hij heimelijk een zwak koesterde voor roze lingerie en rode rozen.

'Het spijt me, Matt,' zeg ik zwakjes. 'Ik wil gewoon alleen zijn.'

Een paar seconden kijkt hij me recht in de ogen, niet met de passie van een afgewezen minnaar, maar eerder onderzoekend, alsof hij daar iets zou kunnen ontdekken wat hij tot nu toe niet heeft begrepen. 'Waarom ben je zo bang?' vraagt hij zacht.

Ik ben niet in staat te antwoorden. Dan lijkt het alsof zijn gezicht verslapt. Ik wil mijn armen om hem heen slaan en hem tegen me aan drukken om hem te troosten, maar het is al te laat, want hij loopt snel van me weg, terug door de tuin.

Als ik terug ben in de flat is hij weg. Ik doe de onvergrendelde deur open en zie met een ongemakkelijke mengeling van spijt en opluchting dat de gang leeg is. Hij heeft zijn tassen meegenomen, en de champagne, zie ik als ik op het tapijt stap; zelfs de lelies zijn verdwenen. De flat voelt enorm, een holle, weergalmende grot. Een paar minuten geleden vulden onze boze stemmen deze ruimte. Nu hoor ik slechts de vage stemmen van onzichtbaren van Jans tv en de auto's in de straat beneden. De bedompte, muffe geur is ook weer terug.

Ik loop naar de woonkamer. Ik weet niet wat ik moet voelen. Mijn tegenstrijdige emoties heffen elkaar op en er blijft een duizeligmakende desoriëntatie over. Is dit het eind van onze relatie? Ik neem aan dat dat zo is, maar mijn geest weigert zo'n rauw, hard feit te accepteren. De grond is onder mijn voeten weggeslagen en ik kan niet helder denken. Ik loop door de deur, naar de tochtige ramen, waar ik met een lege blik naar buiten sta te staren. Ik weet niet of ik wel of geen laatste glimp van Matt die uit het zicht verdwijnt wil opvangen.

Er is geen spoor van Beth. Ik kijk omlaag naar de rusteloze bomen en zie een blikje dat rammelt op het trottoir. Jezus, denk ik steeds, wat is er met me? Matt is mijn man, ondanks zijn grillen en mijn onvermogen om het hardop te zeggen is hij mijn grote liefde. En nu deze vreselijke scène. Hij kwam met bloemen en champagne om me ten huwelijk te vragen, als een of andere dwaze held uit een Bouquetboek, balancerend op een knie met een diamanten ring ingebed in rood fluweel. En ik wees hem af.

Maar ik wil het niet, wel? Het idee met hem te trouwen, naar het altaar te schrijden in een jurk met kantjes en ruches om mevrouw Hughes te worden is belachelijk. Ik ging er altijd van uit dat hij er hetzelfde over dacht, maar misschien is dit waar hij heimelijk naartoe heeft geleefd, en was zijn gegrinnik om de overdreven bruiloften van onze vrienden een farce. Ik ken hem duidelijk niet zo goed als ik dacht. En, denk ik, terwijl ik bij het raam vandaan ga, hij kent mij niet echt. Misschien is onze knusse tweezaamheid altijd een schijnvertoning geweest, een makkelijke manier om ons te verstoppen.

Ik ril, en merk nu pas hoe koud ik het heb. Beneden is het geruis van de tv verstomd. In plaats daarvan hoor ik een hol geklop, wat door de tv overstemd moet zijn geweest. Ik blijf doodstil staan en spits mijn oren. Het geluid komt uit de keuken en als het luider wordt, verstijft mijn lichaam, alsof scherpe schroeven van angst binnen in me worden aangedraaid. Met tintelende vingers loop ik door de kamer. Het is vast de wind die iets tegen het raam slaat.

Als ik bij de deur ben, pak ik de knop beet. Het geluid begon als vaag geklop, maar nu, aan de andere kant van de flat, is het alsof iets – of iemand – hard tegen een ruit bonkt. Ik probeer kalm te blijven, maar kan het beeld van een donkere figuur die op het platte dak staat en met zijn vuisten op de schuifdeuren bonkt niet uit mijn hoofd zetten. Ga weg! smeek ik. Laat me alsjeblieft met rust!

Maar het geluid wordt harder. Ik blijf bij de deur staan, met mijn vochtige hand om de knop terwijl ik de moed bijeenraap om hem te openen. Het raam is afgesloten, hou ik mezelf voor. Niemand kan erin. Maar als mijn vingers zich om de knop klemmen kan ik het helse refrein dat zich almaar herhaalt niet de mond snoeren: de gluurder is terug.

Ik kan nauwelijks ademen, de adrenaline raast door mijn aderen als een harddrug. Ik mag mezelf niet zo laten terroriseren, denk ik steeds. Ik moet iets doen. Mijn handen trillen zo, dat ik ze maar net kan bewegen, maar uiteindelijk trek ik aan de knop, draai hem om en stap resoluut door de deur.

Zodra ik dat doe, houdt het geluid op. Verward sta ik in de stoffige gang, naar adem happend. Er is niets meer te horen, alleen de titelmuziek van *EastEnders*, waar Jan kennelijk naar zit te kijken. En nu verschijnt Beth slordig en slaperig bij de slaapkamerdeur met mijn dekbed om haar schouders. Ik staar haar verbijsterd aan. Om de een of andere reden had ik aangenomen dat ze vertrokken was, en nu vind ik het moeilijk om terug te schakelen naar de persoon die ik was voor Matt verscheen.

'Hallo,' zeg ik vaag, terwijl ik probeer me te herinneren hoe ik me moet gedragen. 'Ik dacht dat je weg was.'

Dromerig schudt ze haar hoofd. Haar ogen, die groter en donkerder dan eerst lijken, zijn op mijn gezicht gericht.

'Wat was dat geluid?' vraag ik. 'Was jij dat?'

'Welk geluid?'

'Het kwam uit de keuken, alsof iemand op het raam bonkte.' Ik wil meer zeggen, maar zwijg, omdat ik niet hysterisch wil lijken.

Beth staart me een minuut aan, haalt dan haar schouders op en laat het dekbed op de grond glijden. Ze heeft nog steeds mijn jurk aan, die als een zwaar fluwelen gordijn om haar dunne benen valt. 'Ik was even in slaap gevallen.' Ze stapt over het dekbed en loopt naar de keuken. Ze lijkt niet verbaasd dat Matt weg is. Als ze door de gang loopt draait ze zich om. 'Wil je dat ik ga kijken?'

Ik ril, te laf om erop door te gaan. Het was vast een hallucinatie, mijn verhitte herinneringen die het geluid hebben opgeroepen, niets meer. 'Nee, het is al goed. Ik heb het me vast ingebeeld.'

'Dan begin ik maar aan het eten,' zegt ze en verdwijnt de keuken in.

Brighton, 21 november

Lieve mam,

Soms is het alsof ik je zo wanhopig nodig heb dat ik niet weet wat ik moet doen. Daar heb ik de laatste tijd veel over gedacht, hoe ik die gevoelens kan verdrijven. Hoe, vraag ik af, kan ik nu iemand nodig hebben die als het eropaan komt niet langer bestaat? Ik weet je naam niet eens, of ook maar iets over je. Als we elkaar op straat zouden tegenkomen, zou ik je niet herkennen; jij zou mij zeker niet langer herkennen. Maar als je 's nachts bij me komt en mijn wang aanraakt met je zachte gladde handen verlang ik zo dat je het echt bent. Er moeten toch zeker wat ondefinieerbare draden zijn die ons verbinden, een genetische code die we delen? Hou jij net als ik van de wind die langs je gezicht strijkt maar heb je een hekel aan de zomerhitte? Heb je last van hoofdpijn en slapeloosheid? Heb je goede sterke benen, maar een rusteloze aard? Wie is je familie en waar kom je vandaan? Jij bent mijn geschiedenis en mijn thuis, zie je. En zonder te weten wie je bent kan ik nergens heen.

Als ik dat denk vraag ik me af of het niet alleen behoefte is wat ik voel, maar iets anders. Meer iets als haat.

21

Na Beths notengebraad te hebben weggewerkt, zit ik bij de openslaande deuren naar de zee te kijken. De storm hing de hele dag al in de lucht en nu, nu de ramen trillen in de wind, spetteren de eerste regendruppels tegen het glas. Ik zak tegen de muur. Beth is kennelijk terug naar de slaapkamer, want ze is nergens te bekennen. Misschien is ze van streek door mijn zwijgzaamheid. Tijdens het eten probeerde ik gezellig te zijn, maar ik was zo geschokt door de ruzie met Matt dat ik niet meer dan een paar afgebroken zinnen kon uitbrengen. Hij wilde met me trouwen, maar ik heb hem afgewezen, heb ik als uitleg gegeven, en het verbaasde me dat ik haar dat zelfs kon vertellen. Ik wil er eigenlijk niet over praten. Ook heb ik haar veganistisch feestmaal geen eer aan gedaan. Met een treurige blik op de hoeveelheid voedsel die nog op mijn bord lag aan het eind van de maaltijd, pakte ze het op en schraapte het zwijgend leeg boven de vuilnisbak.

Maar of Beth wel of niet beledigd is, is bepaald niet mijn meest urgente zorg. Het is te laat om vanavond iets tegen haar te zeggen, maar de waarheid is dat ik alleen wil zijn. Ik laat mijn hoofd op mijn knieën rusten en weiger toe te geven aan tranen. Ik heb dit verdiend, denk ik, want wat Matt wil is volkomen redelijk. Waarom heb ik niet kunnen reageren zoals hij had gehoopt? Ik had in zijn armen moeten zwijmelen en fluisteren: 'Ja, niets liever.' Ik zou, zoals de meeste kinderloze vrouwen van mijn leeftijd, erg naar een baby moeten verlangen. Het zou het volgende stadium in mijn leven moeten zijn, de volgende grote stap.

Ik stel me Sarah voor, het kleine meisje op haar schoot. Misschien lijkt het of ik jaloers ben, en daarom is het steeds moeilijker met haar te praten. Maar de realiteit is ingewikkelder. Het is niet zo dat ik wil wat zij heeft, of zelfs dat ik jaloers ben op Poppy die haar van me af heeft genomen, hoewel dat element misschien aanwezig is. Nee, het is zo dat Sarahs succes mij aan mijn falen herinnert. Hoe doen al die vrouwen het? Ze laten het er zo makkelijk en natuurlijk uitzien: de eskaders Sarahs en Miranda's die gepureerd voedsel in de zachte natte mondjes van hun kroost lepelen; de legers vrouwen die hun peuters op hun heupen dragen terwijl ze naar de zandbakken van de westerse wereld marcheren. Al die vrouwuren gespendeerd aan het nobel streven dat 'Kwalitijd' heet, hun leven opgeofferd aan het altaar van de kinderjaren, ze maken me doodsbang. Ik zie ze elke dag als ze hun bolwangige peuterprinsjes in hun koetsen voortduwen, of ze op hun rug dragen als keizerlijke radjas. En ik weet dat met al mijn prestigieuze academische prestaties zij een kennis hebben die ik niet bezit: zij weten hoe lief te hebben.

Ik zit rechtop en probeer de herinneringen die zich om me heen hebben verzameld van me af te schudden, maar ze zijn even onvermijdelijk als nucleair afval. Matt is beter af zonder mij, denk ik mismoedig. Wat hij nodig heeft is een leuke postdoctoraal studente, opgewekt, met blozende wangen, die al zijn meningen blijmoedig respecteert, alles leest wat hij schrijft en hem helemaal geweldig vindt. Ze kunnen zich vestigen in de buitenring van Londen, in een groot huis met een tuin, en overvloedig nageslacht produceren. Maar als hij gelooft dat ik zo'n vrouw ben, dan heeft hij het mis. Het moet hem toch wel opgevallen zijn hoe ik kinderen vermijd. Vanaf het moment dat we minnaars werden ben ik panisch geweest zwanger te raken. Baby's zijn afgrijselijk, heb ik altijd gezegd. Al die poep en kwijl, al die slapeloze nachten, wat een ellende.

Maar terwijl ik in elkaar gezakt bij het raam zit, weet ik dat dat een leugen is. Want steeds meer voel ik een leegte zo diep en donker dat ik weet dat ik die nooit kan opvullen, een enorme last van wat ik niet heb en wat ik moet geven. Waarom ben je zo bang, vroeg Matt en ik was niet in staat te antwoorden.

Abrupt ga ik staan en laat mijn blik door de kamer dwalen op zoek naar mijn tas. Als ik hem keurig in de hoek zie staan, rits ik hem open, graai diep en haal mijn oude, versleten filofax te voorschijn. Daar, ik heb hem. Ik haal hem uit zijn plastic huls en trek de foto uit de achterkant, vouw hem open en leg hem op mijn knie. Hij is zo oud en is zo vaak gevouwen en opnieuw gevouwen dat de foto bijna gevierendeeld is. Kerstmis 1979, zes weken nadat ik naar de Dreadheads was geweest. Mijn familie, gefotografeerd door oom Bob. Ik staar naar het korrelige beeld alsof ik het antwoord dat ik nodig heb van hun gezichten zou kunnen aflezen. Maar we kijken dom terug. Daar is mam, haar lange haar kortgeknipt en gekruld, met haar verraderlijke arm om pa's schouder. Daar is David met een verveelde blik en daar ben ik met mijn punkkapsel. Pa glimlacht alsof alles normaal was. Het was eerste kerstdag, maar niemand was in een feeststemming.

Ik laat mijn vinger over de foto glijden en kijk naar mijn dikke, boze gezicht. Achteraf gezien zie ik dat mijn ongelukkig gekozen kapsel en bleke wangen me het uiterlijk van een extra grote geglaceerde donut geven. Ik had slechts een paar dagen eerder mijn haar ongenadig kort geknipt en roze geverfd, als een uitdagende middelvinger naar de headbangers. Daarna verbrandde ik ritueel mijn volledige platencollectie in de nepgashaard. David en ik keken plechtig toe hoe de vinyl schijven omkrulden en oprezen in de hitte, en tot kleverige brokken smolten die het rooster verstopten en mijn moeder in razernij deden uitbarsten. Ik was nog steeds niet hersteld van de alcoholvergiftiging van de vorige week. Ik rookte aan één stuk door, alleen om mijn moeder te ergeren, want de sigaretten maakten me nog zieker. De waarheid was dat ik alleen maar naar bed wilde.

Niets van dit alles maakte mijn ouders veel uit, of werd zelfs maar opgemerkt. Want nu was er iets veel angstaanjagender dan mijn nieuwe reinheid op de voorgrond getreden. Ze hadden het ons op Guy Fawkes-avond verteld, toen we stil en geschokt op de bank zaten terwijl de lucht van de buitenwijken explodeerde met het geknetter en gesis van het vuurwerk van andere gezinnen. We zouden dat jaar niet naar Guy Fawkes-vieringen gaan, zei mam, want ze moest ons iets vertellen. Ik herinner me haar bleke gezicht en dat mijn gedachten stokten. Ze gingen vast scheiden, dacht ik met een golf van opwinding. En dat betekende dat mam David zou krijgen en ik bij pa kon gaan wonen.

Het had echter niets te maken met de staat van hun huwelijk. Pa was ziek, zei mam met trillende stem. Het had te maken met zijn hoest. Hij had zich laten onderzoeken en het zag er niet goed uit.

Toen ze dat zei, werden haar ogen vochtig en pa pakte haar hand, een zeldzaam gebaar van genegenheid. Verdoofd staarde ik in de nepgashaard die ik pas had laten verstoppen met mijn lp's van Saxon en Motorhead, en luisterde naar het gesis van de vlammen. Hij had een terminale ziekte, vervolgde pa. 'Het' zou waarschijnlijk nog een tijd niet gebeuren, het zou eerder jaren dan maanden kunnen duren. Maar hij was gedwongen ziekteverlof te nemen van zijn werk als taxateur, dus dook zijn inkomen meteen omlaag. Uiteindelijk zou mam haar baan in de dokterspraktijk moeten opgeven om voor hem te zorgen. Misschien zouden we wel moeten verhuizen. Bij die informatie keek hij door de kamer naar de voorramen, waar de nieuwe roze velours gordijnen die hij en mam onlangs hadden gekocht de vuurwerkgloed buitensloten. Wat er ook gebeurde, vervolgde hij, we zouden dapper moeten zijn.

Maar ik voelde me niet dapper; ik voelde me vreselijk in de steek gelaten. Ik was te jong om mijn vader te verliezen, jammerde ik inwendig. En het was absoluut niet mogelijk dat ik gelukkig kon zijn met alleen mam. Maar na dit zeldzame vertoon van emotie op Guy Fawkes-avond werd het onderwerp afgesloten en vergrendeld. Pa werd stiller en meer in zichzelf gekeerd en bracht de meeste dagen voor de tv door, terwijl mams stemming op en neer ging tussen geforceerde kalmte en slecht onderdrukte hysterie. Er stond iets verschrikkelijks te gebeuren, maar geen van ons durfde het te erkennen.

De dagen vlogen voorbij. David ging naar school, ik spijbelde en mam en pa zetten hun leven elk afzonderlijk voort. Dokter Death – de sombere seniorpartner in de praktijk waar mam werkte – belde toen regelmatig en kwam ook langs. Ik kon niet begrijpen waarom mam zo lang tegen hem fluisterde over de telefoon of zo laat op de avond, noch de reden van de snelle zoen die ik hem haar eens zag geven bij de deur. Het had vast te maken met pa's ziekte, die inmiddels rap de overhand kreeg, vond ik. Hoe dan ook, het komen en gaan van dokter Death interesseerde me nauwelijks, want het werd duidelijk dat pa veel zieker was dan zelfs zijn arts had voorspeld. De eerste week van december sliep hij beneden op een kampeerbed; tegen kerst kwam een wijkverpleegster hem morfine geven. Ik bracht het grootste deel van de vakantie slapend in mijn kamer door, zo lethargisch dat het leek alsof ik in plaats van pa gedrogeerd was.

Met Pasen was hij naar de hospice gebracht. Ik herinner me hem op een groot metalen bed, omgeven door apparatuur. Het was een katholieke instelling; overal hingen kruisen en net om de hoek van pa's slaapkamertje was een kleine kapel met dikke gebrandschilderde ramen, waar we waarschijnlijk verondersteld werden te bidden. Ik vond de bezoeken daar vreselijk, omdat ze verwrongen werden door een weerzinwekkende onbeholpen joligheid. Elke keer was erger dan de vorige, ik kon niets bedenken om te zeggen, en toen hij me voor de miljoenste keer had geplaagd met mijn roze haar en gewicht verviel hij in een verontschuldigende stilte. Soms hoestte hij zo erg dat hij niet langer kon ademen. Dan zette hij het zuurstofmasker op en wendden wij onze blik af, gegeneerd door zijn machteloosheid, tot de aanval voorbij was en zijn schouders zich ontspanden. Hij leek verloren voor ons, al onbereikbaar.

De moeilijkheid was dat alles aan hem zo anders was. Om te beginnen was hij heel mager, zijn huid zo strak gespannen over zijn botten dat hij gekneusd en craquelé leek. En hij droeg ook niet zijn normale pyjama's maar dikke blauwe, die blijkbaar speciaal voor de hospice waren aangeschaft. Hij was ook onverwacht afwezig. Soms, als ik zat te praten, gleden zijn ogen van mijn gezicht weg en besefte ik dat hij niet langer luisterde.

Mijn voornaamste herinnering aan die bezoeken is het gevoel van intense gêne. Natuurlijk wisten we wat er ging gebeuren, maar we waren nog kinderen, we wisten niet hoe we ermee om moesten gaan of wat we moesten zeggen. Als we niet op school waren of hem opzochten, ging het leven dus gewoon z'n gang. David schopte hele dagen een bal tegen de garagemuur en ik lag boven op bed naar de muren te staren. Ik kon de lethargie die over me was gekomen niet van me afschudden. Nu, in plaats van te spijbelen, was mijn afwezigheid gelegitimeerd door de briefjes die mijn moeder schreef: Cassandra kan deze week helaas niet op school komen. Haar vader ligt op sterven en ze is erg van streek, heeft last van hoofdpijn, misselijkheid, etc.

Ook had ik meer honger dan ooit, en weerstond alle pogingen tot dieet met succes. Geen wonder dat ik zo dik werd, zei mijn moeder als ze me weer een bord cakejes zag wegwerken, zoiets had ze nog nooit gezien. Kritisch. Verwonderd, niet weinig ongeduldig, dan schoot haar blik weer weg en vergat ze de vraag die ze wilde stellen. Wat mij betreft, ik was depressief, bijna niet in staat uit bed te komen. Op school behandelden de andere meisjes me met voorzichtige belangstelling. Ik was de gangmaker van de vijfde klas geweest, de lastpost achter in de klas die alom bewondering en angst afdwong met haar minachting voor gezag. Nu was ik terug in een andere rol: het object van medelijden, een casus van hoe hard de machtigen vallen. Als ik mijn jas ophing hoorde ik ze over me fluisteren. *Arme Cassie Bainbridge. Heb je het gehoord van haar vader?* Dan, wat later: *Heb je gezien hoe dik ze is geworden? Haar moeder houdt het kennelijk met een dokter. Je zou gedacht hebben dat ze even konden wachten.*

Pa stierf op 21 april, de dag na Davids verjaardag. We hadden het zien aankomen en hadden de dag ervoor bij zijn bed gezeten en zijn slappe hand vastgehouden. Uiteindelijk waren we door de verpleegsters naar ons koude, benepen huis gestuurd, waar we Horlicks dronken en elkaars ogen meden. De tijd van overlijden was vijf over drie in de ochtend, ze vertelden ons ook dat hij niet uit zijn coma was ontwaakt en gaven als doodsoorzaak longcarcinoom.

Twee maanden later had ik mijn middelbareschooldiploma, mam ging openlijk met dokter Death en ik was twaalf kilo aangekomen.

'Hé, hallo.'

Met een schok draai ik me om. Ik was zo diep verzonken in mijn herinneringen dat ik Beth vergeten was. Maar nu leunt ze tegen de deurpost en kijkt gemelijk naar mij. Ik wil niet dat ze de foto ziet en steek hem haastig terug in mijn tas. 'Hoe is-ie?' vraag ik geforceerd luchtig. 'Ik dacht dat je naar bed was.'

'Met mij gaat het goed, ik wilde alleen zien hoe het met jou was.'

Ik schud mijn hoofd en probeer er kalm en beheerst uit te zien. Het is lief dat ze het vraagt, maar ik ben niet in staat haar meer informatie te geven.

'Het gaat prima,' zeg ik. 'Ik zit hier wat te dagdromen.'

Beth zet een stap in de kamer en rilt van de tocht.

'Heb je nog nagedacht over waar je kunt wonen?' vraag ik, terwijl ik de glimlach op mijn lippen probeer vast te houden.

Ze heeft me waarschijnlijk niet gehoord, want ze geeft geen antwoord.

'Ik heb me net iets herinnerd,' zegt ze terwijl ze me aankijkt. 'Over dat geluid dat je hoorde?'

'O ja?'

'Ik weet niet of het belangrijk is, maar misschien moet je het weten?'

Ik knik langzaam en dwing mezelf terug in het heden. Het lijkt lang geleden dat ik bij de deur stond en te bang was om hem te openen. 'Vertel,' zeg ik ongerust.

'Nou, vanmiddag, toen ik terugkwam van boodschappen doen, stond er een man bij het hek van het park, die recht naar jouw flat opkeek. En toen hij me naar binnen zag gaan wierp hij me een heel vreemde blik toe.'

Ze glimlacht verwachtingsvol, want ze probeert te helpen, en nu neem ik aan dat ze wat positieve bevestiging wil. Maar het enige wat ik kan doen is naar haar staren. 'O,' zeg ik duf.

'Ik weet niet of het er iets mee te maken heeft of niet. Het was alleen een gevoel dat ik had. Je weet wel, vrouwelijke intuïtie en zo?'

Ik slik. Ik wilde dat ik haar nooit had verteld over de geluiden op het platte dak bij de keuken, want de man die ze zag was waarschijnlijk alleen maar een makelaar of een cliënt van Jan, of hoe dan ook een onschuldig persoon. En ze wil natuurlijk alleen maar helpen. Maar nu blijft, net als al het andere, het beeld van een vreemde man die naar mijn flat kijkt, steken in mijn reeds oververhitte gedachten als een spat heet vet.

'En het was niet Matt?'

Ze haalt haar schouders op alsof er nauwelijks van haar verwacht kan worden dat ze zich herinnert hoe Matt eruitziet. 'Eerlijk gezegd heb ik zijn gezicht niet goed gezien.'

Ik kan mijn rillingen niet bedwingen. 'Laten we onszelf geen nachtmerries bezorgen,' zeg ik luchtig. 'Ik weet zeker dat het niets was.'

'Waarschijnlijk niet.' Ze giechelt, haar gezicht is weer opgeklaard. 'Ik ben doodop,' zegt ze, bijna, maar net niet mijn arm pakkend. 'Laten we naar bed gaan.'

22

We staan weer op de rotsen en wachten. De lucht is helder, maar onder ons is de zee onstuimig. Dat geeft me een angstig gevoel in mijn maag, alsof ik vastzit op een boot waarvan ik weet dat hij gaat zinken. Ik wil me omdraaien en wegrennen, maar om de een of andere reden kan ik me niet bewegen. Terwijl ik naar de kolkende stroming kijk, zie ik dat zich aan de horizon een muur van water optrekt, die steeds hoger wordt terwijl hij landwaarts raast. Ik kijk als aan de grond genageld naar de golf. Hij is nu zo hoog dat de hele oceaan erin opgeslokt lijkt, een vloedgolf van water en schuim die nu elk ogenblik omlaag kan storten en het strand en de rotsen meedogenloos zal wegvagen.

De lucht is donker, de zon aan het oog onttrokken door de naderende watermuur. Het is zinloos om te rennen, zinloos om iets anders te doen dan hier staan en wachten. Ik hoor het geraas, voel de wind in mijn oren suizen. Een druppel water valt op mijn voorhoofd, dan nog een. Elke minuut kan ik overspoeld worden. Ik knijp mijn ogen dicht, ineenkrimpend voor de onvermijdelijke klap, en plotseling schieten ze weer open.

Het is ochtend en ik lig op de vloer van de woonkamer, gewikkeld in een dekbed. Ik heb het koud en voel me onaangenaam vochtig. Als er een druppel water op mijn hoofd belandt, merk ik dat het op me regent. Perplex strijk ik met mijn vingers over mijn natte huid. Een nieuwe druppel water is net op mijn neus gevallen. Ik ga overeind zitten en zie dat ik in een plas lig en de druppels van het plafond komen, waar recht boven me een onheilspellende uitstulping in het pleisterwerk naar een enkele zwellende waterdruppel leidt. 'O nee!'

Ik tuur langs de vlek. Er moet op de verdieping boven me een plas water staan, misschien zijn er een paar dakpannen verdwenen en heeft het ingeregend. Mijn tapijt is ook vochtig, niet alleen waar ik lag, maar ook bij de openslaande deuren waar de regen door zwakke plekken in de onderste kozijnen is gesijpeld. Het hele gebouw is als een lek schip, denk ik geërgerd, niet in staat een lichte herfststorm te weerstaan. Dat, in combinatie met die gluurder, zou echt een reden moeten zijn om mijn biezen te pakken en te verhuizen. Ook al heeft de man ooit alleen maar in mijn hoofd bestaan, is de manier waarop de brandtrap naar het trottoir leidt een open uitnodiging. *Insluipers! Kom binnen!*

Het lijkt echter schier onmogelijk ook maar iets meer te doen dan het meest eenvoudige. Ik heb vannacht niet meer dan drie of vier uur geslapen en voel de uitputting achter mijn ogen prikken, een drukkend gewicht dat ik de hele dag moet meezeulen. Ik ga staan en spreid het dekbed over de bladderende radiator, in een zwakke poging het te laten drogen, en strompel naar de slaapkamer. Ik heb me net herinnerd dat ik vanochtend een onderwijsvergadering van docenten en studenten moet bijwonen en als mijn horloge goed werkt, en het inderdaad tien voor negen is, heb ik maar een halfuur om er te komen.

Gelukkig slaapt Beth nog. Behalve wat regendruppels op de vensterbank lijkt de slaapkamer droog. Met brandende ogen loop ik naar de kast, graai wat kleren bij elkaar en kleed me snel aan. Later zal ik de huisbaas moeten bellen voor het plafond. Daarna zal ik contact opnemen met het kantoor studentenhuisvesting van de universiteit en een kamer voor Beth regelen. Ik pak een wetenschappelijke verhandeling waar ik commentaar op moet geven voor een nieuw college *Feminisme en mondeling overgeleverde geschiedenis*, scheur de eerste pagina eraf en krabbel achterop: *Beth! Kun je later vandaag op de campus naar me toe komen? We moeten dringend woonruimte voor je vinden (sorry, maar ik moet mijn kamer terugeisen omdat ik vanavond gasten krijg). Groeten, Cass.*

Het is een leugen, maar beter dan de waarheid: sorry, maar ik kan het niet aan om voor je te zorgen. Ik prik het briefje op de voordeur, grijp mijn tas van de gangtafel, sla de deur achter me dicht en ren met sprongen de versleten trap af. Ik ben mijn jas vergeten, besef ik, als ik op de overloop sta, evenals het telefoonnummer van de huisbaas, maar het is te laat om terug te gaan. Wat voor rampen er in mijn privé-leven ook mogen plaatsvinden, ik kan me niet permitteren weer te laat op mijn werk te verschijnen. Met gierende zenuwen herinner ik me dat ik over een week een afspraak heb met de decaan voor een 'kritische zelfevaluatie' van mijn prestaties van het trimester, een bureaucratisch ongemak voor docenten die zich normaal gedragen, maar voor mij waarschijnlijk nogal een beproeving. De studenten zullen dan hun evaluatieformulieren hebben ingeleverd, en zeker hebben vermeld dat ik voor elke werkgroep te laat was, hoe ik elk college heb geïmproviseerd en hoe vaak ik aan een zin begon en halverwege vergat wat ik wilde zeggen.

Het is nu tien voor halftien. O god, o god, o, goddegoddegod. Ik neem de laatste bocht in de trap en blijf stokstijf staan. In de gang waadt Jan enkeldiep door het water, met een emmer in de hand. Als ze me hoort aankomen draait ze zich grijnzend om. Ze draagt een waterafstotende gele poncho, een baseballpet en haar camouflagebroek, opgerold tot dijen met kippenvel. 'Ik wacht al vanaf zes uur vanmorgen,' zegt ze in antwoord op mijn onuitgesproken vraag. 'Blijkbaar zijn alle wagens van de hulpdiensten in het hele land bezet.' Ze zet de emmer op haar heup alsof ze een Afrikaanse vrouw bij een waterput is, en schudt haar hoofd, in wanhoop, neem ik aan.

Ik staar haar aan, neem de doorweekte muren van de gang in me op, de stukken krant die bij de deur drijven. 'Wat is er gebeurd?' Mijn stem klinkt ijl en zwak.

'De ergste storm in tweehonderd jaar, volgens het nieuws. Overal liggen kabels, bomen over de weg. Ik had het ze allemaal kunnen vertellen na die kaarten vorige week, niet dat ze geluisterd zouden hebben.' Ze grinnikt droog, richt haar aandacht weer op het water en schept zonder veel resultaat met haar emmer.

Ik haal diep adem. 'Heb je hulp nodig?'

'Ik heb maar één emmer, dus dat schiet niet op.'

Goddank. Met een schuldbewust glimlachje, want ik wil door de gang plenzen en via de trap aan de voorkant ontsnappen, vraag ik nog: 'Staat je flat ook blank?'

'Er staat alleen wat water in de gang. Het komt door die verstopte afvoer. Een of andere slimmerik heeft de voordeur open laten staan zodat het hier helemaal is ondergelopen.'

'O jee, ik hoop dat ik dat niet ben geweest.' Ik rol mijn broekspijpen op en spring van de onderste traptrede naar wat de meest ondiepe waterplas lijkt, midden in de gang. Nog een sprong en ik zal bij de deur zijn.

'Alleen als je na middernacht bent thuisgekomen,' zegt Jan, die niet opkijkt van het hozen. 'Die student van je bleef maar aanbellen en uiteindelijk moest ik naar de deur gaan om hem weg te jagen, dus waarschijnlijk was ik het.'

Dat zegt ze net als ik mijn sprong naar de vrijheid neem. Ik kom verkeerd terecht en het modderige water spat tegen mijn benen terwijl ik uitglij op de gladde mat. Steun zoekend tegen de deurpost draai ik me om en staar haar perplex aan. 'Welke student?' Mijn knieën knikken en dat komt niet door de sprong.

'Die jongen met een bril die hier steeds rondhangt. Hij wilde dat ik hem binnenliet, maar ik zei dat als jij de deur niet opendeed, hij 'm moest smeren.'

Mijn maag draait om. 'Wilde hij naar bínnen?'

Ze knikt alsof dat normaal was.

'En hij was jong, met een bril?'

'En een blauwe parka. Zijn aura was flink in de war, eerlijk gezegd. Spiritueel heel getroebleerd. Dat kon ik zien.'

'Maar ik heb de bel helemaal niet gehoord. Wat wilde hij?'

Jan kijkt me even aan. Dan haalt ze haar schouders op. 'Vraag het hem zelf maar,' zegt ze. 'Hij staat nog steeds buiten.'

Ik kijk haar met open mond aan. Waarom hangt Alec in vredesnaam rond bij mijn flat? Ik snel de deur uit en de trap af, behoedzaam om me heen kijkend. Het is belachelijk, maar ik ben nu zo gespannen dat ik bijna verwacht dat hij achter een lantaarnpaal te voorschijn zal springen en me een mes op de keel zal zetten.

Maar nu ik buiten ben, en achter me de voordeur met een knal dichtslaat en er koude lucht in mijn gezicht blaast, zie ik iets anders. Geschokt kijk ik naar het tafereel voor me. Het lijkt wel of de straat door een orkaan getroffen is. De tuin waar ik gisteravond met Matt stond is verwoest: de gazons zijn bedekt met takken en bladeren en van de nu kale, beschadigde bomen zijn takken afgewaaid en enkele zijn helemaal ontworteld. Als ik aan de zijkant van het gebouw kijk zie ik de oorzaak van het gebonk van gisteravond: mijn brandtrap is losgeraakt van zijn roestige muurankers en hangt nu gevaarlijk langs de zijkant van het gebouw omlaag. De metalen treden klikken zacht in de wind. Om het drama compleet te maken is een van de auto's die bij het hek geparkeerd staan geplet door een omgevallen eik, die nu tragisch over de restanten van de voorkap ligt. Takken en dakpannen liggen verspreid over de weg. Boven de zee komt er nog een front gezwollen loodgrijze wolken met grote vaart aanwaaien. Zelfs met het geraas van de wind om me heen hoor ik het bulderen van de golven.

Er is geen mens te bekennen. Het is alsof ik de enige overlevende van het armageddon ben. Ik haast me over het trottoir naar mijn auto, die vergeleken bij het lot van het voertuig aan de overkant wonder boven wonder niet beschadigd is. Als ik het portier aan de stuurkant open, zwaait het met kracht naar buiten, getroffen door een windvlaag. Terwijl ik ermee worstel zie ik een lange gestalte zich naar me toe haasten. Mijn hart zinkt me in de schoenen, want het is onmiskenbaar Alec. 'O nee!'

Wanhopig wil ik wegkomen voor hij bij me is. Ik gooi mijn aktetas op de achterbank en probeer snel in te stappen, maar het is te laat. Zijn hand landt op mijn arm.

Geschrokken spring ik achteruit. Naast de auto heeft hij zijn capuchon afgezet en kijkt me aan door beslagen brillenglazen. 'Dr. Bainbridge?'

Ik slik moeizaam. 'Wat wil je?'

Het is misschien overdreven, maar ik grijp mijn sleutels tussen mijn knokkels, zoals me geleerd is in de cursus zelfverdediging voor vrouwen. Alec kijkt me ernstig aan. Hij is eigenlijk nog maar een jongen, met wat zacht dons op zijn bovenlip en een knokig, mager lichaam, als een jonge hond, maar van zijn nabijheid alleen al raak ik helemaal van slag.

'Ik moet met u praten.'

Hij zegt dat met een dwingende toon waar ik van knarsetand. Ik wend mijn blik af, naar het zwiepende portier van mijn auto. Heeft dit nog steeds te maken met Beth en haar essay? Is hij erdoor geobsedeerd, niet in staat om de zaak te laten rusten? Of is het iets ergers?

'Hoe wist je waar ik woon?' vraag ik ijzig. Ik wil niet dat hij ziet hoe bang hij me maakt.

'Ik heb een kamer aan de overkant van het plein. Ik zie u elke dag komen en gaan.'

Ongelovig kijk ik hem aan. Kan hij het zijn die Beth gisteren voor mijn flat zag staan? Als ik spreek klinkt mijn stem schril. 'Laat me met rust!'

Zich schrap zettend tegen de horizontale wind, knippert hij met zijn ogen. De nylon capuchon van zijn parka wappert om zijn gezicht. Dan kijkt hij plotseling naar de lucht waar de zeemeeuwen hopeloos in de wind fladderen. Om zijn voeten waaien de pagina's van een weggegooide krant. OVERSTROMINGSCHAOS TREFT SUSSEX lees ik verstrooid. Hij schopt troosteloos tegen de natte pagina's. Er volgt een lange stilte, waarin ik me omdraai naar mijn auto, dan lijkt hij een besluit te nemen. 'Beth is niet wat ze lijkt,' zegt hij. 'Dat is alles wat ik u wilde zeggen. Ik weet dat ze bij u logeert en...'

'O ja? Hoe wist je dat?'

Zijn betrokken gezicht vertrekt en ik herinner me zijn aanmatigende houding bij colleges, de manier waarop hij andere studenten kleineert. 'Ik heb haar hier gezien,' zegt hij.

'Bespioneer je ons soms?' snauw ik.

Hij fronst nors en steekt zijn handen diep in zijn zakken.

'Ik heb moeite met wat er gaande is,' mompelt hij. 'Ik heb besloten de zaak in eigen hand te nemen.'

Dat klinkt opnieuw als een dreigement. Ondanks de wind die zo tekeergaat dat ik nauwelijks kan blijven staan, is mijn gezicht warm geworden.

'Bemoei je met je eigen zaken!' roep ik boven de beukende storm uit.

'U kunt niet zomaar...'

De rest van wat hij zegt ontgaat me, want de wind smoort zijn woorden. Ik stap in de Kever. Ik wil in mijn auto zijn, langs de beschadigde bomen rijden naar de veilige haven van mijn kantoor. 'Laat ons met rust!' roep ik. 'Als je een of ander probleem hebt, ga er dan mee naar je studiebegeleider!'

Dan sla ik het portier voor zijn neus dicht, staar resoluut in de tegenovergestelde richting en start de auto.

23

Door Alecs aanwezigheid voor mijn flat ben ik van streek en huilerig. Ik dep mijn ogen, mezelf voorhoudend dat ik me moet vermannen, terwijl ik om het plein rij en afsla naar de vierbaansweg die langs de rotsen loopt en dan in noordelijke richting naar de universiteit buigt. Waarom belaagt hij me zo? Hij benadert alles in termen van zijn fanatieke obsessie met procedures, maar het lijkt alsof hij me opzettelijk probeert te ergeren. Er zijn ook andere dingen. Ik probeer de verschillende gedachtelijnen tot iets substantiëlers samen te voegen, maar net als de wind weigert mijn brein tot rust te komen en springt het nerveus van het ene onderwerp naar het andere. Waar ik niet aan wil denken is het gezicht op het platte dak.

Was ik maar niet zo uitgeput, dan zou ik wel kunnen nadenken, maar nu zie ik Matt voor me toen hij over het modderige gras achteruitdeinsde, zijn gezicht voor me afgesloten. Een hernieuwde lading tranen prikt in mijn ogen. Hij was tien jaar mijn partner, de man van wie ik aannam dat ik er oud mee zou worden. Maar in die vreselijke seconden werd alles wat we ooit hadden met geweld ontwricht en weggegooid.

Weg van de halvemaanvormige huizenrijen strekt de weg zich uit langs golfbanen en bejaardenhuizen. Ik druk het gaspedaal in terwijl de Kever onvast over de snelweg hobbelt. Onder de krijtrotsen vang ik een glimp op van de woest kolkende golven. Nu en dan komt er een schuimtong over de rand en besproeit de passerende auto's met zout water. Aan weerszijden van de weg schudden en piepen lantaarnpalen als vervaarlijk dronken wachters die zich nuchter voordoen. De meedogenloze wind ranselt en beukt mijn autootje. Het stormt zo hard dat ik er niet helemaal op vertrouw dat de wielen wel op de weg zullen blijven. Wat een passend einde, om omhoog gezogen en neergekwakt te worden door een tornado. Van nu af aan zal ik altijd alleen zijn, er is geen weg terug meer uit deze leegte.

Somber omklem ik het stuur. Waarom ben ik zo verbaasd? Ik had het van verre kunnen zien aankomen. Tegen beter weten in worden mensen verondersteld rusteloos te worden als ze in de dertig zijn. Rationeel gezien zou niemand die gezond van geest is het vooruitzicht van slaapgebrek, carrièreonderbreking en huiselijke chaos verwelkomen. Maar langzaamaan krijgen ze het gevoel dat er iets ontbreekt, gaan ze zich afvragen waarom ze zulke genotzuchtige levens leiden. En voor ze het weten kijken ze in de rij bij de supermarkt verliefd naar baby's, belanden de voorbehoedsmiddelen in de vuilnisbak en liggen ze in bed samen namen te kiezen.

Maar niet ik. Nooit. En dat betekent dat geen man echt bij me zal willen blijven. Want ondanks al zijn zelfbewuste individualisme is Matt meer gebonden aan de voorschriften van de maatschappij dan hij wil toegeven. En wat onze cultuur voorschrijft is dat we de fase hebben bereikt waarin we kinderen moeten krijgen. Een fractie van een seconde zie ik het strand en de boot voor me, dan is er plotseling een luide klap en een plens zeewater stroomt over de voorruit. Ik vloek luid, zwenk en zet de ruitenwissers op de hoogste stand. De zee komt op me af en grijpt me beet, net als in mijn droom.

Het heeft te maken met je familie, hè? Dat had Matt gisteravond gezegd. Terwijl de auto angstaanjagend schudt in de wind en de ruitenwissers als razenden heen en weer gaan, herinner ik me zijn niet-begrijpende blik. We zijn zoveel jaren samen geweest, maar ik heb hem nooit iets verteld, behalve een incompleet verslag over mijn vaders dood en de daaropvolgende verwijdering met mijn moeder. Hij zou het niet begrijpen, hoe kon hij? Zijn ouders wonen nog knus samen op gevorderde middelbare leeftijd in hun cottage in het Lake District en maken wandeltochten in de Provence. Hij had een gelukkige jeugd zonder schokkende gebeurtenissen. Hij heeft geen dood en verlies gekend. En nu, zonder waarschuwing, herinner ik me de zomer na mijn vaders dood en zelfmedelijden gutst door me heen.

Dit is niet de eerste keer dat ik hier naar de zee heb gekeken, dat is het probleem. En nu kan ik die herinneringen die op me afkomen en me overspoelen niet tegenhouden.

29 augustus 1980. Het was mijn moeders trouwdag en ze had het ons net verteld. 'Ik ga met Don trouwen,' zei ze die ochtend met haar armen over elkaar geslagen en een uitdagende blik naar mij. 'Het gaat over twee uur gebeuren en we verwachten dat je erbij bent.'

Ik was met stomheid geslagen. Ze had ons verteld dat het een gezinsweekend aan zee zou worden, niet een brúíloft, verdomme. Achteraf gezien begrijp ik dat ze het zo gepland had in de hoop dat we, als we eenmaal veilig in het hotel waren geïnstalleerd, ons minder zouden verzetten. Wat had ze het mis.

Het is nu vele jaren geleden, maar ik herinner me alles: de hete ochtendzon, hoe ziek ik me voelde. Ik zag dat ze zich zwijgend gereedmaakte voor het gemeentehuis terwijl ik vol wrok op haar tweepersoonsbed in de 'Pavilion Suite' hing. Ze droeg witte hoge hakken, een zijden roomkleurig mantelpak met schoudervullingen en parelclips in haar oren. Haar handen trilden een beetje toen ze die tegen haar oorlellen drukte. Ik neem aan dat ze fantasieën had gehad van mij als schattig bruidsmeisje, want toen ze haar aankondiging deed had ze een vreselijke tafzijden Laura Ashley-jurk te voorschijn getoverd, die ze stiekem in haar koffer moet hebben meegenomen toen we inpakten voor het weekend. Hij was ongeveer drie maten te klein, maar ik had er nog niet dood in gezien willen worden, ook al had hij gepast. Ik kwam van het bed af en zei dat ze de pot op kon.

Opnieuw plenst er een golf over de rots, die mijn auto ternauwernood mist. Ik stop, klik het portier open die de wind openzwiept en stap uit. Hier is de storm zo heftig dat ik me nauwelijks staande kan houden. Ik zoek steun tegen de motorkap van de Kever en tuur over de rand van de rots naar de witte schuimkoppen. Het is geen veilige plek om te staan, maar het kan me niet schelen. Het was nooit mijn bedoeling dat dit zou gebeuren, maar de terugkeer naar deze plaats heeft de funderingen van mijn leven omgewoeld en nu ben ik niet in staat aan de gevolgen te ontsnappen. Ik wilde dat ik kon veranderen wat er is gebeurd; ik wil dat ik terug kon, met de wijsheid van een oudere vrouw en mezelf van die kalme zomerdag kon redden.

Maar dat is onmogelijk.

Nadat ik mijn moeder een grote mond had gegeven, slenterde ik uit het hotel aan zee en stak over naar het strand waar ik ging zitten en steentjes gooide naar de trage golven. Het zou opnieuw een bloedhete dag worden. De paar wolkjes die bij het ontbijt laag en roze boven het bleke water hingen, waren allang verdampt en zonnebaders gingen al uit de kleren en zochten hun plekje op de kiezels. Bij de pier zetten een paar jonge kerels ligstoelen zeewaarts op de promenade. Ik kon het strak spannen van canvas horen als ze de stoelen openklapten, hun vrolijke stemmen en de blikkerige, elektronische muziek van hun radio: 'Love Will Tear Us Apart' zongen ze en ik voelde me zieker dan ooit.

Hoe kon ze dit doen? Mijn moeder wist hoe een hekel David en ik aan dokter Death hadden. Sinds pa dood was, drong hij bij ons binnen, knerpte onze oprit op in zijn rode MG en nam de woonkamer in beslag met zijn grote, vervallen lichaam. Hij was idioot zuinig op zijn auto, reed meelijwekkend langzaam en viel uit tegen David die keer toen zijn voetbal een moddervlek op zijn voorruit achterliet. Het was de enige keer dat hij uit zijn rol was gevallen. Tot hun huwelijk was hij angstvallig vriendelijk geweest, grinnikend om niets en ons over de bol wrijvend elke keer als hij ons zag, alsof dat was wat jonge mensen nodig hadden. Mijn helderste herinnering aan die periode is dat hij met ons in de zitkamer op mam wachtte, neuriënd alsof alles koek en ei was en wij, voor de tv, hem negerend. Als mam thuiskwam, opgewonden en met een rood gezicht van verwachting, sprong hij opgelucht op en nam haar met zijn hand beschermend op haar schouder mee de kamer uit naar zijn auto die klaarstond. 'Jullie arme moeder,' zei hij dan, en ze zuchtte en legde haar hoofd quasi-treurig tegen zijn borst.

Daar werden we misselijk van. Als hij ons de rug toekeerde, staken David en ik onze vinger in onze keel en deden alsof we kotsten. We wilden pa, niet deze zestigjarige ouwe sok met zijn zijden cravaten en zijn golfclubs. Ondanks hun gebekvecht en slechte humeur had ik altijd gedacht dat mijn ouders van elkaar hielden. Maar toen ik mam dokter Death in de keuken zag kroelen, wist ik dat ik het mis had gehad. En nu zou hij mijn stiefvader worden. Mam had tegen me gezegd dat ik bij de plechtigheid aanwezig moest zijn die om twaalf uur in het gemeentehuis aan de overkant van de pier zou plaatsvinden. Mijn horloge zei me dat het halftwaalf was. Ik gooide een laatste steen in het water, kwam moeizaam overeind en liep in tegenovergestelde richting.

Het was halverwege de middag toen ik terug was. Ik had het hele strand afgelopen, door de haven, langs de klikkende boten die om ruimte in het water vochten en verder, onder de steile kalkrotsen die plotseling uit de kust omhoog rezen. Ik zou weglopen, dacht ik, ontsnappen naar een plek waar niemand me kon vinden. Of misschien zou ik gewoon mijn polsen doorsnijden, en het huwelijksbed van het pasgetrouwde stel met mijn bloed volspatten. Dan zouden ze wel spijt hebben.

Het was eb, de zee had zich van het strand teruggetrokken en glibberig groene steen blootgelegd. Onder het pad drentelden kinderen met emmertjes en schepnet terwijl hun ouders in de schaduw van de golfbrekers bij elkaar zaten. Ik voelde me vol haat, niet alleen jegens mam en dokter Death, maar jegens iedereen in deze vreselijke vakantieplaats. Bovendien deden mijn benen pijn en begon mijn rug ook op te spelen. Na een tijdje moest ik stoppen om uit te rusten, en ik wreef met mijn hand over mijn ruggengraat om de pijn te verlichten. Toen ik terug was in het hotel was ik zo uitgeput dat ik nauwelijks op mijn benen kon staan en mijn hoofd bonsde van de genadeloze zon. De trouwplechtigheid was allang afgelopen, maar gelukkig was er geen spoor van mam of dokter Death. Ik viel neer op mijn bed, rolde op mijn zij en viel in slaap.

Ik werd wakker van mijn moeders stem die me de les las. Toen ik mijn ogen opende zag ik haar boven mijn bed gebukt en ze schudde me bij de schouder. Haar gezicht was rood, haar adem zuur van champagne. Dokter Death drentelde naast haar. Ik neem aan dat David beneden in de tv-lounge zat. Langzaam werd ik me bewust van wat ze zei.

'Je bent een egoïstisch klein kreng,' klaagde ze. 'Ik vroeg je iets te doen wat ontzettend belangrijk was voor mij en Don en je hebt het met opzet niet gedaan. We hebben meer dan een halfuur op je gewacht. We waren bijna te laat voor de plechtigheid!'

Ik draaide me om en keek haar aan. Ooit was ze het middelpunt van mijn wereld geweest. Ik had er alles voor over om op haar schoot te mogen zitten en mijn armen om haar zachte warme lichaam te slaan. Ze las me voor en kietelde mijn teentjes en ik bedolf haar onder natte babykussen. Maar dat was nu allemaal voorbij. Ik was een uit de kluiten gewassen tiener en haatte alles aan haar: de gekwelde toon van haar stem, de goedkope mantelpakjes van Marks & Spencer die ze tegenwoordig droeg, de manier waarop ze zichzelf voor dokter Death een 'klein meisje' noemde. Toen onze ogen elkaar ontmoetten deinsde ze bijna terug. Ik neem aan dat ze nog altijd van me hield, en dat het een schok was om de haat op mijn gezicht te zien.

Ze pakte de hand van haar walgelijke echtgenoot, haalde diep adem alsof ze een manhaftige poging deed zich in te houden en zei: 'Wil je nu alsjeblieft opstaan en je aankleden om uit eten te gaan? We hebben een tafel gereserveerd voor acht uur en het is al over zevenen.'

Ik zoog mijn wangen naar binnen en wendde mijn ogen af. 'Rot op,' antwoordde ik.

Snotterend als een klein kind draai ik me om naar de Kever en stap in. Gisteravond had Matt me over mijn familie gevraagd, maar ik was niet in staat te antwoorden. Misschien had ik hem alles moeten vertellen. Als ik dat had gedaan, zou hij me dan ooit kunnen vergeven?

24

Wonder boven wonder arriveer ik vijf minuten te vroeg op mijn werk. Ik wil niet naar mijn e-mails kijken, of zelfs maar alleen zijn in mijn kamer met de mogelijkheid dat Alec in de buurt rondhangt, dus ga ik naar Maggies kantoor en doe alsof ik mijn postbakje IN doorneem. Als ik door de deur loop, kijkt ze me aan over haar pince-nez. Ze is een zware vrouw, draagt haar grijze haar in een knot en op haar boezem talloze houten kralenkettingen. Met haar vernietigende blikken en neiging om zelfingenomen academici op hun plaats te zetten heeft onze afdelingssecretaresse een ietwat beangstigende reputatie. 'Het waait nogal,' zegt ze met opgetrokken wenkbrauwen naar mijn haar dat er ongetwijfeld uitziet als een hooiberg in een orkaan.

'Zeg dat wel.' Ik blader halfhartig door mijn post. Het is het gebruikelijke spul: een bundel dossiers van het kantoor postdoctoraal studenten, een stapel essays, een paar flyers over academische publicaties. Als ik bij het bovenste poststuk ben scheur ik zonder nadenken de envelop open en zie vaag dat mijn adres er in hoofdletters op geschreven is en dat hij buiten de universiteit is gepost.

Als ik de inhoud eruit haal ervaar ik het bekende zinkende gevoel. Versuft staar ik zo'n vijf seconden naar wat ik tussen mijn vingers hou en prop het dan geschokt terug in de envelop. Het is weer een kleurenfoto van mij, uitvergroot. De achtergrond is onduidelijk, maar het kan de campus zijn, want achter me zijn wazige gestalten zichtbaar en een trap, misschien die naar Blok D. Blijkbaar ben ik alleen en ik zie er bijzonder gekweld uit, met gefronst voorhoofd, onmiskenbaar geagiteerd. Mijn haar waait slordig om mijn gezicht. Bovenaan heeft iemand met dikke rode viltstift geschreven:

Zij is het niet. JIJ bent het.

De viltstift geeft af op mijn vingers. Ik wrijf ze af aan mijn trui, maar blijf me bevuild voelen. Ik ben licht in het hoofd van schrik, mijn maag zit in een knoop, alsof ik een gierende rit vol lussen maak in Alton Towers, maar met niets van dat plezier. Heeft Alec dit ook gestuurd?

'Gaat het wel, Cass?'

Als ik eindelijk mijn stem hervind klinkt die benepen van onderdrukte hysterie. 'Ja hoor, dank je.'

Het moet van Alec zijn. Hij voert een of andere obsessieve wraakactie tegen me en probeert me te intimideren en lastig te vallen, net zoals hij Beth in de klas aanviel. Ik sta bij het rek metalen bakjes IN te wankelen terwijl ik de zaken op een rijtje probeer te krijgen. Als ik niet zo moe was zou ik het scherper kunnen zien. 'Zij' slaat duidelijk op Beth. Hij zei vanochtend nog iets anders dat me dwarszat, maar ik weet niet meer wat. Ik weet alleen dat hij me sinds het begin van het trimester systematisch heeft ondermijnd en bedreigd, en nu heb ik het stadium bereikt waarin ik er iets aan moet doen. Ik leg de envelop terug in het bakje en draai me naar Maggie om die onverstoorbaar op haar toetsenbord tikt. 'Heb jij de dossiers van de derdejaars humaniora?'

Zonder op te kijken gebaart ze naar een grote kast. 'Tweede la van onderen.'

Ik heb hoogstens een minuut om dit te doen. Hurkend bij de kast trek ik de la open en doorzoek hem snel. Als het handschrift op de foto hetzelfde is als op Alecs aanmeldingsformulier – wat in zijn dossier moet zijn – kan ik direct naar het bestuur stappen, of zelfs naar de politie. Ik weet niet zeker wat ik kan aanvoeren, maar ik ben steeds vastbeslotener om de situatie onder controle te krijgen.

Alecs achternaam is Watkins. Ik blader door de W's en vind er drie. Lila Washemi, Jonathan Welborough en Alec Watkins.

'Hmm.'

Ik trek het dossier uit de la en blader er vluchtig doorheen. Hij heeft op een middelbare school in Potters Bar gezeten, zie ik, terwijl ik de excellente referentie die de rector hem heeft gegeven vluchtig doorlees, heeft in vijf vakken op gevorderd niveau examen gedaan en heeft de ruimte onder 'naaste familie' blanco gelaten. Net als zijn essay is het aanmeldingsformulier irritant genoeg getypt. Ik leg het dossier terug in de kast en ga staan. Volgens de klok aan Maggies muur is de vergadering net begonnen. Ik zou me er door de gang heen moeten haasten, maar er zit me nog iets dwars. 'Maggie, sorry dat ik je steeds onderbreek, maar zijn dit alle dossiers?'

Met een gekweld gezicht kijkt ze op van haar typewerk. 'Dat staat toch op de la, of niet? Als er dossiers ontbreken heeft iemand ze meegenomen zonder mijn toestemming.' Ze kijkt me scherp aan over haar pince-nez terwijl een terechtwijzing zich al op haar lippen vormt.

Omdat ik er niet op door wil gaan, draai ik me om en haast me door de gang naar de vergadering. Onder het lopen hoor ik mijn mobiel ergens in mijn tas luid overgaan. Ik wist niet eens dat ik hem bij me had, laat staan dat ik me herinner dat ik hem heb aangezet, maar nu zet ik mijn tas neer en graai er nijdig in. Waarom maken ze die dingen zo verrekt klein? Eindelijk heb ik hem gevonden, ingeklemd tussen mijn filofax en een paar geladderde panty's. Met mijn tas onder mijn arm geklemd en de telefoon in mijn andere hand, been ik verder naar de vergadering.

'Hallo?'

'Met mij.'

Mijn hart slaat over van ergernis. Alsjeblieft, niet nu!

'Hallo, Beth,' zeg ik op vlakke toon.

'Het spijt me dat ik je bel, Cass,' zegt het stemmetje aan de andere kant, 'maar ik ben bang.'

De schroeven worden aangedraaid. O god, wat nu?

'Wat is er?'

'Er staat een man op het dak.'

Ik hap naar adem en struikel, steun zoekend tegen de muur. Studenten lopen voorbij. Maggie, bijna bedolven onder een enorme stapel dossiers, laveert met huppelpasjes naast me. Als ze een doorgang ziet, passeert ze me en rept zich de gang door.

'Hij klopte op het raam,' vervolgt Beth. 'Ik zag hem staan.'

'O god!'

Ze zwijgt.

'Hoe zag hij eruit?' vraag ik schor.

'Ik heb zijn gezicht niet gezien, alleen zijn rug.'

'Je móét de politie bellen!'

Misschien knikt ze. Wat ze met hortende stem zegt is: 'Wil je thuiskomen, Cass? Alsjeblieft? Ik ben te bang om naar buiten te gaan.'

Ik kan nauwelijks ademhalen. Hoe kan ik in vredesnaam nu terug naar huis gaan? Ik ben veel te laf om onder ogen te komen wat me daar te wachten staat. 'Bel de politie!' krijs ik.

Of ik ben buiten bereik, of ze heeft opgehangen, want het kraakt en dan valt mijn mobiel uit. Verbijsterd staar ik ernaar. Dus ik heb me de gluurder niet ingebeeld. Er was echt iemand, die óf de flat in wilde, óf me bang wilde maken. En nu is hij terug.

Maar deze keer weet ik wie het is. Hij moet direct naar het raam zijn gegaan na onze confrontatie bij mijn auto om, voor wat voor perverse reden dan ook, die arme Beth de schrik op het lijf te jagen. Het was, zoals ik al die tijd heb vermoed, Alec die de e-mails heeft verzonden, Alec die de foto van vandaag heeft gestuurd en Alec die achter die griezelige telefoontjes zat.

'Goeiemorgen, Cass! Kom je op de vergadering?'

Ik draai me om. Achter me komt Bob Stennings snel dichterbij en ik ben niet flexibel genoeg om hem te ontwijken. Hij sleept me mee, zijn arm bijna maar niet helemaal om mijn schouders terwijl hij enthousiast ratelt over het comité herstructurering studiepakketten, waarin hij hoopt dat ik zitting zal nemen. 'Dus het zou echt geweldig helpen als je mee zou doen,' zegt hij enthousiast terwijl hij me bijna letterlijk de seminarzaal in duwt waar de vergadering wordt gehouden. 'We hebben nieuwe ideeën nodig, nieuwe energie, nieuw bloed!'

Ik staar hem stompzinnig aan, te verbouwereerd om iets te zeggen. Ik zou me moeten excuseren en de politie bellen, of terug naar huis snellen om te zien of alles in orde is met Beth, maar als een oververhitte auto ben ik zo van de kook dat ik niet in staat ben iets te ondernemen. Het is alsof ik van grote hoogte ben gevallen en terwijl mijn buitenkant intact is, is vanbinnen alles gebroken. Misschien zie ik er ongedeerd uit, maar mijn normale reactievermogen werkt niet meer.

De zaal is vol. De stoelen om de grote, lange tafel zijn voornamelijk bezet door mijn collega's, die koppen thee drinken, zacht met elkaar praten en de papieren voor hen bestuderen. Langs de wanden van de zaal zit een tiental studenten van wie de meeste al met een verveeld gezicht krabbels zitten te maken. Als ik op de dichtstbijzijnde lege stoel neerplof, besef ik dat mensen zich omdraaien om naar me te kijken. Julian bijvoorbeeld, die recht tegenover de deur zit, kijkt op en er verschijnt een verbaasde uitdrukking op zijn gezicht. Dan wendt hij iets te gehaast zijn blik af.

'Dames en heren!' maant Stennings en maait met zijn armen als een gestoorde gymleraar. 'Laten we beginnen!'

Hij begint te neuzelen over de ophanden zijnde herstructurering van het studiepakket. Ik hoor mijn naam noemen en speel het klaar te glimlachen en te knikken op wat naar ik hoop de juiste momenten zijn, maar ik hoor geen woord van wat er wordt gezegd. Het enige wat almaar door mijn hoofd dreunt zijn Alecs woorden: *Zij is het niet. JIJ bent het!*

Ik moet naar de politie gaan, of iemand met gezag – wie? – en aangifte doen, maar nu de vergadering is begonnen kan ik niet in beweging komen. Het zou me allemaal niet zo moeten aangrijpen. Ik zou in staat moeten zijn om met een vreemde fanatieke student om te gaan zonder in te storten. Ik zou niet zo bang moeten worden. Maar nu Madge Wernski het woord heeft genomen en breedvoerig over het belang van interdisciplinaire cursussen spreekt, word ik terug in de tijd geslingerd en kan het niet langer tegenhouden.

De moeilijkheid is dat ik al een keer eerder achterna ben gezeten. En nu kan ik eindelijk de herinnering aan 11 november 1979, de avond waarop alles veranderde, niet langer onderdrukken.

Zodra ik bij de steeg was, ging het mis en leunend tegen de vochtige B-2-blokken kotste ik over de gemeentelijke vuilnisbak die daar stond. Even dacht ik dat mijn hoofd uit elkaar zou spatten, dat ik mijn hele binnenste over de weggegooide blikjes en halfopgegeten hamburgers uit zou braken, maar na een tijdje werd het kokhalzen minder en voelde ik me iets beter. Toen ik overeind kwam probeerde ik me te concentreren op de graffiti op de muur en de dunne strook stadslucht boven me. De winternacht was ijskoud en ik begon hevig te rillen. Ik zou terug naar binnen moeten gaan om mijn jas te halen, dacht ik vaag, en dan proberen thuis te komen. Het idee terug te moeten naar de kolkende menigte was echter dwaasheid. Wankelend lukte het me om om te draaien en een paar stappen naar de hoofdweg te zetten.

Het was begonnen te ijzelen, licht en druilerig. Voor me strekte de straat zich verrassend leeg uit. Zelfs de uitsmijters, die een paar minuten geleden nog op de stoep van het Odeon hadden staan roken en lachen, waren verdwenen. Met de verwarde gedachte dat ik misschien een bus kon vinden om me naar het station te brengen slingerde ik dronken over het trottoir. Toen merkte ik al dat er iemand achter me liep, maar ik was pas vijftien en ondanks mijn houding van harde gewiekste tante volkomen naïef.

Ik sloeg mijn armen om me heen en bleef nog een minuut of drie de weg af lopen. Ik was gewend aan de saaie geborgenheid van de buitenwijken, maar dit was Peckham en, dronken als ik was, begon ik te beseffen dat het geen goede plek was om 's avonds laat alleen rond te lopen. De grote Victoriaanse huizen aan de overkant van de weg waren grotendeels vervallen, de voortuinen vol onkruid. Aan deze kant eindigden de afgesloten winkels met hun rolluiken en hangsloten en ik bevond me nu op een groot stuk braakliggend terrein, omgeven door gebroken stoeptegels.

Ik ging sneller lopen, terwijl ik snel ontnuchterde. De persoon achter me was er nog steeds en ik voelde me steeds angstiger worden. Als ik maar een druk gebied kon bereiken, met pubs en mensen en licht, maar de weg was in duisternis gehuld. Toen een gedeukte sedan met donkergetinte ramen naast me vaart minderde, bonsde mijn hart in mijn keel. De auto bleef voortkruipen en de inzittenden namen me goed in zich op. Binnenin dreunde reggaemuziek, het gedrongen voertuig deinde zichtbaar mee. Met mijn neus in de lucht liep ik door, en durfde pas weer adem te halen toen de auto schakelde en doorreed.

O, mijn god! Ik sloeg mijn hand voor mijn stinkende mond. Plotseling had ik me herinnerd dat mijn zoektocht naar een bus hopeloos was: ik had geen geld. Alles wat ik nodig had om thuis te komen, inclusief mijn treinkaartje retour, zat in mijn tas die op dat moment in de garderobe van het Odeon lag. En dat betekende dat ik om moest draaien en terug moest lopen over het donkere terrein.

Onvast draaide ik om en begon terug te wankelen over het steeds gladder wordende trottoir. Maar wat ik nu zag, maakte dat mijn knieën knikten. Ongeveer vijfentwintig meter verderop, leunend tegen het hek dat het trottoir van het braakliggend terrein scheidde, stond een man.

Ik wist onmiddellijk dat hij degene was die me had gevolgd. En nu stond hij me op te wachten, daar was ik zeker van. Het was te laat om weer om te keren, want ik was bijna bij hem. Het was zeker te laat om weg te rennen. En zo, terwijl ik strak vooruitkeek naar de dichtgespijkerde huizen aan de overkant van de weg, liep ik stap voor stap onherroepelijk naar hem toe. Ik bleef denken dat er toch vast wel een auto langs zou komen. Of zelfs een politieagent. Was er geen politie in Peckham?

Nu maakte hij zich los van het hek en blokkeerde mijn pad met over elkaar geslagen armen. Met enorme opluchting zag ik dat het geen aanvaller met een muts over zijn hoofd was, maar de man met wie ik tijdens het optreden had gedanst.

'Hallo,' zei hij. 'Ben je verdwaald?'

Het was de eerste keer dat hij iets zei. Hij had een verbazend bekakt accent en was kleiner dan ik me herinnerde, met een mager pezig lichaam.

Ik giechelde nerveus, nog steeds niet op mijn gemak. 'Ik vergat dat ik geen geld bij me had.'

'Ben je op weg naar huis?'

'Ja.'

Hij stond nog steeds voor me en blokkeerde me de weg.

'Wil je een lift?'

Ik schudde mijn hoofd. Wat ik wilde was een beleefd aanbod om met me terug te lopen naar het Odeon en dan met rust gelaten te worden. 'Nee, hoeft niet.' Ik haalde mijn schouders op en probeerde volwassen te lijken. Hij moet zeker tien à vijftien jaar ouder zijn geweest dan ik. Niet wetend wat ik verder moest doen giechelde ik opnieuw. Het was erg koud en ik kon niet stoppen met rillen.

'Mag ik erlangs?'

Nog altijd bewoog hij niet. 'Het is zo koud,' zei hij. 'Je hebt warmte nodig. Waarom kom je niet bij me zitten?' Hij glimlachte scheef terwijl hij me aan bleef kijken. Ik werd weer bang en wenste bijna dat de opgedreven sedan weer terug zou komen.

'Ik moet terug,' zei ik in een poging beleefd en resoluut te klinken.

'Jij kunt lekker dansen, hè?'

Ik deed een stap achteruit. 'Ik moet terug,' herhaalde ik, maar deze keer kon ik het nauwelijks uitbrengen.

'Is dat zo?'

'Je staat in de weg.'

Het klonk als een uitdaging. Zodra ik het zei wist ik dat ik een fout had begaan, maar het was te laat want hij had me om mijn middel gepakt. 'Kom mee, schat,' zei hij en had me al tegen het hek geduwd, zijn ijzersterke arm onwrikbaar om mijn middel geklemd. 'Niet zo verlegen doen.'

'Nee, alsjeblieft,' fluisterde ik. 'Ik wil niet.'

Maar hij had me te pakken en ik was machteloos. We vielen achterover door een gat in het hek op het modderige gras en hij klom boven op me, zijn drankkegel zo dicht bij dat ik nauwelijks kon ademen. Ik voelde de ijskoude ijzel de achterkant van mijn jurk doordrenken, mijn linker cowboylaars was op de een of andere manier uitgeschopt.

'Nee,' bleef ik zeggen. 'Laat me, alsjeblieft.'

'Ik wil alleen maar een kusje en wat knuffelen. Zonet wilde je me maar al te graag.'

'Hou op, alsjeblieft...'

Maar hij ging natuurlijk door. Mijn hopeloze afweringen stelden niets voor tegenover de kracht van zijn lust. Hij duwde zijn knie tussen mijn benen en spreidde ze met ervaren doeltreffendheid, zoals een slager het vlees van een bout zou klieven. Zijn handen lagen op mijn borsten en trokken aan mijn tiener-beha zoals een ongeduldig kind een snoepje uit de wikkel trekt. Hij kneep zo hard in mijn borsten dat ik het uitgilde van pijn terwijl hij met zijn andere hand aan mijn jurk en onderbroekje trok. Ik probeerde me op een zij te rollen in de hoop hem van me af te krijgen, maar het was te laat want het was hem gelukt mijn onderbroekje omlaag te trekken en hij hield me stevig vast terwijl hij met zijn knieën mijn benen uit elkaar hield.

'Ga van me af!'

Ik voelde zijn erectie heet en veerkrachtig tegen de binnenkant van mijn dij en plotseling duwde hij zich omhoog en in me met een geweld waardoor ik het uitschreeuwde.

'En, wil iemand van jullie hier nog iets aan toevoegen?'

Ik kijk geschrokken op en zie dat ik niet verkracht word op een modderig pad in Peckham, maar een vergadering in een seminarzaal van de universiteit in Sussex bijwoon. Ik moet zeker meer dan tien minuten zo in gedachten verzonken hebben gezeten, terwijl de vergadering om me heen plaatsvond. Maar nu de herinnering zich heeft opgedrongen, komt het allemaal onontkoombaar terug. Al deze jaren heb ik het nooit aan iemand verteld. Ik ben het echter niet vergeten, want het is altijd een deel van me geweest: deel één van mijn verzwegen verleden.

Had ik mam de volgende ochtend maar verteld wat er was gebeurd, maar dat heb ik nooit gedaan, want ze was zo kwaad om het braaksel op de vloerbedekking dat ik niet in staat was om mijn standaardhouding – nors stilzwijgen – los te laten. Als ik het had klaargespeeld tot haar door te dringen, wat zou er dan zijn gebeurd?

Achter me opent en sluit de deur met een zachte klik en iemand schuifelt langs, een laatkomer die naar een zitplaats zoekt. Ik verschuif mijn stoel een fractie om hem langs te laten, kijk op en krijg het ijskoud.

Het is Alec. Volgt hij me? Ik bestudeer hem en wens dat hij opgaat in stinkende rook. Nu hij echter zacht door de zaal loopt, verandert de vreselijke angst die ik voelde toen Beth belde in iets dat meer op woede lijkt. Volgt hij me opzettelijk? Hoe durft hij me zo'n angst aan te jagen? En hoe durft hij die herinneringen bij me naar boven te brengen? Eindelijk heeft hij een stoel aan de andere kant van de zaal gevonden en gaat op het puntje ervan zitten, haalt zijn papieren te voorschijn en tuurt er aandachtig naar. Zijn druipnatte parka ligt in een hoopje op de grond. Ik zuig mijn wangen naar binnen en probeer normaal te ademen. Ergens in de buurt van mijn oor praat een student uitgebreid over hoe zijn bibliotheekpas niet meer werkt.

'Goed,' zegt Bob Stennings als er een korte stilte valt. 'Laten we dat noteren voor het studentenfonds en naar punt zes gaan: studentenbelangen.'

Hij kijkt snel de zaal door, zichtbaar hoopvol dat we punt zes snel kunnen afvinken en verder kunnen. Ik staar naar mijn voeten en vraag me af of ik niet gewoon moet opstaan en weglopen. Met Alec zo dichtbij betwijfel ik of ik hier kan blijven zitten. Maar het is te laat, want nu kucht hij en steekt zijn hand op en het heftige bonzen in mijn borst vertelt me dat wat er ook gebeurt, ik nu niet aan hem zal ontsnappen.

'Alec?' zegt Bob Stennings. 'Je bent de vertegenwoordiger van de tweedejaars. Wil je iets aankaarten?'

Alec schraapt zijn keel en wrijft met zijn hand door zijn vochtige haar. Hij ziet er ziek uit, met donkere kringen onder zijn ogen en een ongezonde gloed op zijn wangen. Kan hij echt degene geweest zijn die die nacht naar me keek? Aan het hoofd van de kamer bestudeert Bob Stennings zijn papieren. 'Heeft het te maken met de colleges? Ik probeer me aan deze agenda te houden.'

'Het gaat over de cursus historische methoden,' antwoordt Alec, die zich nu naar mij omdraait. Hij lijkt er moeite mee te hebben zich uit te spreken, want hij praat traag en moeizaam.

'Ga verder.'

'Wel, het probleem is dat ik me zeer bezorgd maak omdat administratieve procedures niet worden gevolgd.'

Hij gaat zitten en friemelt aan zijn bril, en de hele zaal draait zich om en kijkt naar mij. Ik slik moeizaam en voel dat mijn wangen donkerrood worden. Hij gaat kennelijk iets zeggen over Beths essay. Met mijn vochtige handen in elkaar geklemd probeer ik te spreken, maar het lijkt alsof mijn keel dichtzit. Intussen kucht en humt Bob Stennings en zegt hij: 'Misschien kun je dat het best met de betreffende docent zelf opnemen.'

'De betreffende docent weigert haar medewerking.'

'Eh...'

'Kan ik zeggen waar het om gaat?'

Alec neemt aan dat de stilte in de zaal instemming betekent en vervolgt: 'In principe gaat het erom dat sinds het begin van het trimester, ondanks mijn pogingen het met haar te bespreken, ze weigert me te woord te staan. In feite...' hij zwijgt even, misschien om moed te verzamelen, '... in feite heeft ze pas nog gezegd dat ze wil dat ik haar met rust laat.'

Bob Stennings kijkt me perplex aan. In de zaal is het zachte geroezemoes en papiergeritsel verstomd. Het is doodstil in de zaal, de verveelde studenten achterin leunen nu geïnteresseerd naar voren. 'Ik denk echt dat deze zaken ergens anders thuishoren, Alec. Misschien bij je persoonlijke studiebegeleider?'

Twee stoelen van me verwijderd gaat er een hand omhoog en iemand zegt: 'Ik vind dat het hier ter sprake moet worden gebracht, als hij dat wil.'

Het is de eikel met zijn rode bakkebaarden en Fuck Capitalism. Verstijfd zit ik voor het voltallige publiek. Ik voel hoe alles in me opzwelt en op het punt staat tot uitbarsting te komen.

'Misschien moeten we de docent in kwestie een kans geven zich te verklaren,' vervolgt Fuck Capitalism met een betekenisvolle blik naar Alec. Hij heeft zich duidelijk voorgenomen hem tot steun te zijn.

'Nee, Nick, daar ben ik het niet mee eens. Het hoort hier niet thuis. Alec en dr. Bainbridge moeten een afspraak maken om dit later uit te praten.' Dit komt van Julian die meelevend in mijn richting kijkt.

Ik doe mijn uiterste best mijn zelfbeheersing te bewaren, grijp de zijkanten van de stoel beet en klem mijn lippen op elkaar om een woordenvloed in te houden, maar het wordt steeds moeilijker. Ik wilde niet dat dit zou gebeuren, niet zo publiekelijk, maar nu Alec tegenover me zit, komen mijn emoties gevaarlijk dicht aan de oppervlakte, als een rivier die op het punt staat over te stromen. 'Eigenlijk,' hoor ik mezelf met schrille stem zeggen, 'zou ik Alec hier graag antwoord geven. Als men het daarmee eens is?'

Tegenover me trekt Julian zijn wenkbrauwen op. Ik krijg de indruk dat hij me probeert te waarschuwen om mijn mond te houden, maar ik ben te kwaad en te veel van streek om daar acht op te slaan. 'Je hebt gelijk, Alec,' zeg ik, me omdraaiend zodat ik hem aankijk. Hoewel mijn hart als een razende tekeergaat, klinkt mijn stem tot mijn verbazing onverschillig. 'Ik wil inderdaad dat je me met rust laat.'

Alec knippert met zijn ogen. Hij is heel bleek geworden.

'Zodra deze vergadering afgelopen is, ben ik van plan naar de politie te gaan om aangifte te doen van je gedrag,' vervolg ik. 'Ik weet zeker dat er heel wat is waarin ze geïnteresseerd zullen zijn.' Ik stop. De hartkloppingen worden minder maar mijn handen beven oncontroleerbaar. Omdat ik niet wil dat iemand dat ziet, klem ik ze in elkaar op mijn schoot. Ik voel me als een bungeejumper, op het punt van een hoog gebouw te springen.

'Zoals?' vraagt Alec ijzig.

Ik zie zijn adamsappel op en neer bewegen in zijn keel. Het is zo stil in de zaal dat ik het klikken van de radiator en het fluiten van de wind door de kieren in de ramen hoor.

'Je valt me lastig, al vanaf het begin van het trimester,' zeg ik, nog steeds met mijn blik op zijn gezicht gericht. 'Je hebt me beledigende e-mails gestuurd, me bestookt met telefoontjes en geprobeerd bij mij thuis in te breken.'

Daar! Ik heb het gezegd. Ik suis door de lucht, het elastiek zal me zo weer omhoog rukken. Ik haal diep adem en probeer mezelf onder controle te krijgen. Om me heen lijkt alles en iedereen in de verte weg te kolken, behalve Alec en ik, waardoor wij het middelpunt worden.

'Ik heb getuigen en hard bewijs.'

'Dat is een leugen,' fluistert hij.

'Ik denk van niet. Je hebt me vanmorgen voor mijn huis lastiggevallen en ik heb net een telefoontje van Beth Wilson gehad dat ze je op het platte dak van mijn flat heeft gezien. Je probeerde in te breken.'

Mijn stem klinkt vreemd, bang en bitter. Ik kijk naar de geschokte gezichten van mijn collega's. Ik zou me triomfantelijk moeten voelen, maar in plaats daarvan ben ik zo gespannen dat ik misschien wel zal ontploffen. Misschien zei Beth niet letterlijk dat het Alec was, maar wie had het anders kunnen zijn?

Alecs mond gaat open en dicht als van een aangespoelde vis. Aan het hoofd van de tafel kijkt Bob Stennings met een blik vol afgrijzen. Er volgt een geschokte stilte, dan kucht hij. 'Sorry, Cass,' zegt hij, immer gericht op formele helderheid. 'Wie is deze Beth Wilson?'

'Een derdejaars, in genderstudies,' zeg ik scherp. 'Ze logeert bij mij.'

'En wanneer zou ze me hebben gezien?' vraagt Alec.

'Net. Ze belde me ongeveer een halfuur geleden. Ze is doodsbang.'

'Hoe kan ik hier helemaal heen zijn gefietst als ik probeerde in te breken in uw flat?'

Ik trek een gezicht naar hem, het kan me geen zier schelen hoe hij hier gekomen is. Ik wilde net meer zeggen, over de foto en de e-mails, maar er is me iets te binnen geschoten. De brandtrap was losgewaaid.

'Wacht eens even. Mag ik iets zeggen?'

Achter in de zaal steekt een meisje aarzelend haar hand op. Ze is een van de postdoctoraal studenten, een beetje mollig, met een voorkeur voor gothic make-up en lange zwarte jurken. Bob duwt de agenda opzij en knikt haar verslagen toe. Studentenbelangen gaat kennelijk langer duren dan verwacht.

'Ga je gang.'

'Alleen dat ik Alec ongeveer drie kwartier geleden op weg naar de universiteit voorbij ben gereden in de sedan van mijn vriendin. Het klopt wat hij net zei, hij fietste, maar het waaide zo hard dat hij heel langzaam vooruitkwam. We hebben allemaal naar hem gezwaaid.' Ze lacht verontschuldigend. 'Sorry Alec, maar het leek wel of je ieder ogenblik de lucht in kon gaan.'

Er volgt een korte ongemakkelijke stilte.

'Goed, hoe zit het dan met al die e-mails, en dit?'

Ik graai in mijn stapel post en trek de foto uit zijn vaalgele envelop, en hou hem omhoog zodat Alec hem kan zien. Om me heen rekken mensen hun hals en kijken naar de vreemde foto met het schuine handschrift. Ik verwacht dat Alec zal tegensputteren, of schuldbewust zal kijken, maar hij fronst zijn wenkbrauwen. 'Ik heb absoluut geen idee waar u het over hebt.'

'Luister, Cass, misschien zou het helpen als we wisten waar dat ding is gepost,' mengt Julian zich in het gesprek.

Ik kijk naar het poststempel: 14 november. 'Eergisteren in Brighton.'

'Nou, dan heb je je antwoord. Alec kan het niet gepost hebben, want hij heeft de eerste drie dagen van de week met mij in de British Library in Londen doorgebracht. Hij werkt als onderzoeksassistent aan mijn British Academy-project.'

Er valt een lange vreselijke stilte. Dus het elastiek was rot: ik sprong, maar zwiepte niet terug omhoog. Bob Stennings draait zich terug naar mij. Een moment kijkt hij me met vaderlijk medelijden aan. Ondanks zijn af en toe wat luidruchtig enthousiasme is hij intelligent genoeg om te zien hoe ik me in de nesten heb gewerkt. 'Dan moet je het mis hebben, Cass.'

'Maar wie kan het dan hebben gestuurd?' Ik kijk wild om me heen. Mijn hart bonkt tegen mijn ribben, mijn lippen zijn droog. Het enige wat ik kan denken is dat ik het helemaal mis heb. Als Alec me die foto niet heeft gestuurd en niet op het platte dak was, dan moet het iemand anders zijn geweest. En om het nog ingewikkelder te maken, de brandtrap is vanmorgen los gewaaid, dus hoe kon iemand erop geklommen zijn?

Intussen kijkt iedereen in de zaal me met grote ogen aan, alsof er net hoorntjes op mijn hoofd zijn gegroeid. Julian is opgestaan en zegt iets, maar een fluitend geluid in mijn oren blokkeert mijn gehoor. Ten slotte speel ik het klaar om te gaan staan. Mezelf dwingend om naar Alec te kijken, die op het puntje van zijn stoel zit en aandachtig naar de vloer staart, forceer ik de woorden uit mijn mond: 'Het spijt me zeer. Ik heb de situatie kennelijk verkeerd beoordeeld.'

Dan, in een mislukte poging om te doen alsof het om een kleinigheid ging, zak ik terug in mijn stoel.

25

Het volgende uur gaat in een waas voorbij. Ik blijf bewegingloos op mijn stoel zitten, vastgepind door een mengeling van schaamte en paniek. Mijn handen liggen ineengeklemd in mijn schoot, ik staar nietsziend naar de vloer. Ik ben vastbesloten mijn ogen niet op te slaan en de nieuwgierige blikken van mijn collega's te ontmoeten. Als de vergadering afgelopen is sta ik als eerste op en haast me de deur uit. Terug in mijn kantoor ga ik houterig zitten en probeer mijn rondtollende gedachten te ordenen. Ik dacht dat ik wist wat er gaande was, maar kennelijk had ik het mis. Ik knijp mijn ogen dicht en probeer me de volgorde van gebeurtenissen te herinneren: Alec was tegendraads en onaardig; ik kreeg rare e-mails en telefoontjes. Elke keer als ik me omdraaide leek hij met een beschuldigende vinger achter me te staan. Elke e-mail volgde na een confrontatie met hem. Toch kon hij niet de man zijn geweest die op het dak stond, want niet alleen zat hij op de fiets om de tien kilometer naar de campus af te leggen, maar met de beschadigde brandtrap had alleen Spiderman de muur kunnen beklimmen.

Waarom zou Beth liegen? Was het verhaal over de man die bij het hek van het park naar de flat keek ook uit haar duim gezogen? Als ik hierover nadenk gaat de telefoon. Meteen neem ik op.

'Hallo,' zeg ik met een gevoel alsof ik vijf jaar oud ben.

'Met mij,' zegt Matt.

Ik word helemaal duizelig, mijn hart bonkt in mijn oren, alsof ik aan de rand van een afgrond sta. Gisteravond in de tuin leek het allemaal zo helder: onze relatie was voorbij omdat ik hem nooit kan bieden wat hij wil. Maar nu ik zijn stem hoor verlang ik wanhopig naar een nieuwe kans. Alsjeblieft! wil ik smeken, ik kan niet verdragen dat het zo moet eindigen!

'Hai.' Is dat zwakke stemmetje echt van mij?

Een seconde of wat zegt Matt niets. Misschien wil hij me nog een kans geven, denk ik krankzinnig genoeg. Misschien is hij tot de conclusie gekomen dat hij uiteindelijk toch geen kind wil en kunnen we opnieuw beginnen. 'Ik kom naar Londen...' begin ik, maar hij valt me in de rede.

'Ik wil een datum afspreken dat je je spullen hier uit huis haalt,' zegt hij kortaf. 'Jouw dingen beginnen in de weg te staan. Morgen ga ik naar Manchester en ik wil dat ze weg zijn als ik terugkom.'

Ik hap naar adem door de gedecideerdheid in zijn stem. 'Wat bedoel je?' stotter ik. 'Ik woon daar!'

'Je woont nu in Brighton, niet hier.' Zijn stem is kil en hard, van alle emotie ontdaan.

Mijn lichaam voelt verdoofd, alsof alle functies zijn uitgevallen. 'Dat kun je me niet aandoen!'

Nu lacht hij, het kille minachtende lachje dat hij reserveert voor de prestaties van stomme collega's, of oneerlijke politici die in *Newsnight* gegrild worden. 'Ik denk dat je zult merken dat ik dat wel kan. Aangezien het huis wettelijk mijn eigendom is kan ik precies doen wat ik wil.'

Na een moment stamel ik: 'Kunnen we er dan niet minstens persoonlijk over praten?'

'Praten, waarover? Jij hebt mij aan de kant gezet, weet je nog? Je nieuwe vriendin heeft dat volkomen duidelijk gemaakt. Het enige wat ik nu wil is dat je je spullen weghaalt. Oké? O ja, en ik zou het ook op prijs stellen als je ophield met al die hysterische boodschappen.'

Voor ik kan vragen waar hij het in hemelsnaam over heeft, hangt hij op. Ik staar naar de zoemende telefoon die levenloos in mijn hand ligt. Welke hysterische berichten? Heeft hij het over mijn pogingen hem gisteravond te bellen? En waarom maakt hij er zo'n punt van dat Beth bij mij in de flat was? Ik strek mijn vingers over de smoezelige groene telefoon, voel het gewicht in mijn hand: zo'n functioneel stuk plastic dat zo'n ellende heeft aangericht. Het zij zo, denk ik terwijl ik hem afwezig in mijn handen heen en weer rol. Geen van die details is belangrijk, want alles is voorbij.

Ik leg de telefoon terug. Mijn handen beven. De kans bestaat dat ik moet overgeven. Ik weet niet wat ik moet doen of waar ik heen moet. Nietsziend staar ik naar mijn horloge. Jawel. Ik zal opstaan, de deur openen en teruggaan naar de flat om in te pakken. Dan zal ik me ziek melden bij de universiteit en mijn toevlucht zoeken bij Sarah in Highbury.

Ik pak mijn spullen bij elkaar, me nauwelijks bewust van wat ik doe. Ik zal de academische wereld vaarwel zeggen, denk ik, vakken vullen in Sainsbury's. Hoe kan ik in vredesnaam verder zonder Matt? Hij was mijn begeleider, mijn mentor: de rationele stem die me leidde. Hij redde mijn promotieonderzoek, hielp me uitvoerig met mijn boek. Dat verrekte ding schreef ik alleen maar om hem een plezier te doen. Wat maakt het nu allemaal nog uit?

Ik duw een stapel essays op de grond en zoek halfhartig naar mijn bril. Het is alsof iemand met een kanon een enorm gat midden door mijn lichaam heeft geschoten. Waarom ben je verbaasd? schreeuwt de stem in mijn hoofd. Is dit niet je verdiende loon? En voor ik het kan tegenhouden is het beeld er weer. Magere beentjes en slaperige, knipperende ogen, een zacht vochtig hoofd.

Nu gaat de telefoon weer. Wazig van de schok pak ik de hoorn en klem hem tegen mijn oor.

'Hoi, Cass,' zegt Beth met een eigenaardig stemmetje. 'Ik ben het maar.'

Zodra ik haar stem hoor beland ik met een schok in het heden. Voor iemand die me slechts een uur geleden in paniek belde klinkt ze opmerkelijk beheerst.

'Wat is er nu weer?'

Aan de andere kant van de lijn kan ik bijna zien hoe haar gezicht verandert, een snelle omschakeling als ze mijn ongenoegen bemerkt. 'Ik bel alleen om te vragen wat je voor avondeten wilt,' zegt ze liefjes.

De telefoon voelt warm en glad. Ze moet toch wel het briefje hebben gelezen dat ik op de deur heb geprikt. Waarom vraagt ze me dan over het avondeten?

'Waarom zei je tegen me dat je iemand op het dak zag?' vraag ik ineens.

'Ik was bang, Cass.'

Haar stem is klagerig en pruilerig en plotseling kan ik me niet meer herinneren waarom ik haar ooit mocht. Ze heeft gelogen vanmorgen, denk ik met afkeer. En ik zou ook willen dat ze ophield me bij mijn voornaam te noemen. Daardoor klinkt ze als een flikflooiende callcentermedewerkster, die joviale intimiteit wil suggereren, terwijl daar helemaal geen sprake van is, alleen om haar zin te krijgen. 'Je liegt,' zeg ik zonder omhaal. 'Er kan helemaal niemand op het dak zijn geweest, want de brandtrap is gisteren los gewaaid. Dat was het lawaai dat ik gisteravond hoorde.'

Het blijft zo lang stil dat ik me afvraag of ze er nog is. Dan, heel zacht, zegt ze: 'Ik zei alleen wat ik dacht dat ik zag. Ik heb nooit gezegd dat het echt was.'

'Wat moet ik me daarbij voorstellen?'

'Alleen dat ik bang was.'

'En heb je de politie niet gebeld?'

Ze lacht, zacht en lief. 'Natuurlijk niet, Cass.'

Plotseling kan ik me niet langer inhouden. Er gaat zoveel in mijn hoofd om en ik ben al genoeg van streek zonder de bijkomende complicaties van dit domme meisje en haar capriolen. 'Luister, het spijt me, Beth,' zeg ik kortaf, 'maar helaas moet je vandaag mijn flat uit. Zoals ik al schreef, ik krijg vrienden op bezoek. Je zult iets anders moeten regelen, oké?'

Ze begint iets te zeggen, maar ik kan het niet meer aanhoren. Ik moet resoluut zijn en niet meer naar haar zielige verhalen luisteren. Ik heb gedaan wat ik kon om haar te helpen en nu moet ik me op mezelf concentreren. In zekere zin is het onbelangrijk om de afzender van de e-mails en foto's te achterhalen. Het enige wat ik weet is dat ik terug moet naar mijn flat, mijn spullen pakken en maken dat ik wegkom, vóór de herinneringen, die nu zo op me afkomen, me overspoelen.

'Ga naar het kantoor studentenhuisvesting op de campus,' zeg ik resoluut. 'Ze zijn de hele dag open.'

Dan hang ik op.

Ik rij zonder nadenken terug, nauwelijks het voorbijflitsende verwaaide landschap in me opnemend. Ondanks de omgevallen bomen en meedogenloze wind duurt het niet lang voor ik terug ben bij het plein. In mijn tas gaat mijn mobiele telefoon aan één stuk door, maar omdat ik geen zin heb in Beths voorspelbare smeekbeden, neem ik niet op. Als ik de Kever geparkeerd heb, loop ik met zware tred naar nummer zestien. Het vroege middaglicht is zo duister dat het wel schemering lijkt en ijskoude regen slaat tegen mijn voorhoofd. In de tuin zwiepen de bomen als waanzinnige donkere marionetten heen en weer, alsof ze door een onzichtbare hand gestuurd worden. Net voor me schiet een dakpan van een dak en slaat stuk op het trottoir. Ik stap over de scherven. De lucht boven me is gehavend en grijs.

Als ik het gebouw nader, voel ik me weer onverklaarbaar gespannen, ook al is alles wat er maar aan ellende kon plaatsvinden, net gebeurd. Er is nog iets waarover ik moet denken voor ik naar binnen ga, maar ik heb het gevoel dat het al te laat is. Ik maak de voordeur open en ga de vochtige gang in, dan herinner ik me ineens Jan met haar emmer.

Het meeste water is weg; de enige overblijfselen van de overstroming zijn wat natte plassen en een stapel doorweekte kranten tegen de muur. Ik laveer over het geruïneerde tapijt en sluip langs Jans deur. Ik wil de trap op snellen, mijn spullen pakken en er zo snel mogelijk vandoor gaan, niet in de ijskoude gang staan en beleefde praatjes maken met een of ander geschift new-agetype.

Maar het is te laat. Misschien heeft ze wel op de uitkijk gestaan, want haar deur gaat open en ze stapt in het vale licht. 'Sesam open u,' zegt ze terugdeinzend voor de kou.

Ik probeer te glimlachen, maar het wordt een demonische grimas.

'Wat een storm, hè?'

'Hm.'

'Het komt door het broeikaseffect.'

'Ja.'

Ze werpt me een lange koele blik toe. Misschien is ze beledigd dat ik haar vanmorgen niet heb geholpen. 'Heb je de verhuizers laten komen?' zegt ze plotseling met een blik naar het plafond.

Verbaasd kijk ik haar aan. Misschien hebben haar kaarten mijn ophanden zijnde verhuizing voorspeld. 'Nog niet.'

'Nou, het leek er anders veel op.'

Ik begrijp niet wat ze bedoelt. Ze staat op het punt nog iets te zeggen, maar ik onderbreek haar. 'Luister,' flap ik eruit, 'ik zou graag met je kletsen, maar ik ben echt heel moe en heb het koud.'

Voor ze nog iets kan zeggen draai ik me om en ren de trap op. Ik ben grof geweest, weet ik, maar ik kan niet wachten om ervandoor te gaan. Als ik de overloop voor mijn flat bereik, blijf ik staan om moed te verzamelen. Ik adem te snel en sta onvast op mijn benen. Tegen de muur leunend voor steun steek ik de sleutel in de voordeur en duw hem open. Alsjeblieft, denk ik, laat Beth weg zijn. Ik kan het niet verdragen om haar problemen aan te moeten horen, niet op dit moment.

Als ik de gang in loop kijk ik opgelucht om me heen. Sinds de korte vlaag van orde, gisteren, is de flat teruggekeerd tot de gebruikelijke chaos. Jassen liggen lukraak op de stoel bij de telefoon, ongeopende brieven en rekeningen liggen verspreid over de vloer. Er is geen spoor van Beth of haar obsessieve opruimdrang. Het is stil in huis. Ik hoor het geklik van buizen, het geratel van de ramen in de wind, maar geen teken van leven. Het ruikt muf in de flat, alsof die weken niet gelucht is.

Op de gangtafel gaat de telefoon. Ik aarzel. Het is waarschijnlijk Beth, maar de piepkleine kans dat het Matt zou kunnen zijn is onweerstaanbaar. Ondanks alles wat er is gebeurd wil ik wanhopig graag zijn stem horen, omdat ik snak naar iets van warmte, de hoop op een toekomst. Zonder verder nadenken duik ik naar de telefoon. Met het gladde plastic in mijn ijskoude handen geklemd druk ik op 'spreken'. Als ik mijn stem hoor is hij onherkenbaar schor. 'Matt?'

Het blijft lang genoeg stil om te beseffen dat ik me weer heb vergist. In plaats van Matts resolute stem hoor ik een andere, jongere en balleriger man zijn keel schrapen en aarzelend zeggen: 'Ben jij het, Cass?'

Het duurt heel even voor ik kan antwoorden, ik ben sprakeloos van teleurstelling. Uiteindelijk schraap ik mijn keel en breng schor uit: 'Ja?' Mijn handen zijn zo koud dat ik de telefoon nauwelijks vast kan houden.

'Met Julian. Julian Leigh.'

'Ja...'

'Hoe gaat het?'

'Mwah.'

'Ik kreeg de indruk dat je erg overstuur was, daarstraks. Ik neem aan dat die foto je echt de stuipen op het lijf heeft gejaagd.' Hij klinkt oprecht bezorgd.

Ik hou mijn adem in, vastbesloten het loeiende verdriet in te houden, dat bij de geringste hint van medeleven in mijn longen aanzwelt. Waarom ben ik zo vijandig tegen hem geweest? Al die tijd wilde hij alleen maar vriendelijk zijn.

'Hoe dan ook, luister, ik wil geen olie op het vuur gooien, bij wijze van spreken, maar ik wilde het over iets anders hebben.'

Ik staar naar de telefoon en kan geen wijs worden uit wat hij zegt. Waar zou hij het in vredesnaam over willen hebben?

'Het gaat over je studente,' vervolgt Julian. 'Degene van wie je zei dat ze bij je logeerde?'

Ik krijg het benauwd. 'Wat is er met haar?'

'Ik heb haar opgezocht. Ze heet toch Beth Wilson?'

'Klopt.'

'En ze heeft als hoofdvak genderstudies.'

'Inderdaad.'

Mijn ogen speuren de gang af en de lege zitkamer. Ze is beslist vertrokken, hou ik mezelf voor. Waarom ben ik dan zo gespannen? Beneden hoor ik Jan zacht door haar flat lopen.

'Het gaat erom dat dat vak niet bestaat,' vervolgt Julian.

Ik klem de telefoon vaster in mijn hand. 'Niet bestaat?' echo ik.

'Ik neem aan dat het je niet is opgevallen omdat je nieuw bent in het systeem, maar we hebben genderstudies nooit als hoofdvak gehad. Dat intrigeerde me, daarom heb ik het dossier van die jongedame van je opgezocht.'

De lijn kraakt. Ik wil dolgraag horen wat hij te zeggen heeft, maar iets leidt me af. De geluiden waarvan ik dacht dat ze uit Jans flat kwamen, zijn dichterbij gekomen, besef ik. In feite lijken ze uit mijn slaapkamer te komen: het zachte schuifelen van voetstappen, geschraap van dingen die verplaatst worden.

'Het komt erop neer dat er geen dossier van Beth Wilson bestaat. Daarom had niemand van ons ooit van haar gehoord.'

Uit mijn slaapkamer komt opnieuw een doffe plof. Ik word duizelig. Dus daarom was er vanochtend geen Wilson bij de W.

'Hoe bedoel je?' fluister ik.

Aan de andere kant van de lijn grinnikt Julian, waarschijnlijk om mijn traagheid van begrip. 'Dat ze geen student bij ons is. Het zou zelfs kunnen dat ze recht van de straat je college binnen is gestapt. Tot het verplicht wordt dat we allemaal een identiteitskaart hebben, kan dat heel goed, hoewel ik denk dat ze geen boeken uit de bibliotheek zou kunnen meenemen. Het enige wat ik niet begrijp is waarom je haar niet betrapt hebt toen je in de eerste week de namenlijst doornam.'

Ik slik. 'Ik geloof niet dat ik ooit een namenlijst heb doorgenomen. Ik was de computeruitdraai kwijt.'

Julian zwijgt even, te beleefd om te zeggen wat overduidelijk is: Cass, je hebt er een enorme puinhoop van gemaakt. 'Maar viel het niet op?' vraagt hij ten slotte. 'Dat ze er niet bij hoorde?'

'Ze leek me oké.'

Maar terwijl ik dat zeg herinner ik me dat ze allebei de keren dat ze iets moest presteren, deed alsof: door uit mijn proefschrift te kopiëren voor haar essay en uit een artikel uit *Maatschappij en geschiedenis* voor haar presentatie, allebei heel goed zonder studentenkaart te kopiëren in de bibliotheek. En dwaas die ik was, ik liet haar ermee wegkomen.

'Dus dit meisje is duidelijk een bedriégster,' zegt Julian plagend en ik stel me voor dat hij zijn vingers in de lucht kromt om aanhalingstekens aan te geven, zijn karakteristieke gebaar. 'Dat probeerde Alec tegen je te zeggen. Hij heeft me net verteld dat hij vanaf de eerste dag doorhad dat ze geen echte student was.'

Het bonken is gestopt, maar nu hoor ik heel duidelijk voetstappen in mijn slaapkamer.

'Daarom gaan we nog wat meer uitzoeken, en dan neem ik weer contact met je op.'

'Bedankt dat je me dit verteld hebt,' rasp ik door de telefoon. 'Nu moet ik ophangen.'

'Cass?'

Ik laat hem niet uitspreken, druk op 'afbreken' en leg langzaam de telefoon neer. Aan de andere kant van de gang is het plotseling stil. Langzaam loop ik naar de slaapkamer. Het voelt alsof mijn borstkas elk moment kan ontploffen. Jezus, denk ik, wat is hier loos? Als ik bij de gesloten deur ben blijf ik staan om moed te verzamelen. Nog steeds hoor ik niets aan de andere kant. Maar dan klinkt er duidelijk een klap: een raam waarvan ik zeker weet dat ik het niet heb opengelaten knalt tegen de muur. Terwijl het bloed in mijn oren suist duw ik de deur open.

Mijn slaapkamer is getransformeerd. Tevoren was het bepaald niet opgeruimd, maar nu blijkt mijn hele kleerkast op het tapijt te zijn omgekiept alsof iemand hem doorzocht heeft, mijn kleren zijn in stapels stoffen lijken weggeslingerd. Tegen de muren zijn bergen boeken en kranten opgestapeld, zo onmogelijk hoog dat er stapels drukwerk als lawines op de grond zijn gegleden. Terwijl ik ernaar staar besef ik dat ze uit de dozen uit de logeerkamer zijn gekomen. De gordijnen zijn dicht en het grote licht is uit, maar in de hoek bij het raam is een kindernachtlampje aangeknipt dat ik herken van de kast in de logeerkamer. Rond en rond draait het, met plaatjes van Humpty Dumpty en zijn gebroken hoofd geprojecteerd op het plafond.

Langzaam keer ik me om naar het bed. Even denk ik dat ik het mis heb en dat er niemand in ligt. Het enige wat ik zie is de bobbelige vorm van mijn dekbed, een kussen achteloos opzij gegooid. Dan zie ik een voet uitsteken aan het voeteneind en als ik haar naam fluister zit Beth overeind en kijkt me aan.

Brighton, 23 november

Lieve mam,

Alles bereikt eindelijk een hoogtepunt, er gebeurt van alles, de spreekwoordelijke stront aan de knikker. Dus heb ik besloten dat ik iets moet gaan doen. Mijn hele leven voel ik me alsof ik voor het raam van het huis van een ander kind heb gestaan, met mijn neus ertegenaan gedrukt, en dat moet veranderen.

Hoe kan ik verder als ik niet weet wie ik ben? En hoe kan ik andere mensen toelaten als ik niet weet waarom jij me hebt buitengesloten?

Het leven is ingewikkelder geworden dan ik had gehoopt, zie je: mensen hebben dingen gezegd en gedaan die ik moeilijk kon begrijpen. Ik dacht altijd dat ik een goed mens was, ik heb nooit iemand willen kwetsen. Maar sinds kort loopt alles uit de hand.

En nu weet ik zeker dat ik actie moet ondernemen.

26

Toen ze me zag trok Beth het dekbed over haar borst en greep het vast met de verraste blik van een kind dat midden in een ondeugend spelletje is betrapt. Ze draagt weer mijn rode jurk, maar heeft er kennelijk de schaar in gezet, want in plaats van de lange fluwelen mouwen is er een slordige massa rafels waaruit haar gevlekte witte armen steken, als botten door aan flarden gereten huid.

'Hallo, Beth,' zeg ik alsof ze iets onbeduidends deed, zoals een boek lezen of een dutje doen. 'Waar ben je mee bezig?'

'Ik ben alleen wat spullen aan het zoeken.'

Ze glimlacht met wat ik aanzie voor schaamte, waardoor haar bruine tanden te zien zijn. Ik stap over de papieren en kleren naar het midden van de kamer. Na de adrenalinestoot voor de deur voel ik me nu kalmer. Zo, ze heeft een paar leugens verteld. Er is misschien nog steeds een plausibele verklaring voor.

'Je ligt in mijn bed,' zeg ik langzaam. 'En wat heb je met mijn jurk gedaan?'

Ze haalt haar schouders op, alsof haar gedrag normaal is. Mijn vuisten ballen zich. Ik loop naar het bed en probeer niet recht in haar ogen te kijken, die bloeddoorlopen en wazig zijn, en steeds naar de deur achter me flitsen, alsof ze verwacht dat er nog iemand binnen zal komen, de laatste gast op ons feestje. Ze is totaal anders dan de zonnige aanwezigheid die mijn flat vulde, die ochtend vijf weken geleden. En nu ik haar zo zie, zo duidelijk verward, besef ik dat haar gedrag niet zo onverwachts is als het lijkt, want ze heeft zich de hele week steeds vreemder gedragen.

'Heb je mijn briefje gelezen?' vraag ik.

Met grote verbaasde ogen kijkt ze naar me op. 'Welk briefje?'

'Ik heb je een briefje geschreven waarin ik je vroeg naar de campus te komen zodat we tijdelijke huisvesting voor je konden regelen.' Ik probeer mijn stem luchtig en opgewekt te houden, maar de manier waarop ze me aanstaart maakt dat steeds moeilijker.

'O ja?'

Mijn hart slaat op een nare manier over. Natuurlijk heeft ze het gelezen, maar elk overwicht dat ik ooit misschien over haar had was kennelijk een zinsbegoocheling. Nu werpt ze me een schalks glimlachje toe. 'Je vindt het echt leuk om dit soort spelletjes te spelen, hè?' zegt ze langzaam.

'Ik weet niet wat je bedoelt.' Ik tuit mijn lippen en probeer de trilling van angst in mijn stem te onderdrukken.

Beth knippert flirterig met haar wimpers. 'Je verwacht toch niet dat ik die humeurige toon serieus neem, hè?' Met een betekenisvolle blik werpt ze het dekbed opzij en zwaait haar benen resoluut over de rand van het bed. De voorkant van mijn jurk is doormidden gescheurd, zie ik, en ze draagt mijn hooggehakte laarzen. Ze zijn haar te groot en het effect is komisch: een klein meisje dat betrapt is toen ze de kast van een volwassene plunderde. 'We weten allebei wat er echt aan de hand is, niet soms?'

Mijn gezicht vertrekt van onbegrip. Ik voel me als een rolvaste acteur in het verkeerde toneelstuk. In plaats van de volwassene te spelen, die de touwtjes in handen heeft, ben ik gereduceerd tot passiviteit en ken ik mijn tekst niet. 'Ik heb geen idee,' zeg ik kalm. 'Ik wil dat je het me uitlegt.'

'Wat valt er uit te leggen?' Ze staat voor me, knipperend met haar wimpers en ik moet de neiging bedwingen tegen haar te schreeuwen dat ze moet verdwijnen. Voorzichtig, Cass, zeg ik tegen mezelf. Deze situatie is penibel. 'Waarom sta je niet ingeschreven bij de universiteit?' vraag ik, alsof ik vraag waarom haar haar lang is in plaats van kort.

Ze lacht, alsof het van geen belang is. 'Ze zouden me nooit hebben toegelaten. Niet na wat er in Leeds is gebeurd.'

Ik heb geen idee waar ze het over heeft, maar ik raak steeds gespannener. Ze zet een paar wankele stappen en blijft midden in de slaapkamer staan, met glanzende ogen, alsof ze de meest fantastische verrassing verwacht. Ik sla mijn armen over elkaar in een poging mijn gezag te herstellen. Dit is *míjn* flat. En zelfs al is ze geen echte student, ik ben nog steeds haar meerdere. Terwijl ik mezelf dit echter voorhoud steek ik mijn hand in mijn zak en voel het geruststellende koele metaal van mijn mobiel. Hoe lang, vraag ik me af, zou het duren voor de politie er is? 'Waarom zei je tegen me dat je iemand op het platte dak zag?' zeg ik ernstig.

Ze kijkt me verwijtend aan. 'Ik voelde me zo alleen! Ik wilde dat je thuiskwam en bij me was.'

'Dus daarom loog je tegen me?'

'Weet je, zo zou ik het niet zeggen. Ik zou zeggen dat ik een bepaalde waarheid construeerde. Is dat niet wat je ons het hele trimester hebt geleerd? Dat er geen objectieve waarheid bestaat?'

Ik schud mijn hoofd. Het is me net opgevallen hoe ze haar armen omklemt, haar vingers in haar vel zet. De zachte huid aan de binnenkant van haar armen is al rood en pijnlijk, straks krijgt ze blauwe plekken. 'Niet echt,' zeg ik. 'Nee, helemaal niet.'

'Maar wij komen overeen, hè? Je hoeft alleen maar goed te luisteren en de waarheid zal onthuld worden. Is het niet iets dergelijks?' Ze lacht, gooit haar hoofd achterover en ik zie haar koppige kinnetje.

Ze heeft duidelijk de kern van de hele cursus gemist. 'Wat is jouw waarheid, Beth?' vraag ik zacht.

'Anders dan je denkt, en toch hetzelfde.'

Zelfvoldaan kijkt ze me aan, zo anders dan het meisje dat ik die eerste dag van het trimester meenam voor een kop thee. Was dat slechts een schijnvertoning? Een toneelspel om me te charmeren en binnen te halen? 'Wat moet ik me daarbij voorstellen?'

'Dat weet je net zo goed als ik.'

Als ik nog langer naar haar grijnzende gezicht moet kijken, ga ik erop slaan. Ik wend mijn blik af en zeg op neutrale toon: 'Hoe zit het met je pleegouders? Heb je daarover de waarheid ook aangepast?'

Ze grinnikt stompzinnig en strijkt met een hand het slappe haar van haar pukkelige voorhoofd. 'Welke pleegouders?'

'De mensen wier dochter was overleden? Of heb je dat ook verzonnen?'

Als ik dat zeg trekt ze een quasi-schuldbewust gezicht, als een tiener die een standje krijgt voor een aantijging die ze niet serieus neemt. 'Heb ik je dat verteld? Maakt dat echt iets uit?'

'Natuurlijk maakt dat iets uit! Als je nooit pleegouders hebt gehad, waarom maakte je er dan zo'n verdomd drama van dat ze je uit huis hadden gezet?'

Even flitst er iets lelijks over haar gezicht, kwaadheid misschien, of zelfs haat. Dan lijkt ze het weg te stoppen.

'Ik wilde gewoon bij jou zijn, Cass. Is dat zo erg?' Ze kijkt me aan en doet die irritante vogelbeweging met haar hoofd, koket scheef gehouden. Terwijl ik haar zie staan midden in de puinhoop van mijn slaapkamer, alsof zij hier de dienst uitmaakt, voel ik zo'n walging in me opkomen dat ik huiver. Ik voel de woede aanzwellen; mijn vingers tintelen en een bittere smaak vervult mijn mond. Waarom heb ik haar ooit zo dichtbij laten komen? Ik ben zogenaamd een expert in de mondeling overgeleverde geschiedenis, getraind in het luisteren naar de nuances en verborgen betekenissen van de verhalen van mensen, in het controleren en kruiselings controleren van verifieerbare feiten. Toch geloofde ik alles wat ze zei, met bijna kinderlijke naïviteit, zonder ook maar de meest elementaire gegevens na te gaan. Zou het werkelijk veel gevergd hebben om te doorzien dat ze geen echte student was? En het verhaal over haar pleegouders, dat klonk niet geloofwaardig, vooral niet dat van die dode dochter. Toch, dwaas die ik was, dacht ik dat ze mijn hulp nodig had, dus liet ik haar in mijn huis en deed al wat ik kon om haar te helpen. Maar nu zie ik dat haar kwetsbaarheid een illusie was, dat ondanks de schijn van onschuld ze zich wentelt in bedrog. Nee, het is niet mijn hulp, maar iets anders – wat ik nog steeds niet begrijp – dat ze van me wil.

'Niets van dat alles is echt belangrijk,' zegt ze zacht. 'Dat weet je. Waarom geef je het niet gewoon toe?'

'Wat moet ik toegeven?'

'Onze werkelijke relatie natuurlijk.'

Ik staar haar aan. Mijn kaak hangt open. Wat bedoelt ze met 'onze werkelijke relatie'? Hoe zou iemand van mijn verleden op de hoogte kunnen zijn?

'Die allereerste werkgroep, toen je me dat knipoogje gaf? Dat was het teken voor mij.'

De zelfvoldane uitdrukking op haar gezicht laat zien dat ze gelooft dat het duidelijk is. Met een bewuste poging om me te beheersen klap ik mijn mond dicht. Welk knipoogje? Mijn hersens werken koortsachtig, de herinneringen dwarrelen in een sneeuwstorm van fragmentarische beelden. *Je pure, donkere ogen; de warmte van je huid tegen de mijne. Ik voelde je hartslag, zo snel als een galopperend paard.* Maar Beth lijkt mijn verwarring niet op te vallen, want ze praat gewoon door.

'Maak je maar geen zorgen,' zegt ze bijna kalmerend. 'Ik heb je signalen opgevangen, stuk voor stuk. Zoals je de telefoon opnam nadat hij vijf keer was overgegaan? En je mobiel zo in je tas laten zitten dat ik hem eruit kon halen, die eerste dag dat we samen waren?'

Ik schud mijn hoofd naar haar. Ik vind het steeds moeilijker om me te concentreren op wat ze zegt. *Een zacht fladderend gevoel. Het was tegelijkertijd het begin en het einde.*

'Ik weet niet waar je het over hebt,' zeg ik zwakjes.

'O, kom nou, Cass. Wordt het geen tijd om op te houden met doen alsof? Ik wist dat je nooit het lef zou hebben om alles toe te geven, dus heb ik het voor je gedaan. Dat wilde je, dat was duidelijk. Het was zo gepiept met een paar sms'jes om verlost te worden van al die zogenaamde vrienden van je. En toen ik je de mobiel teruggaf was je zo dankbaar dat ik schoon schip voor je had gemaakt, dat je me een kus toeblies.'

Ik kan er geen touw aan vastknopen. Ik probeer me steeds op het hier en nu te concentreren, maar, alsof ze aan elastiek vastzitten, springen mijn gedachten steeds terug naar het verleden. *Ik heb je daar achtergelaten, misschien om te leven, misschien om te sterven. En sinds dat moment heb je me achtervolgd.*

'Wie ben je?' vraag ik schor. 'Wat wil je van me?'

'Je weet wie ik ben,' zegt Beth, naar me toe stappend. 'En je weet wat ik wil.'

In een vlaag van paniek begin ik me langzaam naar de deur te bewegen. Het zou toch zeker niet kunnen?

'Geef het nou maar toe,' fluistert ze. 'Toe maar, je zult je beter voelen als je dat doet.'

Ik staar haar aan en herinner me de e-mails. *Ik weet het.*

'Jij hebt me die e-mails gestuurd,' zeg ik zacht.

'Natuurlijk, domoor!'

Ik weet het. Dat schreef ze steeds opnieuw. Maar hoe kan ze mogelijkerwijs op de hoogte zijn van mijn verleden? Niemand weet het, behalve ik. *Misschien bleef je leven en misschien ben je gestorven.* Plotseling loopt ze wankelend naar me toe met uitgestrekte armen alsof ze verwacht in de mijne te belanden. Ik stap snel opzij en ze struikelt en valt tegen de deur terwijl ze haar evenwicht hervindt. Haar voorhoofd is nat van het zweet en vochtige vlekken verspreiden zich in de oksels van de rode jurk.

Smekend kijkt ze naar me op. 'Ik weet dat het moeilijk is, maar je moet gewoon eerlijk zijn. We kennen allebei de ware reden waarom je niet met die vriend van je wilt trouwen, waarom je geen kinderen hebt. Je hebt het te lang geheimgehouden.'

Ze staat op het punt me aan te raken, maar het idee van lichamelijk contact met haar is afstotend. Kan ze op de een of andere manier achter mijn verleden zijn gekomen? Is deze scène een aanloop voor chantage of iets ergers? Terwijl ik haar verward aangaap weet ik dat de golf zijn hoogtepunt heeft bereikt, dat nu alles zal neerstorten. 'Je hebt er niets mee te maken,' zeg ik zwak.

'Dat is niet waar.'

Haar handpalm tegen mijn wang duwend dwingt ze me om haar aan te kijken. Ik ruik de licht zure geur van haar adem, zie in levendig detail hoe haar acne door de foundationcrème die ze op haar huid heeft gesmeerd heen breekt. Het lijkt wel of ik droom, onhandig en gedesoriënteerd door een vertekend landschap loop van dingen die niet zijn wat ze lijken. *Ik leefde nog, maar het scheelde niet veel. Dit is het einde, dacht ik toen ik wegliep. Nu zal niets ooit meer hetzelfde zijn.*

'Zeg het nou,' smeekt Beth.

'Dat kan ik niet.'

'Ja, dat kun je wel. Je moet.'

Het is zo stil in de kamer. Naast me ademt Beth en ik hoor het denderen van mijn bloed in mijn oren en als ik heel goed luister het razen van de zee in de verte. Dus, op de een of andere manier is ze achter de waarheid gekomen. Mijn hele volwassen leven heeft een deel van me ernaar gesnakt dat dat zou gebeuren, en nu het zover is ben ik duizelig van angst. Maar het is te laat. Ik moet doen wat ze zegt.

'Ik heb een baby gekregen,' fluister ik. 'Ik heb hem op het strand achtergelaten om te sterven.'

Nu ik het hardop heb gezegd weet ik dat alles is veranderd en dat het nooit meer een geheim zal zijn. *Het was mijn baby. Ik hield hem niet langer dan een minuut tegen mijn huid gedrukt, maar hij was van mij. En toen liep ik weg.*

Glazig staar ik Beth aan en hap naar adem. Ze is de eerste aan wie ik het ooit verteld heb. Hoewel ik nog steeds niet snap hoe, is zij er de oorzaak van dat de waarheid naar buiten is gekomen. Ik verwacht herkenning, of zelfs opluchting op haar gezicht te zien. Maar ze lijkt niet geïnteresseerd. In plaats daarvan fronst ze naar me met de irritatie van een ongelooflijke egoïst wier moment van glorie is onderbroken, en tikt ongeduldig met haar te grote laars op de grond. 'Waar heb je het over?' zegt ze kwaad.

'De baby. Ik bedoel, dat is het geheim. Is dat niet waar je het over hebt?'

Ze lacht en zegt nog iets. Maar ik luister niet meer, want nu ik zover ben gekomen kan ik niet meer stoppen met denken aan mijn kind toen het daar op de kiezels lag. De baby was perfect, elk klein nageltje, elke wimper. Voetjes zo groot als mijn pink, oren gevormd als schelpen. Een zeeschepsel, opgerold en mysterieus, om te worden teruggegeven aan de golven.

'Ik heb het niet over een baby,' zegt Beth snierend. 'Ik heb het over jou en mij. Over het feit dat we verliefd zijn.'

'Wat?'

Ik voel me zo duizelig dat ik een seconde mijn ogen moet sluiten. Heb ik alles wat ze heeft gezegd totaal verkeerd begrepen? Ik probeer tot me door te laten dringen wat er net heeft plaatsgevonden, maar het is al weggeglipt. Hoe dan ook, het doet er allemaal niet toe, want eindelijk heb ik dat gezegd wat ik zoveel jaren als een diep geheim heb bewaard. Ik was vijftien, bijna volwassen, bijna nog kind, maar gedurende maanden had ik het zachte fladderen voelen veranderen in iets resoluters: het kronkelen van een vette vis, het leven dat erop wachtte los te breken. Ik wist iets van biologie, ook al had ik het aanvankelijk genegeerd. Ik had mijn berekeningen gemaakt: ik wist wat me te wachten stond.

Als ik mijn ogen weer open zie ik Beths verhitte gezicht boven me dat kwaad in het mijne staart. 'Cass!' zeurt ze. 'Waarom luister je niet naar me?'

Ik schud mijn hoofd en probeer de trance te verbreken.

'Wat is er met je aan de hand?' mompelt ze gemelijk.

Langzaam dwing ik mezelf naar haar te kijken. 'Ik wil dat je weggaat,' zeg ik zacht.

'Nee...'

Ik slik mijn agitatie in en leg een dwingende hand op haar onderarm. Die voelt klam en heet aan, alsof ze koorts heeft. Ze is iets kalmer, maar haar adem komt in korte lichte stoten. Op de achtergrond hoor ik de telefoon een keer overgaan en de klik van het antwoordapparaat: *Hallo, dit is het antwoordapparaat van Cass Bainbridge. Laat een bericht achter, dan bel ik terug...*

'We zijn voor elkaar bestemd, Cass,' zegt ze plotseling terwijl ze verwijtend haar hoofd schudt. 'Je hebt me beloofd dat je voor altijd voor me zou zorgen. Zoals ik zei, die vrouw in Leeds is niet belangrijk meer. Het gaat alleen om jou. Maar nu hou je je van den domme.'

Ik kijk in haar bloeddoorlopen, verwarde ogen. Dan haal ik diep adem. Nee, ze kan onmogelijk met mij verbonden zijn. 'Mijn huis uit,' zeg ik.

Het is ongelooflijk hoe kalm ik me voel. Ik recht mijn rug en kijk haar beheerst aan. Aan de andere kant van de deur hoor ik het bassen van een mannenstem op het antwoordapparaat. Het klinkt dringend, de woorden komen in korte stoten en worden dan afgesneden als er wordt opgehangen. 'Als je niet onmiddellijk vertrekt,' zeg ik nuchter, 'bel ik de politie.'

'Al die beloften. En nu dit.'

Ondanks haar dreigende houding klinkt ze jong en meisjesachtig, alsof ze een rol speelt in een schooltoneelstuk.

'Ik heb nooit beloften gedaan.'

Ze grijnst, staat op het punt haar troefkaart uit te spelen. 'Je wilde me kussen die avond toen ik in je bed lag, maar je durfde niet.'

Ik hap naar adem en wend mijn ogen af van haar smalle vastberaden gezicht. Dus ze was al die tijd wakker geweest. Een seconde worden mijn wangen warm, maar dan vervliegt de emotie. Het maakt niet langer uit wat ik deed of wat ze denkt, want ik heb de woorden uitgesproken: ik heb een kind gehad. Ik herhaal die zin keer op keer en voel de vorm en het gewicht van de vreemde woorden in mijn geest. Ik voel me verdoofd, in een vreemde, onbewuste wereld, waar hun betekenis nog niet is bezonken. Als ik ten slotte spreek klink ik anders, ouder, misschien, maar ook minder bang. 'Ik wil dat je me met rust laat.'

Mijn handen sluiten zich om de koperen deurknop. Ik sta op het punt te ontsnappen, maar plotseling is het te laat.

'Ga niet weg!'

Ze is boven op me, toegesprongen met een zacht katachtig gegrom en duwt me op het tapijt met een kracht die ik nooit zou hebben verwacht. Hoewel ik zeker vijfentwintig kilo zwaarder zal zijn, ben ik zo verrast dat ik even niet in staat ben me te verdedigen. Ik probeer mijn bovenlijf uit haar greep te bevrijden, wil me omdraaien en mijn vingers in haar ogen prikken, maar voor ik me in de juiste positie kan manoeuvreren is ze op mijn rug geklommen en duwt ze mijn hoofd omlaag. Ik slaak een gedempte kreet, mijn mond ligt in het pluizige tapijt gedrukt. Vanaf mijn nieuwe positie ruik ik de schimmelige geur van vochtige vloerplanken en hoor de gedempte tonen van Jans tv.

Ik beweeg mijn hoofd een fractie en het lukt me naar haar te kijken. Ze zit op mijn rug, de waanzinnige amazone van een gevallen merrie. Ik voel haar koude vingertoppen op mijn nek, ruik de warme muskus van haar lichaam. Als ik spreek is mijn stem zwak en piepend. 'Wie ben je?'

'Ik ben niet zomaar iemand.'

Ze tuit haar lippen, een klein pruilend meisje. Als ik zou willen zou ik haar toch zeker van mijn rug kunnen duwen, want ze is zo klein en licht, als een lilliputter die een vrouwelijke versie van Gulliver aanvalt. 'Beth,' zeg ik langzaam, 'dit is allemaal echt heel dwaas.'

Ze geeft geen antwoord, maar ik voel een scherpe pijn achter in mijn nek als ze haar nagels in mijn huid zet. Ik concentreer me, probeer mijn stem zo zacht en kalmerend mogelijk te houden. 'Ik weet dat je van streek bent,' vervolg ik. 'Dat geeft niet. Je hebt een vreselijke tijd achter de rug.' Ik zwijg even voor het effect. Ik weet niet zeker waarom ik zo begon te praten, maar het lijkt succes te hebben. Achter me vermindert de druk op mijn huid.

'Daarom zal ik er niets meer over zeggen. Wat we gaan doen is deze rotzooi opruimen en dan drinken we samen een kop thee. Wat zeg je daarvan?'

Mijn toon is zeer vertrouwd. Het is alsof ik een oeroude bron van kennis heb aangeboord, iets zo diep in me gegrift dat ik niet eens besefte dat het vergeten was. Ik graaf wild in mijn herinneringen, grijp hun sliertige tentakels.

'Kom op, liefje,' zeg ik vriendelijk. 'Laten we proberen te kalmeren.'

En dan weet ik het weer. Zo sprak mijn moeder tegen me, voor ze me niet langer aankeek en ik haar begon te haten. Cassiebaby noemde ze me toen ik klein was. *Kom en geef mama een knuffel, Cassiebaby, leg je hoofd op mijn schouder, alles komt goed.* Soms als ik gevallen was of ruzie had gehad huilde ik zo dat mijn buik pijn deed. Zij was de enige die me dan kon troosten. Ze tilde me op schoot, hield me tegen haar zachte buik en streek me over mijn haar tot mijn schouders niet langer schokten en mijn ogen dichtvielen. Ik hield zoveel van haar. En nu, terwijl ik voel dat Beth haar greep verslapt en van mijn rug kruipt, weet ik dat, wat er al die jaren geleden ook tussen mam en mij is voorgevallen, ik haar moet vergeven.

'Ik wil alleen dat je voor me zorgt,' zegt Beth met een klein stemmetje. 'Ik ben zo moe.'

'Dat weet ik, liefje.'

'Overal waar ik kom hebben mensen een hekel aan me,' klaagt ze.

'Natuurlijk niet...'

Ik draai me om, ga rechtop zitten en glij langzaam op mijn billen naar de deur.

'Wel waar,' mompelt ze. 'Ik heb nooit echte vrienden gehad.'

'Ik weet zeker dat heel veel mensen je aardig vinden,' zeg ik op dezelfde zangerige toon. Ik pak haar hand en geef er een samenzweerderig kneepje in. De woede verdwijnt van haar gezicht, maar haar ogen kijken onrustig de kamer door alsof ze is vergeten waarom ze hier is.

'Bij de werkgroep ben je geweldig, echt behulpzaam en plezierig...'

'Maar ik werd eruit gegooid vanwege die vrouw. En overal wilden ze me nog met geen tang aanraken.'

Ik vraag niet wat ze bedoelt. Ze fronst, alsof ze iets probeert te begrijpen, haar ogen zijn wazig. Ik pak haar hand en strijk er zacht over. Ze zakt tegen me aan en leunt met haar hele gewicht tegen mijn bovenlichaam. Ze is nauwelijks meer dan een kind, met haar babygladde wangen en honingkleurige krullen. Wat is er met haar gebeurd? Waren de zaadjes voor deze scène in de baarmoeder gelegd, een genetische aanleg voor obsessief-compulsief gedrag? Of is ze op de een of andere manier mishandeld, zijn haar kansen vernietigd door ouders die niet in staat waren haar te geven wat ze nodig had?

'Je vader en moeder zijn niet echt dood, hè?' zeg ik zacht. Ze rilt en pakt haar gekneusde armen beet.

'Het maakt weinig verschil.'

'Weten ze waar je bent?'

Ze krimpt in elkaar. 'Ze hebben zich nooit ene moer om me bekommerd.'

Er valt een lange stilte. Het enige wat ik nu wil is wegkomen.

'Zal ik een kop kamillethee voor je zetten?' zeg ik ten slotte. 'Daar knap je van op.' Ze knikt droevig. Heel langzaam schuif ik van haar weg. 'Dan kun je misschien later nog een keer koken.'

Ze kijkt op, haar gezicht betrekt door een of andere herinnering.

Soepel sta ik op en draai me om naar de deur. Ik wil niet te snel lopen, voor het geval ze doorziet hoe ik mijn best doe mijn haast te verbergen. Had ik maar een sleutel van mijn slaapkamer, dan kon ik haar opsluiten. Ze is nu weer op de vloer gezakt en ligt ineengedoken op het tapijt, met haar armen over haar hoofd zodat ik van haar gezicht slechts een warrige bos vochtige krullen kan zien. Met een zo sereen mogelijke glimlach doe ik de deur op een kier open.

'Cass?' hoor ik haar mompelen.

'Ja, liefje?'

'Je blijft niet lang weg, hè?'

'Natuurlijk niet.'

Zodra ik de kamer uit ben, haast ik me door de gang. Mijn benen trillen als van een landrot die op een schip in de storm vastzit, mijn hart bonkt wild in mijn keel. Als ik bij de deur naar de overloop ben trek ik hem open. Ik probeer zo min mogelijk geluid te maken, maar het is hier tochtig en als ik door de deur loop, blaast de wind hem uit mijn vingers en slaat hem met een harde klap achter me dicht.

Buiten slaat de wind in mijn gezicht met een kracht die me even de adem beneemt. Aan de overkant van de straat dansen de bomen wild met takken die heen en weer zwiepen als dronken pogoënde punks. Achter het plein, aan de overkant van de vierbaansweg, hoor ik het geraas van de golven. Ik ren de weg over en haast me naar de tuinen. De scène met Beth is al vervaagd tot iets droomachtigs, irrelevant en uit het verleden. Het enige wat nu voor me telt is mijn baby.

Ik duw het hek open en loop met plenzende passen over het modderige gazon. In de vierentwintig uur sinds Matt en ik ruzie hadden is de tuin op gewelddadige wijze veranderd. Het gras ligt bezaaid met afgerukte takken en twijgen en aan het eind is een grote boom helemaal ontworteld en ligt nu over het pad, als een slapende reus. Als ik bij het eind van de omheining ben hoor ik het geraas van de zee. Ik begin te snikken en ren wild naar de vochtige tunnel die onder de weg naar het strand loopt. *Je trok me van je af*, schreeuwt de stem. *Legde me opzij als een pakje dat aan het verkeerde adres is bezorgd. En toen heb je me achtergelaten om te sterven.*

Maar dat is niet waar – zoiets heb ik zeker niet gedaan. Ik ren door de tunnel met mijn armen om me heen geslagen in een hopeloze poging mezelf te troosten. Zo meteen zal ik op de kust uitkomen, op de plek waar het allemaal eindigde en allemaal begon. Een paar seconden is het stil, alleen het druppen van water van het mossige plafond en het klapperen van het hek aan de andere kant is te horen. Het is hier bijna volledig donker; het ruikt naar brak water, zout en een vleug urine.

Dan ben ik plotseling bij het eind. Ik duw het hek open, stap op de kiezels en ren naar de zee. Regen slaat in mijn gezicht en ik word bijna neergesabeld door de wind, maar eindelijk ben ik er. Even blijf ik staan, staar als bezeten naar de vuilgroene golven die tegen de zijden van de muur van de jachthaven spatten en op de kiezels stukslaan.

De kiezels zijn hoog opgestuwd op dit deel van het strand, door de wind gebeeldhouwd in een vreemd golvend landschap van heuvels en dalen. Ik strompel eroverheen en haast me steeds dichter naar het water toe. Ik heb er sinds de zomer zo dicht bij gewoond, de golven en de blauwe strook achter het strand mijn constante achtergrond, maar dit is de eerste keer dat ik ernaar durf te kijken. En nu ben ik terug op de plek van mijn misdaad, de plek waarvan ik nooit echt ben teruggekeerd.

Waar is het precies gebeurd? Geagiteerd tuur ik door de mist, wrijf met mijn mouw de waternevel uit mijn ogen. Zeker niet zo ver oostelijk, maar dichter bij de pier, want daar was het restaurant. Een fractie van een seconde zie ik mezelf liggen op de kiezels, terwijl het bloederige water langs mijn dijen spat. Ik dacht dat ik zou sterven, dat ze me in de ochtend op de stenen zouden vinden, gebleekt en gebakken in de ochtendzon als een inktvis. Ik wilde het toen niet meer geheimhouden, ik verlangde wanhopig naar hulp. Maar het was het meest doodse tijdstip van de nacht en het strand was verlaten.

En toen kwam het, duwde zich zo snel naar buiten dat, al had ik geprobeerd me terug naar de weg te slepen, me dat niet gelukt was. Het moet net zo wanhopig naar leven gesnakt hebben als ik het wilde inhouden en onderdrukken.

Mijn maag trekt zich samen bij de herinnering. Ik draai me op mijn hielen om, met mijn gezicht naar de zee. Ik ben zo dicht bij de golven dat het schuim tegen mijn jas spat, maar ik merk het nauwelijks. Al deze jaren heb ik het als geheim met me meegedragen: geen groeiend, afwachtend leven, maar de dodelijke wetenschap van wat ik heb gedaan.

27

Mam wierp me een van haar waag-het-eens-me-niet-te-gehoorzamen-blikken toe en beende de hotelkamer uit. Het was tegen al mijn principes om te doen wat ze zei, maar ik voelde me te ziek om nog meer weerstand te bieden. Daarom dwong ik mezelf op te staan, verkleedde me in een lange tentjurk met franjes die ik in mijn Metal-periode op Kensington Market had gekocht en een super wijde Afghaanse trui, waarna ik de trap af wankelde. De rugpijn had zich nu verplaatst en zich voor in mijn buik genesteld, als hevige menstruatiepijn. Het kwam en ging, deed me ineenkrimpen van pijn en dan zakte het weer af. Achter in de taxi die ze hadden besteld floot ik tussen mijn tanden bij een onverwacht hevige pijnscheut. Het kwam door het lopen, hield ik mezelf voor, ik had waarschijnlijk een spier verrekt. Het kon onmogelijk het ding zijn.

In het restaurant kon ik het niet opbrengen om van de spaghetti die voor me besteld was te eten. Ik voelde me weer misselijk, en de pijn werd steeds erger. Mam en dokter Death bestelden de ene fles mousserende wijn na de andere en klonken in zelfgenoegzame feeststemming. Ik kon nog geen slok door mijn keel krijgen. Het smaakte naar ontsmettingsmiddel en ik moest ervan kokhalzen. Toen de ober mijn onaangeroerde bord wegnam, besefte ik zelfs dat ik ging overgeven. Met mijn handen voor mijn buik rende ik naar de toiletten en braakte in het dichtstbijzijnde hokje, net toen er weer een pijnaanval kwam.

Toen ik te voorschijn kwam zag ik mam bij de wastafels op me wachten. 'Heb je weer gedronken, Cass?' vroeg ze terwijl ze me langzaam van top tot teen in zich opnam.

Verdoofd staarde ik terug. Ik had haar hand moeten beetgrijpen, hem op mijn gezwollen buik moeten leggen. *Ik heb weeën, stom mens!* Maar het enige waartoe ik in staat was, was een licht nee schudden.

'Want die indruk maak je op mij,' zei ze met gevaarlijk stijgende stem. 'Ik dacht dat je met al dat kinderachtige gedrag was gestopt, maar nee. Dat heb je de hele dag gedaan, hè? Aan de fles gezeten!' Haar te zwaar opgemaakte en bloeddoorlopen ogen knepen zich tot spleetjes en keken me afkeurend aan. 'Geen wonder dat je moet overgeven.'

Toen ze zo naar me keek kon ik wel in tranen uitbarsten. Was ze maar niet altijd zo kritisch tegen me. Kon ik haar maar de waarheid vertellen. Hoewel ik tot mijn afgrijzen niet kon ontkennen wat er sinds de lente aan de hand was, kon ik echter onmogelijk met haar praten. De eerste maanden, toen mijn lichaam werd geteisterd door misselijkheid en uitputting, maar er nog niets te zien was, was mijn benadering simpel geweest: totale en absolute ontkenning. Ik had wel menstruatie na menstruatie overgeslagen, maar dat betekende niets, hield ik mezelf voor. Zoals in de artsencolumn in het tijdschrift *Cosmopolitan* stond was het waarschijnlijk te wijten aan spanning of een plotselinge verandering van eetgewoonte. Amenorrhoea: ze hadden er zelfs een medische term voor. In dat stadium was pa nog ernstig ziek, daarom bleef het een kleine zeurende angst die ongemakkelijk in mijn buik vastzat, niet echt vergeten maar genegeerd, als een verwaarloosde hond die gromt, maar nog niet zijn tanden ontbloot voor de aanval.

Maar later toen pa was gestorven en het leven in mijn moeders verbeten terminologie weer 'zijn normale gang ging', lieten mijn angsten zich moeilijker onderdrukken. Mijn buik was inmiddels een harde compacte zwelling geworden en ik kon het ding binnenin voelen schoppen en bewegen. Ik dacht er nooit aan als een baby, alleen aan dat buitenaardse ding dat bezit van me nam en waaraan ik niet scheen te kunnen ontsnappen. De hele winter had ik de herinnering aan het ijzige braakland in Peckham uit mijn hoofd gebannen. Die hele gebeurtenis was mijn schuld geweest, daar was ik zeker van, en zo goor en zo vernederend dat ik het nooit, maar dan ook nooit aan iemand zou vertellen, laat staan mijn moeder. Maar ondanks mijn koortsachtige pogingen kon mijn geest het soms niet langer bevatten, en als een monster onder mijn bed dat naar me greep sprong het soms te voorschijn met een duivelse schreeuw. Het was mijn schuld omdat ik zo uitdagend gedanst had, snierde het monster. Ik was als een idioot uit de zaal gelopen, en hij was me gevolgd en had me beetgepakt en het met me gedaan, mijn jurk en beha kapotgescheurd en me strompelend en bloedend achtergelaten. Ik had als een slet met de man gedanst, herinnerde ik me vol pijnlijke schaamte, dus moest ik het verdiend hebben. En nu, terwijl ik wakker lag en in mijn kamer naar de rotzooi keek van platen en kleren die ik uit tienerprincipe weigerde op te ruimen, wist ik dat datgene waar alle schoolmeisjes het bangst voor zijn inderdaad plaatsvond, op dat moment, in mij.

Als ik sliep had ik nachtmerries, angstaanjagende situaties waarin ik probeerde te ontsnappen aan een gezichtsloze achtervolger, maar mijn benen niet in beweging kon krijgen. Overdag kon mijn stemming overslaan van onbekommerd pragmatisme in een zo overweldigende angst dat ik nauwelijks op mijn benen kon blijven staan. Het kon elk moment toeslaan, midden in een les, wachtend op de schoolbus, als ik nors en zwijgzaam met mam en David aan het avondeten zat: een allesoverheersende paniek die me duizelig maakte en naar adem deed happen. Als het iemand al opviel, dachten ze waarschijnlijk dat het verdriet was. *Arm kind, natuurlijk gedraagt ze zich vreemd. Haar vader is pas een paar maanden dood.*

Maar meestal viel het niemand op. En ik was veel te bang om het aan mam te vertellen. Niet dat ik bang was dat ze me zou slaan en op straat zou zetten, ze was doktersreceptionist in de Home Counties in 1980, geen Victoriaanse patriarch. Het was meer dat ik me er niet toe kon zetten de woorden in begrijpelijke zinnen aan elkaar te rijgen, want als ik dat zou doen zou het onherroepelijk echt worden. *Heb je het gehoord? Wat een schok... Cassie Bainbridge is zwanger!*

Terwijl ik naar mijn moeder keek voelde ik de woorden die zich in mijn mond vormden, mijn verrassing voor haar bruiloft. *Ik krijg een kind.* Maar de manier waarop ze me aankeek maakte dat ik mijn woorden inslikte, te laf voor de reactie die ze zouden oproepen. 'Ik heb niet gedronken,' mompelde ik.

En toen pakte ze me bij mijn pols en trok me naar zich toe. 'Er gaat het een en ander veranderen nu Don er is om voor ons te zorgen,' siste ze. 'Het wordt tijd dat je eens ophoudt zo verdomd lastig te zijn.'

Negen maanden geleden had ik misschien geprobeerd haar in

het gezicht te slaan, maar nu had ik nauwelijks de kracht om te spreken. Ik rukte mijn pols los, draaide me om en wankelde de toiletten uit, waarna ik door het restaurant naar de uitgang liep. Toen ik daar was, bleef ik staan en keek over mijn schouder om te zien waar ze was, als een weerspannige peuter. Ik was woedend op haar, maar wilde niet alleen zijn. Wat ik zag was dat ze naar de tafel was teruggegaan, iets minachtends over me zei en naast dokter Death ging zitten. Ze keek niet eens in mijn richting.

Waarom kwam ze me niet achterna? Dat heb ik nooit begrepen. Ik was haar dochter en ze moet hebben geweten dat er iets aan de hand was. Probeerde ze me een les te leren, om te laten zien dat wat ze mijn aandacht vragende gedrag noemde, nooit succes zou hebben? Of had ze het gewoon opgegeven? Ik probeer steeds mezelf in haar te verplaatsen, het was haar huwelijksnacht, ze had al jaren tienerellende over zich heen gekregen, ze had geen idee wat voor vreselijks er aan de hand was; haar ongelukkige huwelijk was vier maanden eerder geëindigd met de zware dood van haar echtgenoot. Maar zelfs als ik me probeer voor te stellen hoe ze zich voelde, verdwijnt mijn sympathie als sneeuw voor de zon, en het enige wat ik me kan herinneren is dat ik haar toen meer dan ooit nodig had. Hoe kon het haar niet zijn opgevallen? Ik had genoeg aanwijzingen gegeven: ze had me alleen maar vragen hoeven te stellen en alles zou eruit zijn gekomen. Maar ondanks de ongeopende pakken maandverband en de Rennies die ik bij me droeg en als snoepjes at, had ze nooit een woord gezegd. Ze had het inmiddels druk met dokter Death, rende het huis in en uit met make-up en hoog gegiechel dat ik nooit eerder van haar had gehoord. 'Nu is *mijn* tijd aangebroken,' zei ze, als ze zich uitgedaagd voelde. Ik hoorde haar op een avond aan de telefoon met mijn oma en haar stem steeg afwerend: 'Ik heb genoeg meegemaakt. Dit is de enige kans die ik krijg.' En wat haar aanbeden dokter betrof, die was duidelijk niet erg opmerkzaam voor een medicus. Meestal deed hij alsof ik er niet was. Als hij een blik in mijn richting wierp zag hij waarschijnlijk slechts een dikke humeurige tiener, met wie hij liever geen contact had.

Of misschien kende mijn moeder diep vanbinnen de waarheid, maar hoopte ze dwaas genoeg net als ik dat als het probleem lang genoeg ontkend werd het zou verdwijnen. Hoe dan ook, nu was het te laat voor haar om het te raden of voor mij om de waarheid op te biechten. De zwaaideuren brachten me op de promenade met een woesj van muffe restaurantlucht. Het was inmiddels na negenen en overal op het trottoir liepen mensen die van de warme avond genoten. Ik wist niet waar ik heen ging, alleen dat de pijn weer ging komen. Toen ik naar de ijzeren trap wankelde die naar het strand voerde, sloeg het sneller toe dan ik had verwacht. Ik sloeg dubbel, viel bijna en strompelde recht in de weg van een groep pubers. Ze moeten ongeveer van mijn leeftijd zijn geweest, ze hadden bierblikjes en beenden dronken naar het centrum van de stad.

'Hé, babe!' riepen ze toen ik half in de tegenovergestelde richting viel. 'Kijk verdomme waar je loopt!' Toen ik tegen een bank viel en door de onverdraaglijke pijn van de wee heen probeerde te ademen, hoorde ik dat er een snierde: 'Vet wijf.'

Zo'n tien seconden dacht ik dat ik dood zou gaan. De pijn hield me met zijn scherpe klauwen in zijn greep, nam geleidelijk af en was toen over. In mezelf snikkend klom ik de trap af en liep naar de zee. Daar zou het koeler zijn, dacht ik, en kon ik mijn gezicht afspoelen. Mijn trui was plotseling verstikkend en ik trok hem uit en knoopte hem losjes om mijn enorme taille. Voor me lag het uitgestrekte kiezelstrand en daarna, glinsterend onder de maan, een vlakke strook water.

Wanhopig keek ik om me heen. In de buurt van de neonlichten van de pier waren her en der vuurtjes op de kust waarvan de sintels in het donker gloeiden. Er waren ook stelletjes, ik zag de horizontale gestalten rollen op de kiezels. Ik begon in oostelijke richting te strompelen, naar het donkerste deel van het strand, weg van de lichten en ogen. Er gebeurden vreemde dingen met mijn tijdsbesef. Ik strompelde van de ene kiezelwal naar de volgende en bleef steeds staan om uit te rusten. Het leek maar een paar ogenblikken dat ik daar was, maar toen de hevigste pijn tot dan toe langzaam wegebde, besefte ik dat de vuurtjes waren uitgegaan en ik alleen was. In een ogenblik van vluchtige helderheid begreep ik precies in wat voor precaire situatie ik me bevond en werd ik overvallen door paniek. Het ding kwam eraan. Ik kon het nu niet tegenhouden, noch kon ik hulp inroepen, want de helling stenen waar ik zoveel uren geleden af was gegleden was steil en ik was te zwak om terug naar boven te klimmen. Toen ik opkeek naar de Victoriaanse lantaarnpalen, die sierlijk langs de boulevard stonden, leek het of ze kilometers verder waren geplaatst; nog een realiteit die onmogelijk te bereiken was. Toen kwam de pijn weer en ik raakte erin verloren, terwijl mijn geest koortsachtig de seconden van zijn greep telde en mijn lichaam kronkelde alsof het niet langer van mij was.

Ongeveer op dat tijdstip probeerde ik te gaan staan. Ik had gehurkt gezeten, met mijn gezicht in het zand gedrukt. Mijn knieën waren geschaafd van de kiezels en ik was zo stijf dat ik me nauwelijks kon bewegen. Ik had zo'n vijf seconden over voor het weer begon. Ik hees mezelf overeind, keerde me naar de zee en voelde plotseling water langs mijn benen stromen. Toen ik mijn vingers op mijn jurk legde, merkte ik dat die doordrenkt was met wat alleen urine kon zijn. Maar het was ook bloederig. Ik rook eraan en werd steeds banger. Het vocht stroomde uit me, alsof mijn binnenste was opengebarsten. Toen een nieuwe pijnaanval me meesleurde wist ik maar één ding: ik ging dood, hier op dit stomme strand.

Het was echter niet de dood die me overviel, het was leven. En nu werd ik niet alleen beheerst door de helse pijn, maar door de hevige drang om te poepen of iets te doen om dat ding uit mijn lichaam te drijven. Misschien was het achteraf toch iets aan mijn maag, dacht ik wild. Misschien was dit alleen een diarreeaanval. Ik trok mijn onderbroek naar beneden en hurkte tussen de kiezels. Ik herinner me hoe het zweet over mijn gezicht stroomde, de angstaanjagende sensatie dat ik op het punt stond open te springen als een zachte vijg. Ik rook rottende inktvis en het zoute water dat traag aan het strand likte, en de lucht deed me kokhalzen. Voor me lag de zee glad en glazig, onwetend van wat er gebeurde.

Ik kon niet terug. Toen het schemerlicht zich over de hemel verspreidde en ik op de kiezels hurkte voelde ik iets enorms en hards in mijn achterwerk drukken. De pijn was ondraaglijk en ik hijgde van angst. Ik zou doormidden scheuren en doodgaan, dat wist ik zeker. Morgen zouden de zonnebaders mijn lichaam vinden, in weerzinwekkende stukken gespleten. Toen kwam er nog een wee en zonder het persen te kunnen bedwingen voelde ik plotseling een natte klomp tussen mijn benen uit glijden. Nog één, nog maar één keer, zei mijn lichaam me, dan zou het over zijn. Toen voelde ik het plotseling uit me vallen, als een overrijpe vrucht op de grond tussen mijn benen.

Daarna ging ik liggen, legde mijn wang op de kiezels en huilde. De pijn was voorbij en tot een uiterst vage trilling gereduceerd, toen ik nog iets voelde, dat warm en gelatineachtig uit me gleed om zich bij het ding te voegen dat ik op de kiezels had neergelegd. Ik wilde er niet naar kijken, maar ik voelde de warmte van huid tegen mijn natte dijen en hoorde een zacht, mekkerend gehuil. Ten slotte kwam ik overeind en keek omlaag.

Het was een baby. Dat had ik al die tijd geweten, maar nu, toen ik vooroverleunde en mijn hand zacht op zijn bloederige wang legde werd ik overspoeld door verwondering. Hoe kon dit zijn gebeurd? Al die maanden van angst en vrees en al die tijd had het stil vorm in me gekregen: een piepklein, maar volledig gevormd mens met donker nat haar en piepkleine handjes die in de lucht maaiden. Het was ongelooflijk en ook helemaal perfect. Toen ik omlaag keek keken twee donkere ogen dromerig terug. Ik streelde met mijn vingers over zijn natte mond en die ging afwachtend open: een pasgeboren vogeltje, wachtend op voedsel. Ik liet mijn ogen over het magere lichaampje glijden en zag dat er een rubberige paarse streng aan zijn buik vastzat; daaraan zat een walgelijke geleiachtige homp vlees die als een prop uit een horrorfilm tussen mijn benen lag. Ergens in mijn geest galmde het woord 'navelstreng' als een biologieles die uit het hoofd is geleerd. Tussen de kiezels graaiend vonden mijn vingers een gebleekte witte inktvisschelp, het skelet gedroogd en scherp aan de randen. Ik zaagde de navelstreng door als een portie calamari. Toen hij los was schopte ik de bloederige placenta onder de zanderige kiezels. Toen raapte ik de baby op wiens hoofdje tegen mijn schouder plofte.

Hij was zo koud als albast, maar ik voelde het lichte snelle kloppen van zijn hart tegen mijn huid. Ik draaide me om en zag waar mijn trui lag, die vele uren geleden op de grond was gevallen. Die wikkelde ik om het rillende lijfje dat ik dicht tegen mijn borst drukte terwijl ik omlaag keek. Hij was zo mooi, mijn kleine baby, de donkere ogen zo bewust en vol vertrouwen. Terwijl ik hem probeerde te verwarmen wist ik wat me te doen stond. Ik zou nu alles geven om dat terug te draaien, om naar die zwoele zomernacht terug te keren en mijn vijftienjarige zelf terug de weg op naar de veiligheid van het hotel te leiden, maar ik was half waanzinnig van shock. Het leek de enige oplossing.

En zo stond ik beverig op en begon langs de kust te strompelen. Ik werd weer bang, want het zou snel dag zijn en dan zouden we ontdekt worden. De baby lag in de holte van mijn arm, stil als een pop, zijn halfblinde ogen knipperden naar de strook zonlicht die nu boven de pier glinsterde. Na een paar minuten bleef ik staan en keek met groeiende paniek om me heen. Ik voelde bloed langs mijn dijen druppelen en steeds zag ik dubbel.

Op korte afstand van waar ik stond was een vissersboot op de kiezels getrokken en lag nu naast een stapel plastic emmers en dikke trossen touw. Ik liep er zwalkend heen, met de enige gedachte dat het een zekere beschutting zou bieden. Toen ik er was, bleef ik staan en keek erin. Ik wilde een warme droge plek, want hoewel ik hem wanhopig wilde verbergen wilde ik niet dat de baby iets zou overkomen. Nu lijkt het natuurlijk moorddadig nalatig; het voor de hand liggende zou zijn geweest om het kind naar de weg te dragen, of zelfs bij een voordeur te leggen, overal behalve in een oude boot op het strand. Maar ik was niet in staat rationeel te denken.

Met uitzondering van nog een emmer, een bundel blauw nylon net en een houten plank die als bank dienstdeed was de boot leeg. Hij was duidelijk al een tijd niet op zee geweest want de vloer was droog. Het was een goede plek, dacht ik. De zon en de zee konden mijn baby hier niet raken. Ik leunde voorover en legde de bundel onder de bank, duwde hem naar achter zodat hij uit het zicht lag. De baby sliep, zijn wimperloze ogen stijf gesloten voor de nieuwe wereld, een deel van mij, maar al niet langer van mij. Ik zou graag willen vertellen dat ik het kind vaarwel kuste of dat ik een laatste gebedje in zijn oor fluisterde, maar ik deed geen van beide. Het enige wat ik kon denken was dat niemand ooit mocht weten wat er was gebeurd. Dus legde ik het voorzichtig neer, ervoor zorgend dat de trui om zijn koude huid was ingestopt. Toen stond ik op en strompelde terug over de kiezels.

Ik weet dat het verkeerd is wat ik heb gedaan. Ik had de baby nooit zo moeten achterlaten. Ik had hem bij me moeten houden, tegen mijn lichaam aan gedrukt. Ik had hem terug moeten dragen naar de warmte van het hotel, en hem moeten voeden met het dikke witte spul dat nu mijn borsten vulde, zonder me iets aan te trekken van wat iemand ook maar zei. Ik had er een moeder voor moeten zijn, dan was mijn kind nu volwassen geweest. Misschien zouden we vrienden zijn; in ieder geval zou ik me nu niet schuldig hoeven voelen.

Ik deed echter niets van dat alles. Ik was vijftien, doodsbang en in shock. Dus legde ik de baby in de boot en ging alleen terug naar het hotel.

Toen mijn moeder me vijf uur later wekte zei ik dat ik erg ongesteld was en in bed wilde blijven. Ze stelde geen verdere vragen, eigenlijk leek ze zelfs opgelucht. Ik neem aan dat ze ertegen op had gezien om de eerste dag van haar huwelijk door te brengen met de plichtsverzakende dronkaard die ze als dochter had. Als ze de bundel bloederige kleren die ik in de prullenbak had gepropt al zag, of zich afvroeg waarom ik na al die maanden ineens zo hevig bloedde, zei ze er niets van.

Pas de volgende ochtend zag ik de voorpagina van de plaatselijke krant. Een pasgeboren baby was door een wandelaar met hond op het strand gevonden, las ik. Hoewel het een misdaad was om een baby in de steek te laten deden ze een beroep op de moeder om zich te melden. Ze zou medische hulp nodig hebben. Ze deden een dringend beroep op haar.

Ik verfrommelde de krant en gooide hem in de prullenbak. Ondanks het bloed dat nog uit me stroomde zou ik me nooit kenbaar maken, want het was duidelijk een val die zou eindigen met de gevangenis. In plaats daarvan was het simpel wat ik ging doen: ik zou terug naar huis gaan met mam en David en dokter Death. Ik zou studeren, studeren en studeren, zodat ik gedachten aan de baby uit mijn hoofd kon bannen. En dan, met negens voor drie eindexamenvakken op gevorderd niveau, mijn plek in Oxford gegarandeerd, zou ik alle contact met mijn verleden verbreken.

28

Laat dit alsjeblieft ophouden. Ik kan het niet meer verdragen hierover te denken. Met knipperende ogen tegen de harde regendruppels die in mijn gezicht slaan begin ik langs de rand van de kust te rennen. Iedereen denkt dat ik zo'n goed zorgzaam persoon ben: aardige, moederlijke Cass met al haar verschoppelingen en zwerfdieren. Zelfs Matt wilde een kind met me. Hij dacht dat ik een goede moeder zou zijn. Weet je niet dat ze er al een heeft gehad? Wat een moeder bleek ze te zijn! Ik begin te snikken van zelfhaat. Ik weet niet wat ik zal doen als ik daar ben, maar ik loop in de richting van de jachthaven.

Als ik eenmaal bij de rand van de betonnen promenade ben die de aangemeerde jachten en rubberboten omringt, klim ik de trap naar het pad op. Op saaie weekends, als de zee grijs en kalm is, krioelt het hier van vissers met bolle gezichten en kinderen op skateboards, maar vanavond is het stil, want alleen een dwaas zou de golven, die wild over de muren spatten, trotseren. Ik ben al half doorweekt, maar ben me nauwelijks bewust van mijn natte, plakkende kleren. Zonder acht te slaan op een bord met de tekst: GEVAAR! BETREED DIT GEBIED NIET BIJ SLECHT WEER! begin ik over het smalle pad te rennen.

Als ik bij het verste punt ben blijf ik staan en staar naar de kolkende zee. Ik stel me voor hoe het zal zijn om in het ijskoude water te zinken, terwijl het zich donker en onherroepelijk boven mijn hoofd sluit. Ik zal erdoor onder getrokken worden en langzaam naar de bodem zinken, voor altijd zonder richting, als een schip dat aan stukken is geslagen door de felle witte paarden. Als een enorme fontein water me overspoelt, sluit ik mijn ogen en geef me over, in de wetenschap dat ik nooit meer terug kan.

De branding slaat me tegen de betonnen balustrade terwijl ik proest van het zoute water. Ik probeer mijn evenwicht terug te krijgen, maar een nieuwe, nog grotere golf rijst boven de muur uit, zijn ijzige tentakels spatten tegen de B-2-blokken. Terwijl ik daar ineengedoken sta, wachtend op het onvermijdelijke, lijkt het alsof de wind de woorden naar me buldert: *Dr. Cassie Bainbridge: haar knusse leven is een leugen!* Nu rijst er weer een golf recht boven me uit, alsof hij me opzettelijk probeert mee te sleuren, en het enige wat ik kan doen is luisteren naar het slaan van het water tegen de muur en wachten op het ijskoude contact. *Heb je het niet gehoord? Ze kreeg een kind en heeft het moederziel alleen op het strand achtergelaten.*

Hier komt het eindelijk. De golf ramt mijn bovenlichaam en slaat me met een klap tegen de muur van de jachthaven. Ik glij omlaag en beland op mijn billen, naar adem happend in de schokkende kou. Hier heb ik op gewacht: telkens als ik op straat langs een baby loop, of een peuter op schoot heb, herinner ik me het kind dat ik achterliet, en wil ik dood. En nu zijn de enkele seconden rust tussen het slaan en zich terugtrekken van de golven in voorbij. Terwijl ik mezelf overeind probeer te hijsen, komt er weer een die me hard in het gezicht slaat.

Terwijl dit gebeurt, terwijl ik het water over mijn hoofd voel stromen en het uitkrijs van kou, herinner ik me nog iets. De baby ging niet dood, maar is gered. Er was een oude man, en een hond. Zij vonden het bundeltje net op tijd. En nu ik zo bijna door de zee word meegezogen, begrijp ik dat dit nooit was wat ik bedoelde. Ik ben hier niet teruggekomen om te sterven. Ik kwam hier omdat ik onder de oppervlakte van mijn dwaze ontkenning er altijd van heb gedroomd mijn kind te vinden, en om dat te kunnen, moest ik eindelijk oog en oog met deze plek staan. En nu wil ik niets liever dan leven.

Met mijn natte vingers zoek ik steun tegen het beton en schuifel over de promenade. Het is hier zo winderig dat ik het gevaar loop in de maalstroom geblazen te worden, daarom hou ik mijn rug tegen de muur gedrukt en beweeg me langzaam voort. Overal om me heen storten de wilde golven zich tartend over het beton. Ik moet ongeveer honderd meter terug, naar de beschutting van de jachthaven, waar de zee weliswaar met kracht tegen de klikkende boten slaat maar tenminste wordt tegengehouden door de muren.

Een enorme golf is net achter me neergeslagen. Knipperend met mijn ogen loop ik nog wat verder, me schrap zettend tegen de wind, die me met onvoorspelbare vlagen bestookt. Zo'n vijfentwintig meter verderop, waar de promenade terugbuigt naar de kust, is er een nis in de muur gebouwd, waar de vissers soms voor de regen schuilen. Misschien kan ik daar wachten tot de storm gaat liggen. Om me heen wordt de zee ineens kalmer, alsof hij kracht verzamelt voor de volgende aanval. Ik sla mijn armen om mijn middel en zet het op een rennen. Het is weer harder gaan regenen, waardoor mijn omgeving alleen nog maar een ondoordringbaar mistig grijs is.

Ik ben er bijna. Mijn kleren zijn doorweekt, mijn haar plakt nat tegen mijn wangen. Ik heb bijna geen gevoel meer in mijn vingers. Maar voor het eerst in meer dan twintig jaar denk ik dat ik misschien wel echt leef. Ik hol naar de nis, bijna juichend van opluchting dat de veiligheid zo nabij is. Het maakt niet uit hoe lang ik daar moet wachten, want de storm zal uiteindelijk gaan liggen en dan kan ik weer verder. Vaag zie ik de omtrek, sterk en steil, als een wachtpost. Als ik echter de laatste stappen zet en de nis uit de mist te voorschijn komt, blijf ik staan terwijl mijn hart overslaat van schrik. De haartjes op mijn armen gaan overeind staan als van een kwade kat. Er is al iemand in de nis, besef ik vol afgrijzen. En dat betekent dat ik geen kant uit kan, want evenmin als langs de muur teruglopen naar de moordende golven, is doorlopen ondenkbaar: Beth gaat recht voor me staan.

Een ogenblik staan we tegenover elkaar, terwijl de golven om ons heen spatten. Ze moet de deur hebben horen dichtslaan en is me achternagegaan, omdat haar fragiele vertrouwen in mij aan diggelen lag. En nu, als ik door de schuine regenstralen naar haar smalle vertrokken gezicht kijk, ben ik voor het eerst echt bang van haar. Terwijl ik me een mannelijke stalker voorstelde – al die verschillende versies uit mijn nachtmerries van de man die in die straat in Peckham stond te wachten – was het een jong meisje met acne, wijde spijkerbroek en sportschoenen dat het op me voorzien had.

'Wat wil je?' schreeuw ik boven het geraas van de zee uit.

Ze komt een stap dichterbij. Zij moet die avond op mijn dak zijn geklommen, nadat ze in het café de sleutels uit mijn tas had gestolen, en zij is mijn flat binnengegaan om op mijn laptop te rommelen. En nu staat ze gevaarlijk dicht bij de rand van het pad. 'Ik hou van je, Cass.'

Het onheilspellende voorgevoel in me schiet naar een hoogtepunt. 'Helemaal niet. Je weet niets van me af.'

'Je zei dat je voor me zou zorgen.'

Ik staar haar aan. Mijn hart bonkt in mijn keel. 'Dat heb je mis,' roep ik.

'Waarom doe je dit?' Haar stem stijgt, niet langer klaaglijk en zeurderig, maar schril en dwingend. Ze ademt sneller, door de mist heen zie ik haar borst op en neer gaan, en hoe ze geagiteerd met haar vingers de regen afweert.

'Beth,' vorm ik met mijn lippen, 'kalmeer een beetje.'

Dat maakt het alleen maar erger. Met doffe ogen van razernij komt ze op me af. Ze brult het uit van woede. 'Waarom kun je niet van me houden?'

Dan, voor ik opzij kan stappen, heeft ze me beetgepakt en ze sleurt me aan mijn middel naar de rand van de promenade. Ik ben veel groter en sterker dan zij, maar ik zag het niet aankomen en plotseling zijn we vlak bij de rand, terwijl de golven beneden wachten als een kuil hongerige leeuwen. Ik geloof dat ik gil. Het is moeilijk te zeggen, want de zee en de wind zijn allebei zo luid en Beth zelf schreeuwt iets over mensen die haar altijd in de steek laten en mijn hart vliegt bijna uit mijn borst. Hoe dan ook, nu is het te laat voor ons allebei, want tijdens onze worsteling duwt Beth me achterover en als bij een cartoonfiguur in een komisch gevecht is er niets onder mijn voeten en ik val, armen maaiend in de lucht. En omdat Beth me nog steeds vasthoudt, valt zij mee.

Bijna een seconde is er niets, alleen de suizende sensatie van een snelle lange val, en de wanhopige greep van Beths vingers om mijn arm. Dan raken we het water en, naar adem happend vanwege de ijzige temperatuur, worden we hulpeloos meegesleurd. Ik krijg zo'n schok van de kou dat mijn reactievermogen het begeeft. Dieper en dieper zink ik in het troebele water, terwijl mijn mond zout proeft en mijn haren als een krans om mijn hoofd zwieren.

Het zinken lijkt minutenlang te duren. En vreemd genoeg ben

ik, nu ik hier ben, niet langer bang. Het is donker op de bodem en na het meedogenloos geraas van de wind heerlijk stil. Ondanks het ijskoude water is mijn lichaam zo verdoofd dat ik me bijna warm voel. Ik zou hier eeuwig kunnen blijven, denk ik dromerig; ik hoef nooit meer aan het kind te denken.

Dan krassen Beths nagels over mijn schouders en haar handen grijpen manisch naar mijn armen. Als ik voel hoe ze me naar beneden trekt en de laatste molecule zuurstof uit mijn longen wordt verdreven, kom ik terug in de realiteit dat ik verdrink. Ik moet naar de oppervlakte, ik snak naar adem. Met kracht draai ik me om, duw haar hard weg en dan zet ik me zo hard mogelijk af om naar boven, naar het licht te komen. Misschien grijpt ze mijn voeten beet, misschien zijn ze verstrikt geraakt in zeewier. Wat het ook is, ik schop het woest weg, terwijl ik met mijn armen door het water maai.

Dan breekt plotseling mijn hoofd door het wateroppervlak, er is licht en lucht en ik haal diep en schokkerig adem. Maar hoewel ik zo ver boven ben, is mijn paniek niet over. Als mijn zware ledematen vergeefs rondslaan in het water, ben ik weer een kind dat naar adem hapt terwijl het hoofd ondergaat. *Strek nou je armen uit*, riep mam bazig naar me, half lachend, half geërgerd. *Maak kikkerbewegingen met je benen. Het is zo makkelijk!* En dan liet ze me los en stapte met een uitdrukkingsloos gezicht achteruit terwijl ik *Alsjeblieft, mam!* schreeuwde. *Niet doen!*

Maar natuurlijk deed ze het wel, en nu ben ik alleen en kan maar net boven water blijven. Wanhopig schop ik naar het water en herinner me haar instructies. *Hou je armen onder water, goed zo! Kom, strek je armen naar me uit, goed zo, nu doe je het…*

Mijn doorweekte kleren zijn te zwaar. Ik trek mijn jas uit en ontdoe me van die last. Met bevrijde armen en benen haal ik diep adem. Ik slik steeds water in en mijn zicht is belemmerd door de golven die over mijn hoofd slaan, maar ik ben vastbesloten niet te verdrinken. *Doorgaan, Cassie!* smeekt mijn moeder. *Niet opgeven!* Tot mijn stomme verbazing kom ik vooruit, speel het klaar mijn hoofd boven water te houden en verder te zwemmen, zelfs als de wilde golven in mijn gezicht plenzen. Als het beuken even ophoudt trap ik water en kijk om me heen. Dan zie ik dat ik niet ver in zee ben, zoals ik had gedacht, maar slechts zo'n honderd meter van het strand. Dan slaat er weer een golf toe en ik word eindeloos rondgesleurd als de terugslag me onder trekt.

Maar deze keer kom ik vechtend boven. En nu zie ik dat het tij met me is. In plaats van me buitengaats te slepen, wordt het vloed en voert de branding me resoluut naar het strand. Ik geef me over, verzet me niet meer tegen de rollende schuimkoppen en laat mijn gewicht meevoeren, naar leven en hoop. Als mijn voeten kiezels voelen denk ik dat ik in veiligheid ben, maar dan voert de onderstroom me mee terug en ga ik weer met draaiend lichaam kopje-onder. Ik zit ook aan iets vast. Het trekt aan me, trekt me mee terug. Verward duw ik het van me af, en plotseling besef ik dat er iemand anders naast me in het water is. Die heeft de armen om mijn middel geslagen en trekt me mee naar de veiligheid, mijn hoofd vrij van schuim houdend, terwijl we de kust bereiken.

En nu lig ik op de kiezels, hikkend na de slokken smerig water die ik binnen heb gekregen, en hap naar adem. Naast me komt een doordrenkte gestalte wankelend overeind die roept: ‘Ga bij de golven vandaan!’

De arm gaat weer om me heen en ik worstel me overeind. Langzaam klauteren we de steile stenen heuvel op; het water stroomt van onze doorweekte kleren. Ik hijg van uitputting en ril van shock, mijn voeten struikelen over het opgehoopte wrakhout en de rotzooi die door de storm het strand op is geworpen. Wat ik voel, althans deze eerste minuten, is pure vreugde. Het is ongelooflijk dat iemand me gezien heeft, een wonder dat ik leef. Als ik omlaag kijk zie ik tot mijn verbazing dat ik mijn schoenen nog aan heb. Ze soppen ijzig terwijl ik loop. Ik heb een tweede kans gekregen.

Eindelijk bereiken we de top van de heuvel. Ik zink neer, te uitgeput om verder te gaan, mijn aanvankelijke vreugde dat ik gered ben vervaagt al in iets anders. Een minuut geleden had ik de kou niet gevoeld, maar nu ril ik oncontroleerbaar, klappertandend als een skelet uit een feestwinkel. Starend naar de wilde golven herinner ik me Beth, en hoe ik haar handen wegschopte. Naast me hurkt mijn metgezel. Ik heb nog steeds zijn gezicht niet gezien, maar ik weet wie het is. ‘We moeten een ambulance voor je bellen,’ zegt hij.

‘Beth is nog in zee,’ antwoord ik met vlakke stem.

'Dat weet ik. Ik ben haar naar het strand gevolgd. Ik heb alles gezien.'

En nu draai ik me om, kijk in zijn bleke geschokte gezicht en pak Alecs hand.

29

Daarna gebeurt er van alles tegelijk. Alec vindt zijn rugzak op het strand, pakt er zijn mobiel uit en belt de alarmcentrale. Er komt een ambulance en politie, en even later ook een helikopter die zoeklichten over de stormachtige zee laat zwaaien. De ambulancebroeders lopen bezorgd om me heen, maar ik heb hun hulp niet nodig en weiger pertinent mee te gaan naar het ziekenhuis. Ik neem wel een thermodeken en een kop thee aan, en zit met Alec op onze stenen rand met het zicht op de golven, die zich nu beginnen terug te trekken. Ondanks zijn natte kleren en de trauma's die ik hem eerder bezorgd heb, is hij net zo bij de tijd als gewoonlijk. Als de politie ons ondervraagt, onderbreekt hij mijn knullige poging tot uitleg. Hij heeft het allemaal gezien, zegt hij. Beth duwde me van de muur van de jachthaven en viel toen zelf. Ze was geobsedeerd door mij, was geestelijk niet in orde; als ze bevestiging willen kunnen ze contact opnemen met dr. Leigh. De politie maakt aantekeningen in notitieboekjes en telefoneert op een afstandje van ons. Later zullen er formele vragen en verklaringen zijn, maar nu kunnen we slechts wachten.

Beth zal niet levend terugkeren, dat is duidelijk. Als ik naar de kolkende zee kijk weet ik dat zij, in tegenstelling tot mijn ongelooflijke ontsnapping, verdronken moet zijn. Ik vraag mezelf voortdurend af of ik iets had kunnen doen om haar vreselijke einde te voorkomen. Ik had met haar in de flat moeten blijven tot ze gekalmeerd was; ik had moeten bellen om hulp; op de een of andere manier had ik de worsteling op de muur van de jachthaven moeten voorkomen. Maar terwijl ik me die verschillende scenario's voor de geest haal, weet ik dat wat er ook gebeurd zou zijn, ik haar nooit had kunnen geven wat ze nodig had. Het was haar overweldigende fanatieke verlangen naar liefde dat haar in het water stortte, niet ik.

Ondanks die geruststellingen weet ik ook dat ik een dwaas ben geweest. Ik heb gehandeld als het ergste soort amateur-speurder, slechts gericht op één enkel vooringenomen argument, terwijl ik al het bewijs dat er niet inpaste naast me neerlegde. Mijn methoden waren weerzinwekkend, mijn analyse corrupt. Doordrenkt van subjectiviteit heb ik sinds de ontmoeting met Beth slechts een verhaal gevolgd: dat van mijn eigen verleden. In elk gesprek dat we hadden, had ik door mijn eigen achtergrond zulke oogkleppen op dat ik niet in staat was haar te doorzien. Waarom stelde ik haar niet veel meer vragen? Waarom was ik zo bevooroordeeld tegenover Alec? Hij probeerde me voor haar te waarschuwen, had Julian over de telefoon gezegd, maar ik weigerde te luisteren.

Als de schemer doorzet en de lucht donker wordt, beweeg ik nauwelijks. De helikopter ratelt nog steeds in de lucht, maar we weten allemaal dat Beth dood is. Het lijkt maar even geleden dat ik uit de golven werd getrokken, maar ik neem aan dat het uren geleden is, want als de voortjagende wolken zich nu en dan terugtrekken, staat de maan hoog en scherp aan de hemel. De stemming van de zee is ook veranderd, de golven rollen kalmer af en aan, en de vloed stroomt in een wijde boog weg van het strand. De regen is al eerder opgehouden. Eigenlijk ben ik koud noch nat. Ik draag een mannentrui, zie ik met een lichte schok, en meer dekens zijn om mijn schouders gedrapeerd. Als ik opkijk zie ik Alec naast me staan. 'Wilt u nog een kop thee?'

'Nee, dank je.'

'Ze gaan morgen met de zoektocht verder.'

'O.'

Hij verplaatst zijn gewicht van zijn ene naar zijn andere voet. Ondanks wat we net samen hebben doorgemaakt blijft hij zichtbaar op zijn hoede voor me, met zijn armen over elkaar kijkt hij naar de horizon. Misschien is hij bang voor een nieuwe heftige uitval. Ik draai me om, zodat ik zijn gezicht kan zien. Hij ziet er beter uit dan eerst; zijn wangen zijn roze van de kou, maar hij heeft droge kleren aangetrokken en houdt een dampende plastic beker in zijn handen.

'Ze denken dat u misschien behandeld moet worden voor shock,' zegt hij stamelend. 'Ze willen u meenemen naar het ziekenhuis.'

Ik schud mijn hoofd en laat hem niet uitspreken. De ambulancebroeders hebben het mis. Ik heb geen shock, maar ben daarentegen bevlogen door een helderheid die zo alomvattend is, dat het lijkt alsof ik kilometers ver kan zien. Het is alsof ik alle afgelopen jaren steeds bijziender werd en mijn gezichtsvermogen steeds verder is afgenomen, zodat de mist normaal lijkt. Maar nu heb ik de meest fantastische bril aangemeten gekregen en mijn omgeving is scherp in beeld.

'Waar heb je die kleren vandaan?' onderbreek ik hem.

'Ik mocht naar huis om een bad te nemen.'

Hij fronst bij een nare gedachte, misschien de herinnering aan hoe hij Beth in zee zag verdwijnen. Hij heeft echt geleden, denk ik, en allemaal om mij.

'Wil je niet even zitten?' vraag ik zacht.

Gehoorzaam laat hij zich op de natte kiezels zakken, met zijn armen nog steeds stijf over elkaar. Weer wil ik zijn hand pakken, en erin knijpen, maar er is te veel tijd verstreken sinds die eerste blije ogenblikken op het strand, en nu zijn we weer terug bij onhandige formaliteit.

'Het spijt me zo, Alec,' zeg ik. 'Ik heb je verkeerd beoordeeld. En nu heb je mijn leven gered.'

Hij kijkt omlaag, pakt een steentje en weegt het in zijn hand. 'Het geeft niet.'

'Je had zelf wel dood kunnen zijn, zoals je in zee dook.'

Hij haalt zijn schouders op, weigert de held uit te hangen. 'Zo bijzonder was dat niet. Ik kan goed zwemmen. Ik zwem bijna elke dag in zee.'

Ik wil meer zeggen, mijn verontschuldiging over hem uitspreiden, als de warme deken die hij over mijn schouders heeft gelegd, hem verwarmen met mijn lof. Maar hij staat het niet toe.

'Ik heb alles gezien,' zegt hij somber. 'Julian maakte zich echt zorgen om Beth, daarom ben ik naar uw flat gegaan. Toen rende u naar buiten en zij ging u achterna.'

Hij scheert het steentje over het strand. Het ketst twee keer en landt met een ping. Hij kijkt ernaar met omlaag getrokken mondhoeken. Nog altijd vermijdt hij mijn blik.

'Zo,' zeg ik, 'kennelijk kun je me het een en ander leren over waarheid.' Ik hou mijn adem in. Het maakt nu nauwelijks iets uit, maar ik wacht op de kritiek.

In plaats van naar me te snieren – als de neerbuigende student die ik altijd in hem zag – schuifelt hij met zijn voeten alsof hij zich geneert dat hij me op een fout heeft betrapt. 'Ik wist dat ze geen echte student was vanaf de eerste werkgroep. Zoals Julian in de vergadering zei, er bestaat geen genderstudies. Ze wist niet eens waar de bibliotheek was.'

'Ik had het in de gaten moeten hebben,' mompel ik.

'Ze probeerde met mij aan te pappen,' vervolgt hij. 'Ze vroeg steeds of ze mijn aantekeningen van vorig jaar mocht lenen en probeerde informatie los te krijgen over Julian en u, maar ik trapte er niet in. Uiteindelijk moest ik haar vragen me met rust te laten. En toen, vandaag, na die vergadering, herinnerde ik me dat ze gezegd had dat ze in Leeds had gestudeerd. Dus heeft Julian een kennis gebeld die daar doceert.'

Hij zwijgt even en pakt weer een steentje op. Iets in de vorm van zijn ogen, zijn bedachtzame uitdrukking, doet me aan mijn vader denken. Hij wil niet verder praten, maar ik dwing hem: 'En?'

'Hij herinnerde zich haar maar al te goed. Ze had een andere naam, maar het meisje dat Julian beschreef klonk net als zij. Ze begon een docente te stalken en probeerde haar uiteindelijk in haar kantoor aan te vallen. Ze kreeg twee jaar voorwaardelijk en werd verplicht een psychiatrische behandeling te ondergaan.'

Dat was dus waar ze in mijn slaapkamer op doelde. Ik huiver, trek de deken strakker om mijn schouders. 'O, mijn god.'

'Precies.' Hij zwijgt alsof er niets meer te zeggen valt.

Ik wil mijn hoofd in mijn blauwe vingers laten zakken, bestraffend aan mijn haar trekken. In plaats daarvan leg ik mijn hand op zijn knokige knie. 'Het spijt me zo verschrikkelijk.'

Hij draait zich om zodat ik zijn gekwelde blik zie. Al die tijd dat ik hem arrogant en wreed vond, worstelde hij met die verontrustende wetenschap die ik weigerde te horen. Geen wonder dat hij Beth tijdens die werkgroep aanviel. Ze verdiende het. 'Het was niet uw schuld,' zegt hij.

Mijn ogen prikken. Was dat maar waar. 'Jawel.'

Immer de ijveraar voor historische juistheid, spreekt hij me niet tegen. Toch is de spanning tussen ons minder; misschien wilde hij alleen mijn verontschuldiging horen. We blijven een tijdje zwijgend zitten en kijken naar het landschap dat het getij heeft achtergelaten. De wolken hebben zich nu nog verder teruggetrokken en de maan zet onze omgeving in een stil kleurenspel. Overal om ons heen liggen de overblijfselen van de storm: vette planken en wrakhout, zo gepolijst door de golven dat het zo glad als steen is; plastic verpakkingen; stukjes touw; slierten verward zeewier; flessen en glasscherven. Ik zou alles willen oprapen en er een krankzinnig monument van maken, gewijd aan alle kinderen die zich verloren wanen. Maar in plaats daarvan zit ik verlegen naast Alec en begraaf mijn voet in de kiezels.

'Je ouders zijn vast trots op je,' zeg ik uiteindelijk. 'Als je me hun adres geeft, kan ik hun schrijven wat je hebt gedaan.'

Even weet ik niet zeker of hij me gehoord heeft. Dan zegt hij heel zacht: 'Ik heb geen ouders.'

Mijn hoofd schiet omhoog. 'O nee?'

Hij snuift verachtelijk in een poging het als een komische aandoening te laten klinken, iets waar je vrienden je mee plagen. Hij heeft Julians gewoonte om tussen aanhalingstekens te spreken overgenomen. 'Mijn moeder heeft me "in de steek gelaten". Heb mijn jeugd in "zogenaamde pleegzorg" doorgebracht.'

Het voelt alsof ik mijn vingers net in een stopcontact heb gestoken en de stroom heb aangezet. Ik hap naar adem, worstel om verbanden te leggen, want ik heb me net nog iets herinnerd: mijn baby was een jongen. Natuurlijk was hij dat, dat wist ik al die tijd. En nu zit deze jongeman hier en vertelt me dat zijn moeder hem in de steek heeft gelaten! Hij heeft precies de goede leeftijd, en is groot en leergierig, net als ik! Hij lijkt zelfs sprekend op pa! Waarschijnlijk staar ik hem met open mond aan, want hij bloost en wendt zijn blik af. Hij is net als ik, denk ik, terwijl mijn gedachten razend rondtollen. Zou het werkelijk kunnen zijn...? Heel langzaam buig ik voorover en pak zelf een steentje. Ik voel het rond en koel in de palm van mijn hand. Het bloed stijgt me naar het hoofd.

Maar net als ik me een emotionele verzoening voorstel waarbij we elkaar in de armen vallen en vol vreugde elkaars namen uitroepen, wendt Alec zijn blik af en werpt nog een steentje, hard, naar de sliert wrakstukken die het terugtrekken van de zee markeert. 'Toevallig heb ik pas besloten haar op te sporen.'

Mijn handen omklemmen het koude steentje, mijn nagels boren zich in mijn palmen. Ik wil iets zinvols zeggen, maar stamel slechts: 'Ja?'

'Het is zoiets vreemds. Al dat gedoe...' Hij zwijgt en ik weet dat hij Beth en mij bedoelt, maar te beleefd is om het uit te spreken. 'Daardoor ben ik gaan beseffen hoeveel behoefte ik eraan heb haar te leren kennen. Relaties aangaan en communiceren is niet bepaald mijn sterkste kant. Zoals u ongetwijfeld hebt gemerkt. Ik probeer erachter te komen waarom dat is.'

'Het klinkt alsof je veel hebt meegemaakt,' zeg ik met verstikte stem.

Hij is echter niet geïnteresseerd in wat hij waarschijnlijk als gemeenplaatsen beschouwt. 'Blijkbaar staat er een adres op de geboorteakte, en alles wat er bij de zaak kwam kijken...'

Ik voel hoe ik frons. Ik lik een druppel zout van mijn lippen en boor in consternatie mijn vingers in de vetlaag rond mijn taille. Waar heeft hij het over? Hoe heeft er een adres op de geboorteakte kunnen staan? 'Heb je een dossier?'

De zeemeeuwen boven me krijsen zo hard dat ik Alecs zachte antwoord nauwelijks hoor. 'Natuurlijk. Er is een rechtszaak geweest, toen ik in de pleegzorg werd opgenomen. En blijkbaar is er ook een adres. Ik bedoel, ik wil alleen weten waarom mijn moeder het heeft gedaan.'

'Wat heeft gedaan?' stamel ik. Ik hou me nog steeds krampachtig vast aan het idee dat hij mijn kind is, maar het ontglipt me al.

'Ze heeft me in de trein achtergelaten. Blijkbaar was ze dronken. Ik was anderhalf jaar. Ze kwam terug om me te zoeken toen ze weer nuchter was, maar men had al besloten dat ze geen goede moeder kon zijn. En dat is zo ongeveer wat ik weet. Ik denk dat ze waarschijnlijk contact heeft gehouden met maatschappelijk werk toen ik nog klein was, maar daarna is ze min of meer uit beeld verdwenen. Ze hebben me opgegeven voor adoptie, maar toen was ik al te oud en werd ik lastig...' Zijn stem sterft weg.

Gelukkig kijkt hij me niet aan. Ik slik ongelovig en kijk naar de vogels die zweefduiken naar het water maken. Alec pakt weer een steentje en laat het over het water scheren. Het ketst drie keer voor het onder gaat.

'Dat is het enige wat me bezighoudt,' zegt hij. 'Ik schrijf haar allemaal stomme brieven, probeer erachter te komen wat ik tegen haar zou zeggen als we elkaar ooit zouden ontmoeten.'

Uitdrukkingsloos staar ik hem aan, deze eenzame jongeman die in mijn leven verweven is geraakt. Ik voel de teleurstelling door me heen stromen, een zware, allesdoordringende hunkering naar het kind dat ik dacht gevonden te hebben. *Waar ben je?* wil ik naar de zee schreeuwen. *Wie ben je geworden?* En dan die schokkende gedachte, die zelfs nu, terwijl de reddingshelikopters boven ons ratelen, vat krijgt. *Ik zal je vinden.*

'Mij lijkt eigenlijk dat zij degene is die iets uit te leggen heeft,' zeg ik.

'Ja, maar dat gedeelte kan ik me niet voorstellen.'

We zwijgen. Alec blijft steentjes over het water scheren. Ik heb me van de zee afgekeerd en kijk langs hem heen naar de pier, die ondanks het noodweer verwachtingsvol is verlicht, als een opgedofte prostituee die in de regen op klanten staat te wachten. Natuurlijk is hij niet mijn kind, denk ik als de teleurstelling verdwijnt en iets anders het overneemt. Het zou een bizar toeval zijn. Nee, ik zal harder mijn best moeten doen om te krijgen wat ik wil. Ik sta op en laat de dekens op de kiezels vallen. Wat ik voel, besef ik verrast, is groeiende opwinding. Alles is veranderd, en op een vreemde manier heeft Beth me geholpen dat te bewerkstelligen. Want hoewel ik haar nooit had kunnen redden, zullen haar obsessieve behoeften me uiteindelijk helpen mezelf te redden. Ik ben niet langer als de rusteloze golven, eindeloos aangetrokken en afgestoten door het strand. Door de jaren heen heb ik het ijverig gemeden, toch heb ik ironisch genoeg dit strand nooit echt verlaten. Maar dat gaat allemaal veranderen. Ik heb de waarheid onder ogen gezien, bekend.

Nu moet ik een aantal dingen rechttrekken.

Twee dagen later komt Alec bij me langs. Ik heb het druk gehad, onder meer met gesprekken met de politie en alles aan Bob Stennings uitleggen. Sinds ik uit zee ben gered, ben ik omringd door mensen en biedt iedereen hulp aan. Sarah wil komen en vanochtend kwam Julian met bloemen, alsof ik ziek was geworden. Ik stel hun steun op prijs, maar ben nog niet in staat te praten. Ik probeer nog steeds te begrijpen wat er is gebeurd. Hoe kwam het dat ik Beths leugens niet doorzag? Ze stal mijn mobiel in het café, weet ik nu, en moet mijn adres op de rekeningen in mijn tas hebben gezien. Het verhaal over pleegouders was compleet uit de duim gezogen. In plaats daarvan blijkt dat ze in een achterkamer van de bar waar ze werkte sliep. Haar ouders, die haar drie maanden geleden als vermist hadden opgegeven, wonen in een klein dorp bij Leeds. En stommeling dat ik was, niets van dat alles pikte ik op.

De voornaamste reden dat ik geen behoefte heb aan gezelschap, is dat ik Jan hier heb, die koppen thee voor me maakt, de emmers in de woonkamer leegt en, wat het allerbeste is, niets vraagt. Ik vind haar gezelschap verrassend therapeutisch: dingen gebeuren nu eenmaal, dat is haar standpunt.

De flat jaagt me niet langer angst aan. Een van de weinige beslissingen die ik heb genomen te midden van alle rotzooi is dat ik hier uiteindelijk zal blijven. De huisbaas heeft beloofd het lek te repareren en dan ga ik het inrichten. Jan zal me helpen. Ze verzekert me dat ze een goede doe-het-zelver is. We zijn het al eens over de kleur: een diep terracotta, een tint om ons te verwarmen.

Dus als Alec zijn naam door de intercom zegt ben ik een stuk rustiger, zo niet hersteld, blij dat hij er is, hoewel niet verrast. Ik laat hem binnen en nadat hij me verlegen omhelsd heeft, loopt hij door de gang naar de openslaande deuren van de woonkamer die ik wijd open heb staan, ondanks de kou. Hij lijkt anders, minder aarzelend, misschien, zeker minder afstandelijk. Ik ken hem nog steeds nauwelijks, maar ik denk dat we allebei een groeiende band voelen, een gevoel dat we iets groots delen. Nu kijkt hij naar het park en de strook zee beneden.

'Ik moet u iets vertellen,' zegt hij als ik met een pot van Beths kamillethee binnenkom. 'Daarom ben ik hier.'

Ik kijk hem vragend aan terwijl ik dampende bekers op de vloer zet. Elke seconde landt er een druppel met een luide tik in een van de emmers. 'O ja?'

'Ik heb besloten te vertrekken.'

'O!'

Ik ben teleurgestelder dan ik misschien moet zijn. Hij is zo opvallend leergierig dat ik me hem niet zonder de universiteit kan voorstellen. Hij kijkt terug met zijn intelligente bruine ogen, merkt de verwondering op mijn gezicht op.

'En je graad dan?'

'Ik neem een jaar vrij. Ik weet nog niet wat ik daarna ga doen.'

'Jee, Alec, is dat niet wat drastisch?'

Hij haalt zijn schouders op, alsof het niet meer uitmaakt. 'Het is niet alleen om wat er is gebeurd. Het is iets wat er het hele trimester al aan zat te komen.' Hij schraapt zijn keel, bijna verontschuldigend. 'Het was een van de dingen waar ik het met u over wilde hebben.'

'Ah...'

'Ik bedoel, het was uw cursus die de doorslag gaf.'

Ik verslik me bijna. Als hij de uitdrukking op mijn gezicht ziet, flitst hij me een berouwvol glimlachje toe. Glimlachte die jongen maar meer, dan zou hij echt knap zijn.

'Het is niets persoonlijks,' zegt hij. 'Het was de kunst om het verband te leggen, zeg maar, tussen algemene geschiedenis en persoonlijke geschiedenis. Ik kon het eigenlijk niet echt aan.'

'Maar je werk was zo briljant.'

Zijn mond vertrekt. Misschien ergert hij zich aan zo'n voor de hand liggende opmerking. 'Dat is het niet,' zegt hij kortaf. 'Studeren gaat me altijd goed af. Het gaat om die andere dingen.'

Ik pak mijn beker thee. Mijn blik blijft op zijn gezicht gericht. Ik weet precies wat hij bedoelt.

'Ik wil dit aan u geven,' zegt hij. 'Dat is eigenlijk de reden waarom ik hier ben. Het is voor mijn project methodologie.' Hij trekt een grote gevoerde envelop uit zijn jasje en overhandigt me die met een ernstig gezicht. De manier waarop hij dat doet, als een plechtig ritueel, maakt duidelijk dat het om iets belangrijks gaat.

'Is dit jouw project?'

Ongeduldig schudt hij zijn hoofd. Kennelijk begrijp ik het niet.

'Ik weet dat het niet is wat u wilt, maar ik kon geen essay van vijfduizend woorden schrijven over een of ander project dat ik enkel en alleen had verzonnen om de cursus te halen. Eigenlijk verwacht ik niet dat u het een voldoende geeft. Als ik eerlijk ben wil ik zelfs niet dat de andere examinator het ziet.'

Vragend draai ik de envelop om.

'Eigenlijk is het alleen voor u,' vervolgt hij zacht. 'Ik wil dat u het ziet als een soort verklaring, waarom ik met mijn studie ophou, bedoel ik. Het zijn kopieën van brieven die ik heb geschreven, waarover ik het met u op het strand had.'

Ik knik. Kennelijk is het zinloos om iets anders te doen, want hij heeft besloten te vertrekken, en nu kan ik alleen nog maar lezen wat er in de envelop zit. 'Wat ga je doen?' vraag ik.

Hij haalt diep adem. 'Mijn moeder zoeken,' zegt hij, zijn hoofd achterover gooiend, niet uit arrogantie, zie ik nu, maar uit nervositeit. 'Ik droom er al jaren van, en nu ga ik het echt proberen.'

Het bloed stijgt me naar het gezicht. Ik wil mijn armen om hem heen slaan en hem bedelven met kussen om hem te feliciteren. 'Dat is fantastisch!'

Zijn gezicht betrekt, alsof hij voor het eerst de mogelijkheid toelaat dat ik misschien anders had kunnen reageren. 'Het kan een gigantische vergissing zijn, maar ik wil meer weten over wat er is gebeurd, waarom ze dronk en zo. Ik bedoel, hoe het zat met mij.' Hij zwijgt en kijkt me vragend aan. 'Misschien was ik wel een vreselijk joch of zoiets.'

'Ik wil wedden dat je een schat was,' zeg ik, terwijl ik probeer te giechelen en mijn ogen nonchalant afveeg met mijn mouw, alsof er een vuiltje in zit. Ik meen het ook, want nu ik de waarheid over Beth weet, zie ik de waarheid over Alec. Niet door kilheid en arrogantie, maar door onzekerheid is hij zoals hij is. En net zoals ik met open armen reageerde op Beths kinderlijke behoefte, dreef zijn zwijgzame weigering om te charmeren me tot een op niets gebaseerd en zeer betreurd vooroordeel.

'O ja?' vraagt hij bezorgd en ik besef dat hij ondanks zijn verlegenheid ernaar snakt dit met iemand te delen. Hij is zo teruggetrokken en op zichzelf, maar nu hij begonnen is te praten, stroomt alles eruit als bloed uit een slagaderlijke wond.

'Natuurlijk. Het is zoals ik op het strand zei. Als ze wist hoe je nu was, zou ze heel trots op je zijn.'

'Dus u vindt dat ik de juiste beslissing heb genomen?'

'Ja,' zeg ik en ik krijg een heet en prikkerig gevoel in mijn ogen. 'Dat vind ik.'

'Ik bedoel, misschien wil ze me niet zien, dat kan toch?'

Ik staar hem aan.

'Misschien wil ze me alleen maar vergeten,' zegt hij terwijl hij probeert te glimlachen.

'Het lijkt me heel onwaarschijnlijk dat wat je moeder heeft gedaan iets met jou te maken had,' zeg ik zacht. 'Ik denk dat ze het gewoon heel moeilijk had.'

Hij knikt, alsof hij wilde dat ik dat bevestigde. 'Ze hebben me verteld dat ze heel jong was.'

'Luister, Alec,' zeg ik, 'wat er ook gebeurd is en om welke reden je moeder ook dronken werd en je in die trein achterliet, ik weet zeker dat ze elke dag aan je denkt. Ze zou je waarschijnlijk dolgraag vinden.'

Hij kijkt me aan en zijn gezicht klaart op. 'Denkt u dat?'

'Ik weet het zeker.'

Hij slikt. Langzaam hoor ik mezelf zeggen: 'Hoe zou je het vinden als het andersom was? Als zij jou probeerde te vinden?'

En nu glimlacht hij zijn witte tanden bloot. 'Ik zou dolblij zijn.'

'Zelfs na wat ze gedaan heeft?'

'Het zou niet uitmaken. Misschien zouden we opnieuw kunnen beginnen. Ik wil gewoon de kans om het te proberen.' Hij kijkt naar mijn onzekere gezicht. 'Het gaat niet om vergeving, dat probeer ik te zeggen. Het gaat erom erachter te komen wie je bent en waar je vandaan komt. Het klinkt u waarschijnlijk vreemd in de oren, maar op dit moment is dat het enige wat ik belangrijk vind.'

Ik kijk naar hem, zo jong nog, op de drempel van zijn leven. 'Nee, Alec,' zeg ik en ik weet niet of hij de emotie in mijn stem hoort of niet. 'Ik vind het helemaal niet vreemd.'

Na dat korte, maar intense contact blijft hij niet lang meer. We drinken onze thee, vergelijken onze ervaringen op het politiebureau en dan vertrekt hij met grote passen. Wat er ook gebeurt, spreken we af, we zullen contact houden. 'Schrijf me,' zeg ik terwijl ik mijn hand op zijn schouder leg als hij de deur uit loopt. 'Als je hulp nodig hebt, vraag het alsjeblieft.'

Als ik zijn eenzame gestalte het plein over zie steken, denk ik dat er misschien een reden is waarom hij en ik op deze manier met elkaar verbonden waren. Misschien was het onze gedeelde behoefte om iets over ons verleden te weten te komen, ons verlangen naar wat we kwijt zijn, maar nooit gekend hebben, dat Beth in ons aanvoelde en wat ons kwetsbaar voor haar maakte. En misschien leed zij ook door iets gelijksoortigs. Andere omstandigheden, maar net zoals Alec en ik, met een geschiedenis die op de een of andere manier vervormd was, een verhaal vol stilte, waarin de hoofdpersonen ontbraken.

Op een dag zou ik Alec alles willen vertellen. Op een dag kunnen we misschien zelfs vrienden zijn.

Brighton, 21 november

Lieve mam,

Er is zoveel gebeurd. Slechte dingen, maar (misschien) ook goede. Ik zal er nu niet allemaal op ingaan. Misschien zal ik het je een keer vertellen.

Dit is de laatste brief die ik zal schrijven, omdat ik tot een besluit ben gekomen. Ik breek mijn studie af en ga je vinden. Ik heb iets gedaan wat als een enorme stap voelt, zie je. Ik heb contact opgenomen met de sociale dienst en zij hebben me beloofd dat ik mijn dossier mag inzien. Volgende week heb ik een afspraak met mijn maatschappelijk werker. En zo ga ik naar Londen om bij een van de postdoctoraal studenten te logeren met wie ik vorig jaar bevriend ben geraakt. Ik hou mezelf voor niets te verwachten. Maar ik zal je zeker vinden.

Ik heb mijn kamer opgezegd, wat kleren en boeken in een rugzak gepropt en nu ga ik er eindelijk tussenuit. In de achterzak van mijn spijkerbroek zit het adres van de plek waar de dossiers worden bewaard. Ik voel steeds met mijn hand of het er nog is, de sleutel tot mijn verleden. Misschien bega ik een fout. Misschien zal er niets te vinden zijn. Misschien zal ik op je stoep staan en ontdekken dat ik te laat ben, dat je bent verhuisd. Maar waar ik me aan vastklamp is wat de maatschappelijk werker me over de telefoon zei, dat je op mijn achttiende verjaardag je gegevens aan mijn dossier hebt laten toevoegen. Dus wil je vast dat ik contact met je opneem, of niet?

Daarom is dit de laatste brief die ik schrijf. Hopelijk zal het een kwestie van dagen zijn dat ik deze hele bundel in jouw handen kan leggen. Zal het een happy end zijn voor ons allebei? Wie weet? Je bent tegelijkertijd mijn moeder en een vreemde. Ik wil je ontzettend graag leren kennen, maar ben toch bang wat dat kan inhouden. Dus ben ik natuurlijk bang. Er is de laatste tijd veel gebeurd en ik heb al dagen niet gegeten of geslapen, ik zie er waarschijnlijk uit als een wrak. Misschien doe je de deur wel open en denk je, had ik mijn adres maar niet gegeven. Misschien doe je wel gewoon alsof je niet weet wie ik ben.

Maar wat er ook gebeurt, ik denk niet dat ik er spijt van zal hebben. Het gaat namelijk om identiteitsbesef. Mijn hele leven heb ik me afgevraagd wie je bent en wat je doet. En nu zal ik daarachter komen.

Op onze toekomst.

Je zoon,
Alec

30

Ik vind haar huis aan het eind van een diepliggende laan in Dorset, die speels door de velden in het zuidwesten van Engeland kronkelt. Het is nu lente en de heggen staan in volle bloei. Overal langs de route zijn glooiingen vol fluitenkruid en sleutelbloemen, alsof ze me juichend aanmoedigen. Op de passagiersstoel naast me ligt mijn wegenkaart, uitgespreid op de juiste pagina, en daarnaast het adres dat ik naast mijn routebeschrijving heb gekrabbeld. Hoewel het nog maar begin april is, heb ik het warm en rij ik met de raampjes opengedraaid, zodat de frisse geur van bloesem en jong gras door de auto waait. Kilometers eerder heb ik de radio afgezet. Ik wilde niet langer dat mijn gedachten verstoord raakten door oppervlakkig geklets of achtergrondmuziek. In plaats daarvan moet ik me concentreren op deze laatste fase van overgang, de vreemde vrijheid van te zijn weggegaan zonder al te zijn aangekomen.

Ik ben nerveus, maar niet bang. Als ik bij het kruispunt ben, de laatste aanwijzing op mijn beschrijving, sla ik linksaf en zie onmiddellijk het bordje op het huis: OAK TREE COTTAGE. Ik stop en kijk nieuwsgierig om me heen. Het is niet zoals ik had verwacht, maar een meer afgelegen huis, het gazon aan de voorkant bezaaid met narcissen en minder goed onderhouden. Ik klem mijn handen om het stuur en al mijn spieren zijn gespannen als de banden van de Kever over de oprijlaan van grind knerpen. Een paniekerig ogenblik denk ik dat ik een fout heb gemaakt. Het is zo anders dan wat ik me had voorgesteld – een namaak Tudor geval met stenen leeuwen bij het hek, misschien, of een bungalow met dubbele beglazing en een overdreven waterpartij, niet deze vervallen cottage met zijn overwoekerde tuin. Dan kijk ik door het raam van de begane grond, zie de foto's aan de muur en weet dat ik toch op de juiste plek ben beland.

Als ik de auto heb geparkeerd is mijn mond droog. Ik heb nu al zoveel maanden deze scène in mijn hoofd afgespeeld, me telkens opnieuw voorgesteld hoe het zou zijn. Maar nu ik hier eindelijk ben zijn mijn zorgvuldige voorbereidingen in het niet verdwenen, en word ik overvallen door de sterke drang om rechtsomkeert over de oprit terug te rijden en nooit meer terug te komen. Maar natuurlijk is het te laat. Ze moet op me hebben zitten wachten, want nog voor ik uitgestapt ben staat ze verwachtingsvol op de stoep. Ik morrel aan het roestige portier, duw het open en adem de zoete landelijke lucht in. Even, omdat ik te laf ben om haar recht aan te kijken, hou ik me bezig met mijn aankomst, leun over de achterbank en worstel met de tassen en bloemen die ik heb meegenomen. Alles liever dan onder ogen komen waarvoor ik deze lange rit heb gemaakt.

Dan zijn er ten slotte geen excuses meer en loop ik over de oprit, kijk haar aan en zeg: 'Hallo, mam.'

Haar verschijning schokt me meer dan zou horen. Ik heb haar bijna vijftien jaar niet gezien, dus had ik voorbereid moeten zijn op de overgang van een vrouw van eind veertig naar een oudere vrouw van zestig plus. Toch herken ik haar een moment nauwelijks. De tussenliggende jaren moeten hard voor haar zijn geweest, denk ik, met een verrassende steek van medelijden. Haar gezicht is ingevallen, ze heeft dikke kwabben onder haar kin, die ze nu nerveus streelt met knokige reumatische vingers, en ze lijkt kleiner dan ik me herinner, alsof het leven letterlijk zwaar op haar heeft gedrukt. Ze ziet eruit, besef ik met een schok van herkenning, als mijn oma.

Als ze echter glimlacht en haar armen uitsteekt als de ideale moeder die ze nooit was, zie ik dezelfde ongemakkelijke mengeling van hoop en teleurstelling in haar ogen, die ik was vergeten, maar me nu haarscherp herinner. Dan zie ik haar nog goede regelmatige gebit, de fronsrimpel boven haar neus en ik weet dat ze, hoewel ouder, niet is veranderd.

'Zo,' zegt ze. 'daar ben je dan.'

Onhandig buk ik me in haar omhelzing. We weten niet echt hoe we het moeten doen, want we hebben elkaar nooit als volwassen familie begroet. Ik probeer haar beide wangen met mijn lippen te beroeren, een beleefde en mogelijk nogal stadse begroeting, die vijandigheid noch warmte inhoudt, maar ze stapt te snel achteruit waardoor ik pijnlijk genoeg in haar haar duik. Ik kan er maar niet aan wennen dat ze kleiner is dan ik.

'Heb je hoge hakken aan?' vraagt ze, zich van me losmakend en me van top tot teen bekijkend. 'Ik moet zeggen dat ik niet had verwacht dat je er zo goed uit zou zien.'

Ik grijns, niet in staat om op zo'n dubbelzinnig compliment te reageren. Dus mijn herinneringen klopten. Ik ben er net en nu al zijn we terug bij het oude liedje: zij, scherp en kritisch; ik, defensief en grof. Wat verwachtte ze eigenlijk? Gescheurde spijkerbroek en kaasdoek? Even word ik overvallen door ergernis en zoek naar een scherp antwoord, zoals ik dat als vijftienjarige zou hebben gegeven. 'Ja, en ik had niet verwacht dat jij er zo verdomd oud zou uitzien,' maar ik beheers mezelf. Ik ben niet helemaal hierheen gekomen voor een puberale strijd.

Ik volg haar naar binnen, met een dikke keel van emotie. Ik ben hier nooit eerder binnen geweest en toch voelt het als het huis uit mijn jeugd, want het is vervuld van haar. Daar aan de muur hangt de reproductie van Monet, die vroeger in haar slaapkamer hing, en de kleine zitkamer wordt gevuld met het oude bruine bankstel. Op de schoorsteenmantel staat de porseleinen kat waarmee ik altijd speelde dat ik hem voerde, toen ik klein was, en daarnaast mijn opa's reisklok. Zelfs het vloerkleed is hetzelfde. Het is alsof mijn jeugd op goed geluk in de lucht is gegooid en in de oude vertrouwde omlijsting is teruggevallen.

'Zal ik thee zetten?' vraagt mijn moeder.

Ik kijk naar de ingelijste foto's aan de muur. Zoals zoveel anders in de kamer heb ik er veel al eerder gezien: de zwartwitfoto van mijn grootouders, genomen op de trap van het gemeentehuis van Kensington in 1934, de schoolfoto's van mij en David, de vakantiekiek van ons in 1975, met ijsjes op het strand. Er zijn ook recentere toevoegingen. De eerste is van mam en Don, poserend in een studio ergens in de jaren tachtig. Mijn moeder is verkleed als Edwardian dame met een boa à la Eliza Doolittle en strohoed, mijn stiefvader met hoge hoed en jacquet, alsof ze in het koor bij *My Fair Lady* zaten. Zoals de Gilbert and Sullivan-producties waarin ze optraden toen ik op de middelbare school zat, precies waar Don van zou hebben genoten. Daarnaast hangt een foto van een stralend stel in een zonnige tuin. De vrouw is klein en knap en knuffelt een peuter op haar schoot. De man heeft een baard en zijn gezicht is gebruind en licht gerimpeld, alsof hij veel buiten is. Hoewel hij ouder is geworden is zijn gezicht me zeer vertrouwd.

'Dat zijn David en Clare, en kleine Izzy,' zegt mam achter me. 'Die heb ik genomen toen ik vorig jaar bij ze op bezoek was. Is ze niet geweldig?'

'Ja,' zeg ik vaag. 'Ze is een kanjer.'

Even ben ik bang dat ik in tranen uit zal barsten. Ik knijp mijn lippen stijf op elkaar en vecht tegen de golf van emotie. Al die tijd dat ik me dit tafereel had voorgesteld, had ik nooit voorzien dat ik geconfronteerd zou worden met mijn perfecte broer en zijn perfecte dochtertje.

'Ze is nu bijna vier,' ratelt mam door, 'en ze verwachten nog een kleine in juli! We wilden het je allemaal laten weten, maar je reageerde niet op al onze brieven, dus wisten we niet waar je was. Wat dwaas van je om zo lang niets van je te laten horen.' Ze raakt mijn arm bijna aan, alsof ze me een standje geeft dat ik niet vaak genoeg heb gebeld, of een of ander familiefeest heb overgeslagen. 'Ik weet zeker dat hij het enig zou vinden als je hem opzocht,' zegt ze. 'Hij en Clare hebben het geweldig voor elkaar, daar.'

Nog even staar ik naar de foto. Goeie ouwe David, altijd het succesverhaal. En ik kan me mam als oma voorstellen, die Izzy komt opzoeken met cadeautjes en knuffels en leuke dagtochtjes. Al die dingen die ze nooit voor mij deed.

Als ik me weer omdraai naar de zitkamer is ze verdwenen. Ik plof neer op de bank die van donkerbruin naar vaal beige is verschoten. Ze is niet meer zo streng voor zichzelf, besef ik terwijl ik om me heen kijk. Er zijn spinnenwebben in de hoeken van het plafond en de bovenkant van de boekenkast is zonder meer stoffig. Toch heerst er geen kille sfeer. Het is eigenlijk de tegenpool van het huis waar we als gezin woonden, waar ze de hele dag schoonmaakte, uitgedost in haar blauwe nylon schort met gele rubberhandschoenen, maar wat toch eigenaardig zielloos bleef. Het was alsof haar hele identiteit berustte op het schoonhouden van haar huis. Of liever, zoals de harde rozijnencakejes en het ingezakte biscuitgebak die ze plichtsgetrouw elke zondag bakte, was het alsof ze probeerde te bewijzen dat ze in werkelijkheid heel iemand anders was. En deze slordige kamer, met de bossen wilde bloemen, kunstig geschikt in gebarsten vazen, de bibliotheekboeken in stapels net als de mijne her en der op de grond, en de uiteenlopende afbeeldingen die het behang bedekken, staat waarschijnlijk veel dichter bij de persoon die ze echt is.

'Zo, daar ben ik.' Ze is terug met een blad thee en koekjes dat ze neerzet op de koffietafel waarop ik vele jaren geleden als vierjarige op mijn sokken heen en weer gleed. Ze schenkt de thee, haar vingers hebben moeite met de grote pot. 'Moet je mijn handen zien,' zegt ze zuchtend, 'zo lastig.'

'Arme jij.'

'Tut, tut,' zegt ze, meer om de taak van het theeschenken dan tegen mij, en dan bijna verwijtend: 'Je zult wel moe zijn. Het is zo'n lange rit.'

'Het ging prima.'

Ik balanceer mijn kop op mijn knieën, niet wetend wat ik moet zeggen. Het lijkt wel of ze mijn oudtante is. Ik schraap mijn keel. 'Het speet me van Don te horen.'

Ze kijkt op, blijkbaar verrast dat zijn naam wordt genoemd. 'Ja, arme Don.'

'David vertelde het me toen het gebeurde. Ik had je moeten schrijven.'

Er flitst iets over haar gezicht, een schaduw van verdriet of oud zeer, dat ze gewend is te verbergen. 'Het is al zo lang geleden,' zegt ze emotieloos, met een knik naar de muur. 'Ik heb al zijn kleren en het meubilair aan zijn kinderen gegeven. Die heb je nooit ontmoet, hè? Ze zijn ontzettend aardig. Allemaal met hun eigen kinderen inmiddels, natuurlijk. Het enige wat ik nog van hem heb zijn zijn golfclubs.'

Ik neem slokjes thee, knabbel op het chocoladekoekje dat ze op mijn schoteltje heeft gelegd. Ik had me niet eens herinnerd dat dokter Death kinderen had. Wantrouwen hangt zwaar tussen ons in, als een oud gordijn dat moet worden neergehaald en gelucht.

'Als ik die foto niet had zou ik me niet eens meer herinneren hoe hij eruitzag,' zegt ze onverschillig, 'maar bedankt dat je hem noemde.'

Ik zuig mijn wangen naar binnen. Het lijkt wel verspilde moeite om haar te bereiken, maar terwijl we twintig jaar geleden gescheiden werden door de razende uitbarstingen van tienerfrustraties en moederlijk ongeluk, staat er nu een onbreekbare glaswand van beleefde afstandelijkheid tussen ons. En na alles wat er gebeurd is weet ik niet of ik de kracht bezit om hem te breken.

'Ben je nog steeds met die vriend?' vraagt ze. 'David vertelde me dat hij hoogleraar was, of iets dergelijks.'

Ik glimlach frigide. Het doet nog steeds zo'n pijn. 'We zijn uit elkaar.'

Hoofdschuddend kijkt ze me aan, alsof ik hopeloos onverantwoordelijk ben geweest. 'Wat jammer. Iemand anders in beeld?'

'Nee.'

In een flits zie ik Julian in de bioscoop, onze knieën die elkaar angstvallig vermijden, de gedeelde stoelleuning verboden terrein. De wandeling en de lunch in de pub leidden nergens toe. Het was te snel, de wond nog te vers.

'Goh, kind, wacht er niet te lang mee, hè?'

Het is zo'n worsteling om mezelf in bedwang te houden dat mijn kopje op het schoteltje trilt. Ik heb er niet voor gekozen, wil ik snauwen. Denk je soms dat ik alleen wil zijn? Ik kijk de kamer rond en slik de emotie weg als ik terugdenk aan de laatste keer dat ik Matt zag, hoe we huilden en elkaar omhelsden bij het afscheid. Zelfs toen we onze knopen ontward hadden, Beths leugens en mijn waarheden, konden we niet terug naar vroeger. Het is zo het beste, we wilden allebei iets anders. Dat herhaal ik steeds, als een mantra.

Ik kijk bitter naar mijn moeder. Goed, denk ik, er is dus niets veranderd. Even wil ik die verrekte thee neerzetten en weglopen, maar ik hou mezelf tegen. Ik ben hier niet gekomen om het daarover te hebben.

'Mam?' zeg ik.

Ze kijkt op en haar gezicht heeft plotseling zoiets breekbaars dat ik een moment lang weer tien ben en zij zo broos is als een houtsplinter die elk moment kan knappen. 'Ja?'

Ik aarzel en duik dan in het diepe. 'Het spijt me dat ik geen enkele brief van je heb beantwoord.'

Snel wendt ze haar blik af en concentreert zich op de theepot. 'Je had het druk...' mompelt ze. 'Je hebt altijd zo hard gewerkt.'

'Dat was niet de reden.'

Haar handen schieten naar de kwabben onder haar kin en haar vingers beginnen nerveus te friemelen. 'Laten we het achter ons laten,' zegt ze.

'Nee,' zeg ik. 'Laten we dat niet doen.'

Ze slikt moeizaam en kijkt me aan als ze de theepot neerzet. Als ik naar haar kijk, met haar reumatische handen en gebogen schouders, herinner ik me de moeder die ik ooit had, die over het strand naar de zee rende en zonder een spier te vertrekken in de ijskoude branding van Cornwall dook, en ik word overspoeld door spijt. Ik hield zoveel van haar, alleen omdat ze mijn moeder was. En natuurlijk snakte ik ernaar dat ze ook van mij zou houden. Maar door de jaren heen raakten we in strijd verstrikt, onze rollen lagen vast. En hoewel een deel van me dolgraag wilde veranderen was ik niet in staat het patroon te verbreken. En nu, hoewel ik haar niet meer wil kwetsen, moet ik dit afmaken. 'Het zit zo,' zeg ik langzaam, 'de reden waarom ik ben gekomen is om je iets te vragen.'

Ik heb moeite met ademhalen. Ik ben volwassen, allemachtig, maar voel nog steeds een kinderlijke vrees om betrapt te worden.

'Steek van wal.' Ze vouwt haar handen in haar schoot. 'Ik luister.'

'En ik wil je ook iets vertellen.'

'Goh, we gaan het druk krijgen.'

Ik bijt op mijn lip. Dus ze is nog altijd messcherp, schijnbaar broos, maar met het vermogen het bloed onder je nagels vandaan te halen.

'Kleineer me niet, alsjeblieft,' zeg ik zacht. 'Ik wil niet meer met je strijden.'

Achter haar bril lijken haar ogen staalhard. 'Zeg gewoon wat het is, Cass. Ik weet dat je niet helemaal hierheen bent gekomen om thee te drinken.'

'Goed dan.'

Ik sla mijn armen over elkaar. Ik heb dit zo vaak gerepeteerd en nooit de juiste woorden gevonden. Wat ik ook zeg, het klinkt als een klagerig klein meisje. Ik laat de vragen door mijn hoofd gaan als een multiplechoicelijst: waarom deed je niet, waarom kon je niet, waarom wilde je niet... Dan open ik ineens mijn mond en zeg het: 'Waarom kon je nooit van me houden?'

Een ogenblik is haar gezicht wezenloos, alsof ze de vraag niet heeft begrepen. Dan lijkt haar gezicht bijna met vertraagde snelheid in te zakken. Haar ogen worden waterig, haar huid wordt roze en zet op, haar mondhoeken gaan omlaag. Ze zet haar bril af en wrijft met haar vingers over haar ogen. 'Wat bedoel je?' zegt ze zo zacht dat ik het nauwelijks hoor.

'Je weet wat ik bedoel.'

De stilte is verschrikkelijk. Ik zit op de rand van de bank met mijn theekop nog altijd in mijn handen geklemd. Zei ze maar wat, maar ze staart alleen leeg de kamer in, alsof ze de geesten wil oproepen die haar foto's bewonen. Ik ben zo bang van wat ze zou kunnen zeggen dat ik het steeds maar weer herhaal, een bezwering om op magische wijze de woorden die ik vrees tegen te houden: *Van je houden? Dat was onmogelijk!* Wat moet mijn geschiedenis hachelijk zijn, om zo totaal afhankelijk te zijn van de woorden van een persoon, wat is mijn gevoel van eigenwaarde breekbaar. In plaats van de hatelijke terechtwijzing waar ik bang voor ben, schudt mam echter haar hoofd. 'Maar ik hield van je, Cass,' fluistert ze. 'Jij was mijn kleine meisje.'

Ik bestudeer haar gezicht en bijt op mijn lip. Dit is bijna onmogelijk, maar ik moet doorzetten. 'Ik heb nooit het gevoel gehad dat dat zo was,' zeg ik langzaam. 'Ik probeer te achterhalen waarom.'

Mijn toon bevalt haar niet, zie ik, want haar gezichtsuitdrukking verandert, de luiken vallen ratelend dicht. Ik verlang wanhopig dat ze meer zegt, maar nu duwt ze haar bril terug op haar neus en zegt stijf: 'Ik denk dat je je dat inbeeldt.'

'Ik denk van niet.'

Ze wendt haar blik af, bestudeert haar nagels. 'Je werd heel moeilijk,' mompelt ze. 'Als tiener...'

Weer het kleine-meisjes-stemmetje: *Waarom geef je mij altijd overal de schuld van?* Maar ik duw het weg en zeg in plaats daarvan: 'Het was geen goede tijd voor me...'

'Wat kan ik je zeggen, Cassandra?' mompelt mam, friemelend aan haar bril en nog steeds mijn blik vermijdend. 'David was altijd zoveel makkelijker.'

Ja, ik weet dat David makkelijker was. Dat heb je me wel duizend keer verteld! Het meisje was lastig, de jongen ideaal. De geschiedenis van Cass, hoofdstuk een, eerste alinea. Help me nu alsjeblieft de rest te herschrijven!

'Dat helpt niet echt,' zeg ik.

Er volgt weer een lange stilte en ik denk dat ze niet zal antwoorden, mijn vraag zal afdoen als de dwaze gril van een veeleisend kind. Dan staat ze op, loopt door de kamer naar de boekenkast en pakt er een dik in leer gebonden fotoalbum uit. Ze houdt het tegen haar borst alsof ze bang is het los te laten, dan geeft ze het aan mij. 'Je mag dit hebben, als je wilt,' zegt ze. 'David heeft dat van hem.'

Ik neem het van haar aan, voel het warme leer tussen mijn vingers. Het ruikt muf en oud, maar het is niet stoffig en de vouwen in de rug geven aan dat het vele malen is geopend. Als ik het eerste blad omsla herinner ik me waar ik het eerder heb gezien. Het is mijn babyalbum vol foto's en aandenkens aan toen ik een baby was.

Ik blader het door, mijn adem stokt. Daar ben ik, rond en vrolijk met een tuigje in een enorme wandelwagen. Dan misschien een jaar later zit ik in de oude kinderstoel, die ik me plotseling zo scherp herinner, alsof ik er gisteren in vastgegespt zat, met het bekraste houten zitvlak en formica blad; ik hou een lepel vast. Hier, stevig tussen de bladen, ligt een haarlok van mij, kastanjebruin en krullend, met een roze satijnen strik. Er is zelfs een voetafdruk in verf. Later promoveer ik naar de geborduurde jasjes met bijpassende broeken. Ik duw een kleine vrachtwagen vol blokken, mijn dikke gezicht een en al glimlach met tandjes. Ik schop zelfs tegen een bal met mijn vader in onze kleine achtertuin. Er zijn geen foto's van mam, en nu begrijp ik waarom. Zij hield het fototoestel vast en knipte erop los, als elke toegewijde ouder.

Als ik het album heb doorgebladerd, leg ik het voorzichtig op de tafel naast de theepot en de koekjes. Het voelt alsof alles wat ik de afgelopen maanden heb meegemaakt op het punt staat uit me te barsten om door de kamer te stromen en weg te spoelen.

'Ik was niet in staat de moeder te zijn die ik wilde zijn, Cass,' zegt mam zacht. 'Ik hield van je, maar toen je opgroeide was ik zo ongelukkig.'

Verrast kijk ik haar aan, zoek in haar gerimpelde gezicht naar meer informatie. Ik heb haar nooit eerder zo horen praten, en haar die woorden te horen zeggen, zo droevig en gelaten, is een schok. 'Waarom?' vraag ik. 'Wat ging er mis?'

Ze haalt haar schouders op. 'Misschien was ik er gewoon niet voor in de wieg gelegd.'

Teleurgesteld wend ik mijn blik af. Dat is te makkelijk; zo simpel is het nooit. Hoe kon je 'niet in de wieg gelegd zijn' om van me te houden? 'Maar waarom niet? Alle andere moeders konden het wel.'

Het was niet mijn bedoeling zo beschuldigend te klinken, maar in plaats van iets net zo fels terug te zeggen, antwoordt ze: 'Dat dacht ik zelf ook. Maar nu ik terugkijk betwijfel ik of dat het geval was. Wat je waarschijnlijk zou vernemen als je het vroeg, is dat velen van ons zwaar depressief waren. Maar we spraken er nooit over, we stopten al onze energie in het bereiken van een belachelijk ideaalbeeld. Het was niet zoals nu, met al dat geknuffel en gevoel, wij gaven geen uitdrukking aan onze emoties. Je moet niet vergeten dat het feminisme niet echt veel impact had in de jaren zestig, althans niet onder de gewone mensen.'

'Dat weet ik,' mompel ik. 'Ik heb er een boek over geschreven.'

'Ja,' zegt ze weer kortaf. 'Ik heb het.'

'Heb je het gelezen?'

'Natuurlijk heb ik het gelezen. Je bent toch mijn dochter.'

Ik bijt op mijn lip, verrast door de heftigheid van haar verwijt. Maar als ze weer spreekt is haar stem vriendelijk. 'Weet je, Cass, ik had in de maatschappij moeten staan, zoals jij nu, met een of andere carrière. Maar toen was het niet zo. Als vrouwen zoals ik trouwden, ik bedoel, de vrouwen die niet rijk waren of gestudeerd hadden, werd eigenlijk van ze verwacht dat ze dat als eerste prioriteit beschouwden. Natuurlijk had ik een baan, maar dat was alleen maar om de eindjes aan elkaar te knopen. Je vader was heel roekeloos. Toen hij werd ontslagen was ik degene die het geld binnen moest brengen...'

'Maar dat was niet mijn schuld,' zeg ik zacht.

'Natuurlijk niet. En je was het liefste schattigste kleine meisje.'

Ik staar haar aan. Meer! Ik wil meer horen!

'Maar ik raakte zo depressief,' vervolgt ze. 'En ik geloof dat ik het moeilijk vond om... contact te maken.'

Ik staar naar mijn handen. Ik doe geen poging om iets te zeggen.

'En later,' gaat ze verder, 'toen het niet ging tussen je vader en mij en alles naar een crisis leidde, nou, misschien reageerde je daarop...'

Ik kan mezelf niet bedwingen, hoor mezelf zeggen: 'Je was pa ontrouw met Don voor hij stierf.'

Ik verwacht bijna dat ze tegen me zal schreeuwen vanwege mijn onbeschaamdheid, maar ze vertrekt geen spier. 'Ja, dat klopt,' zegt ze eenvoudig, 'maar dat was hij ook.'

Die zin komt als een doffe klap. Ik voel hem langzaam en diep mijn huid doorboren. Er is nog geen pijn, alleen het verdoofde besef dat alles wat ik me van mijn jeugd herinner, gezift en geordend en begrepen moet worden. Het is precies zoals ik het altijd aan mijn studenten heb verteld. We maken dingen graag simpel, hebben graag een rechtlijnig verhaal met een begin, een midden en een eind. Er zijn echter zoveel verschillende versies van het verleden, en de tijd vervormt onze herinneringen op zulke vreemde manieren dat waarheden omlaag zinken als lagen sediment en weer in iets anders veranderen. Er is meer, een gedachte die ik niet had verwacht, maar die nu voelt als het plotselinge openbarsten van een zweer die ik zo lang heb meegedragen dat ik het bestaan ervan was vergeten. We moeten zoveel bepraten.

En nu heb ik de moed die ik al deze tijd wanhopig heb geprobeerd te vinden. 'Ik wil dat je me erover vertelt,' zeg ik. 'Ik doe zo mijn best om het allemaal te begrijpen.'

'Nou,' zegt ze kortweg, maar niet onvriendelijk. 'Dat zal ik doen.'

Ik haal diep adem. 'Eerst wil ik je iets laten zien.'

Ik buk en zoek in mijn tas. Ik voel me als een kabel die zo strak gespannen staat dat zelfs de lichtste beweging een reeks nerveuze trillingen over de hele lengte veroorzaakt. Als mijn vingers zich om de plastic map sluiten haal ik hem te voorschijn en geef hem aan haar. Dat is de enige manier waarop ik het haar kan vertellen.

Ze kijkt me aan, duwt haar bril weer op haar neus. 'Wat is dit?' mompelt ze, en fronst terwijl ze haar blik laat dwalen over de fotokopie die ze nu uit zijn omhulsel heeft gehaald. 'Is het iets wat je hebt gepubliceerd?'

'Lees het maar.'

Met overslaand hart kijk ik hoe ze leest. Ik heb het zonder veel moeite in de British Library gevonden, want ik wist de datum en de plek. Ik hoefde alleen maar '*Evening Argus*, 21 augustus 1980' op te zoeken. En daar was het.

Baby gevonden

Een man die met zijn hond wandelde heeft vanmorgen vroeg op het strand van Brighton een pasgeboren baby gevonden. Men neemt aan dat de baby, die verborgen lag in een vissersboot, minder dan een uur oud was. Jim Wright, 70, en woonachtig in Carlton Hill, vertelde vandaag aan de *Argus* dat zijn hond, Queenie, de baby als eerste in de boot ontdekte. 'Ik kon mijn ogen niet geloven,' zegt Mr. Wright, wiens snelle reactie, namelijk het kind in zijn trui wikkelen, volgens kinderartsen in het Royal Sussex Hospital de baby het leven heeft gered. 'Eerst dacht ik dat er een pop lag, maar toen besefte ik dat het een levende baby was. Wie zou een pasgeboren kind zomaar in een oude boot neerleggen?'

Het kind, dat goed hersteld is van zijn eerste traumatische uren, verblijft momenteel in het Royal Sussex. Intussen doet de politie een oproep aan de moeder om zich te melden omdat ze medische hulp behoeft. Hoewel een kind achterlaten bij de wet verboden is, verzekert de politie ons dat ze goed zal worden opgevangen.

Mam bestudeert het artikel lange tijd aandachtig. Steeds als ze bij het eind is leest ze het weer van voren af aan, alsof ze het probeert te begrijpen.

'Ik snap het niet,' mompelt ze. 'Waarom laat je me dit zien?'

Plotseling kijkt ze niet meer naar het artikel. Heel langzaam legt ze het neer.

'Op 20 augustus trouwden Don en ik. We logeerden in Brighton.'

Ik knik.

'Iemand liet een baby achter op het strand... Een jonge moeder of iets dergelijks...'

Ik ben niet in staat te reageren: te veel tegenstrijdige emoties vechten om ruimte. Ik ben nog altijd kwaad, zowel op mezelf als op haar, om wat er die dag is gebeurd. Maar het maakt me zo moe, dat gevoel voor altijd in onze respectievelijke rollen vast te zitten en ik verlang diep naar een verandering. Wat heb ik aan mijn woede, na al die jaren?

'Je liep weg,' mompelt ze. 'Je had een vreselijk humeur. En je bent de hele nacht niet teruggekomen.'

'Dat klopt.'

Nu komt er iets nieuws op haar gezicht terwijl ze worstelt om de stukjes in elkaar te laten passen. 'Je was zo dik geworden. En in het restaurant was je ook ziek...'

Onze ogen ontmoeten elkaar, en in dat ogenblik, als het begrip van wat er die nacht is gebeurd zich op haar gezicht vastzet, vind ik dat wat ik wilde ontdekken door hier te komen: deze informatie is nieuw. Als ze al vermoedde dat ik zwanger was, had ze dat nooit tot de oppervlakte van haar bewustzijn laten doordringen. Haar misdaad was eenvoudig dat ze te veel met zichzelf bezig was en te verstrooid om te beseffen wat er gaande was. Niet wat ik altijd zwartgallig vermoedde: dat ze het wist, maar dat het haar niet kon schelen. En nu besef ik nog iets: ik hou nog steeds van haar.

'Lieve heer, Cass,' fluistert ze en laat haar hoofd in haar handen vallen.

'Hij was van mij...' zeg ik. 'Mijn baby. Ik ben helemaal alleen op het strand van hem bevallen. En toen heb ik hem in een boot verstopt. Ik was bang dat je kwaad zou zijn als je erachter kwam.'

Ik zwijg. Als ik heel goed luister kan ik bijna het geluid horen van de golven die over de kiezels ruisen. Mam probeert nu iets te zeggen, maar haar stem blijft steken. Als ik opkijk naar haar, weet ik dat alles tussen ons is veranderd. Goed, ze was soms kil en afgeleid; ze hield niet van mijn vader; ze vond het moeilijk om huisvrouw te zijn; en het moeilijkst voor mij om te verstouwen, David was altijd haar favoriet. Nou en? Ik moet dit allemaal achter me laten. Het is tijd om mijn jeugd opnieuw in te vullen, om mezelf een andere rol te geven. Mam hield van me, of probeerde dat in elk geval, maar onze relatie sloeg stuk op rotsen die we nooit zagen: de collectieve geschiedenis van haar generatie, het verhaal van haar huwelijk, en mijn eigen geheime verleden. Maar nu kan er een nieuw verhaal totstandkomen. Misschien is het er een dat we uiteindelijk samen kunnen vertellen.

Daarna brengen we de rest van de dag dicht tegen elkaar aan geleund pratend door. Ik zou in een pension logeren, maar na wat er is gebeurd lijkt het bizar om niet bij mam te blijven. Ik zal in haar logeerkamer slapen, ingestopt onder de verschoten gebloemde lakens die ik me uit mijn jeugd herinner. Er is zoveel te vertellen, al die jaren om in te vullen. We weten echter allebei dat daar later tijd voor zal zijn. In plaats daarvan brengen we het grootste deel van de lange middag en avond door met het bespreken van hoe we het goed kunnen maken.

We hebben het volgende afgesproken: morgen, na het ontbijt, rijden we terug naar Brighton. Als we daar aankomen gaan we naar de politie, en zal ik ze alles vertellen wat ik haar juist heb verteld. We denken niet dat ze me zullen vervolgen, niet na al die jaren. Maar ze hebben misschien wel informatie over wat er met mijn kind is gebeurd, of minstens de namen van de betrokken maatschappelijk werkers. En dan misschien, misschien, zal ik hem vinden.

Het is nacht. Mam heeft de kat buitengelaten en beneden het licht uitgedaan. Ik heb me gewassen en omgekleed in haar kleine badkamer, en poets mijn tanden terwijl ik door de glas-in-loodramen naar de donkere velden om het huis kijk. Nu heeft ze zich in haar slaapkamer teruggetrokken; daarbinnen hoor ik haar zuchten en rondlopen, dan klikt ze ten slotte de deur in het slot.

Het huis is in rust. Alleen in mijn kleine kamer duw ik het raam open en de nachtlucht stroomt binnen, zoet, vochtig en met een vleug van de zomer die eraan komt. Er is geen maan en de nacht is inktzwart, een allesomvattende duisternis die niet in steden bestaat. Ik hoor het zachte geloei van koeien uit het veld achter het huis, hun dampende gezucht en het knerpen van hun hoeven op het jonge gras. Iets verderop blaten schapen tegen hun lammeren, een diep keelgeluid dat in de nacht weergalmt.

Ik ben moe op een manier die ik niet heb ervaren sinds ik een kind was. Mijn ledematen doen pijn, alsof ik de hele dag door de velden heb gerend, of op mijn fiets over de heuvelachtige landweggetjes heb geracet. Ik ga op bed liggen en glij opgelucht onder de dekens. Het is alsof ik diep in de zachte doorgezakte matras zak, misschien wel om nooit meer terug te keren. Door mijn uitgeputte lichaam verspreidt zich een nieuwe warmte. Misschien zal ik voor altijd slapen. Maar voor ik mijn ogen sluit en me aan de rust overgeef, die ik al deze lange jaren vol spijt en verdriet nooit gehad heb, hou ik een beeld in mijn hoofd.

Ik sta weer op de rotsen, kijk omlaag naar de kolkende zee. De rotswand loopt steil en dodelijk af onder mijn zicht. Verder omlaag nestelen zeemeeuwen in de uitstekende richels. Als een wonder groeien hier bloemen. Verder weg op het water cirkelen jan-van-genten in de atlantische bries, dan richten ze zich en duiken.

Ik ben zo dicht bij de rand dat mijn benen onder me wankelen. Als ik eroverheen kijk zie ik het kiezelstrand met zijn franje van zeewier, de schuimende vloed. Deze keer ben ik echter niet bang. En deze keer, in plaats van me om te draaien van de rand en suf weg te rennen, kijk ik naar de rotsen en golven en zwevende meeuwen onder me.

En dan spring ik.